LE JOUR DU CHIEN

Patrick Bauwen

LE JOUR DU CHIEN

ROMAN

Albin Michel

À Laetitia

« Le Diable est dans les détails. »

Nietzsche

« On ne m'a pas attrapé
Beaucoup ont essayé
Je vis parmi vous
Bien déguisé. »

Leonard Cohen, « Nevermind »

Il y a plusieurs façons de vous raconter cette histoire. Mais le plus simple, je crois, est de commencer par le jour où l'on a tenté de me tuer.

C'est arrivé d'une manière totalement inattendue, dans une cité que la plupart des gens associent au romantisme, mais qui représente désormais pour moi le lieu de tous les cauchemars. Je parle de la Ville lumière. De la destination touristique la plus convoitée au monde.

Je parle de Paris.

À une certaine époque, Paris fut mon terrain de jeu. Je l'arpentais de long en large, le sourire aux lèvres, main dans la main avec ma femme. J'y vivais.

Flâner sur la butte Montmartre, manger une pizza place Saint-Michel, dénicher un vieux polar chez les bouquinistes des quais de la Seine, mes nuits de garde au service des urgences de l'Hôtel-Dieu devant le parvis de Notre-Dame... Je pourrais vous raconter ça durant des heures. Parce que c'est chez moi. Ma ville.

J'y ai fait mes études de médecine. Disséqué mes premiers cadavres. C'est ici que j'ai pleuré mon premier patient lorsqu'il est mort après un banal coup sur la tête, pour avoir simplement refusé une cigarette à un petit dealer des Halles. Ici que j'ai vécu mes plus grandes émotions : la réussite du concours de première année, mon mariage à la mairie du 20ᵉ, l'obtention de mon diplôme de médecin, que nous avons fêté au champagne dans la cour de l'hosto à quatre heures du matin, riant et chantant tout à la fois.

En ce temps-là, Paris était pour moi un lieu vivant, bruyant, agité, tapageur à toute heure du jour et de la nuit. Je ne savais pas qu'il y avait des endroits plus sombres. Des artères mortes et desséchées parcourant ses profondeurs, tels les vaisseaux flétris d'un défunt. Des gouffres terribles où il vaut mieux ne pas descendre.

C'est dans ce voyage que je vais vous entraîner à présent. Il faut que je vous raconte. Que vous compreniez comment tout cela s'est produit.

Je m'appelle Christian Kovak. Mes amis m'appellent Chris. Je suis médecin aux urgences. Il est vingt-trois heures, et je viens de prendre le métro pour rentrer chez moi après une journée de travail interminable. Dans un peu moins d'une minute, ma vie va changer.

Là maintenant, je suis avachi sur mon siège, les paupières lourdes. Ma tête cogne contre la vitre au rythme des soubresauts du wagon qui parcourt le tunnel. À chacune de mes inspirations, je perçois le parfum caractéristique du métro parisien, mélange d'odeurs humaines, de caoutchouc chaud et de produits chimiques. Certains trouvent cette odeur désagréable. Pas moi : je la trouve rassurante. Elle signifie que votre existence est sur des rails. Tranquille. Le docteur Kovak plongé dans la monotonie. On se lève, on bosse, on rentre, et on recommence. Comme ça, pas besoin de réfléchir.

Au fait que ma femme est morte il y a plusieurs années, et que je suis incapable de remonter la pente, par exemple.

Il n'y a pas si longtemps, nous étions là, tous les deux, nous nous promenions à vélo, pique-niquant dans les parcs en été, déambulant sur les berges du canal Saint-Martin à l'automne, souriant comme des enfants devant les vitrines au moment de Noël. Nous avions nos habitudes, nos rituels de couple : se lever ensemble quel que soit notre emploi du temps, commencer la journée par un café crème, dévorer les épisodes de nos séries télé favorites d'une seule traite pendant le week-end, déjeuner une fois par semaine au restaurant chinois, s'accorder un verre de vin chacun avant une soirée coquine. Deux amoureux vivant dans leur bulle, année après année.

Et d'un coup : plus rien. Désormais, chacun de ces détails est une plaie ouverte qui vous rappelle la mort de l'autre.

C'est idiot, je suis bien placé dans mon métier pour savoir que rien ne dure. Pourquoi y repenser sans cesse et continuer à me faire du mal ? C'est de l'autoflagellation pure et simple. Je ferais mieux de me concentrer sur de nouvelles rencontres.

Cette jolie brune assise de l'autre côté du wagon, par exemple.

Elle doit avoir la trentaine. Elle est plongée dans un livre. Sans doute parce qu'elle aime lire mais aussi pour rompre le contact visuel, je suppose. Cela permet d'éviter qu'on l'importune à cette heure tardive alors qu'il n'y a pas grand monde dans la rame. D'ailleurs j'ai remarqué que son sac était fermement maintenu sur ses genoux.

Je l'observe un peu mieux. Si j'étais moins fatigué, je pourrais me laisser aller à des pensées érotiques à son sujet. Mais je n'ai pas vraiment la tête à ce genre de chose.

Derrière moi, deux petits loubards ricanent.

– Eh, madame ! T'es libre ce soir ?

Apparemment ils s'adressent à elle. Je ne me retourne pas.

Nouvelle interpellation.

La femme continue de lire, impassible.

La rame de métro emprunte un virage. Le rebord usé du siège en plastique écorche mes doigts, et je réalise que je le serre un peu trop fort. Les néons à l'intérieur du tunnel défilent. La prochaine station approche.

Troisième interpellation. Cette fois, la femme relève la tête. Sans doute pour vérifier que les deux gars ne constituent pas de réelle menace.

Je croise son regard et lui adresse un sourire complice. Style : « Je suis là, c'est bon, pas d'inquiétude. » Un peu macho, je vous le concède. Mais ça fonctionne. Je suis nul pour me sauver moi-même, mais très doué pour rassurer les autres. Docteur Chris Kovak, dépression et professionnalisme avant tout.

Les loubards finissent par se calmer et la femme poursuit sa lecture.

J'en profite pour relâcher la tension accumulée dans mes muscles. Mes amis n'arrêtent pas de me dire que je dois aller de l'avant, avoir de nouvelles aventures.

Sauf qu'être heureux, c'est compliqué.

Vivre, c'est compliqué.

Comme disent les Rolling Stones, « on n'a pas toujours tout ce qu'on veut ».

La courbe se termine. Dernier tunnel. Dernière ligne droite.

Il serait tentant de continuer de m'apitoyer sur mon sort. C'est un exercice dans lequel j'excelle. Pourtant, ce soir, je ne vais pas en avoir l'occasion.

Parce que ma vie va changer.

Là, dans quelques secondes. C'est sur le point de se produire. Attention…

Maintenant.

Première partie

LES JOURS DU CHIEN

1

La lumière s'éteint.

Comme ça, d'un coup.

Il y a un son bizarre, un genre de *plop*, et le métro tout entier se retrouve plongé dans l'obscurité du tunnel. Seule la lueur des plafonniers de secours, près des portes, subsiste encore. En dehors de ces halos, la rame baigne dans la pénombre.

Nous ralentissons. Le bruit régulier des pneumatiques est remplacé par le long crissement des freins, puis les wagons s'immobilisent.

Un haut-parleur grésille au-dessus de moi.

La voix forte, déformée, me fait sursauter.

– Mesdames, messieurs, suite à une coupure de courant je vous demanderai de bien vouloir patienter quelques instants. Merci.

C'est le conducteur du train, bien entendu. Qu'est-ce que je m'imaginais ?

Dans une série comme *The Walking Dead*, une horde de zombies choisirait cet instant pour nous tomber dessus. La main d'un cadavre grifferait la vitre, une fille se mettrait à hurler, puis les fenêtres exploseraient une à une, et des morts en décomposition surgiraient des profondeurs des tunnels pour se jeter sur les voyageurs.

Voilà les trucs que je regarde pendant mes nuits de garde. Il va falloir que je me calme sur les séries télé.

Quelques secondes s'écoulent. Une minute peut-être. Dans ces moments-là, le temps paraît élastique. J'aimerais qu'un voyageur tousse et interrompe le silence. Sauf que personne n'ose. La sensation est oppressante.

Je tends mon regard vers la femme brune à quelques mètres, et je devine qu'elle fait de même dans ma direction. Nous distinguons à peine nos visages. On dirait le train fantôme à la fête foraine quand j'étais petit.

Je me tortille sur mon siège. Tout va rentrer dans l'ordre, il suffit d'attendre. Une panne électrique dans le métro, ça arrive. Nous sommes au mois de juillet, la chaleur est accablante depuis plusieurs jours, et les avaries de matériel se multiplient en provoquant des pannes de secteur. J'ai lu ça dans le dernier *Paris Match* qui traînait aux urgences.

La canicule rend les gens fous. La consommation d'alcool augmente, l'énervement de même. Je le vois tous les jours avec les incidents qui se produisent en consultation : les bagarres entre SDF, l'impatience des parents qui amènent leur gamin pour une simple fièvre, le ton qui monte lorsque l'infirmière s'adresse à eux, les regards agressifs, la méfiance. On dirait une fièvre incontrôlable qui se répand dans la ville.

Ou bien c'est moi qui pète un câble, allez savoir.

Je me retourne pour observer le reste du wagon. Les écrans des téléphones portables forment des îlots bleutés, les tintements d'un Candy Crush résonnent dans l'allée centrale. Au fond de la rame, quelqu'un joue avec une lampe torche et l'agite sur les parois pour dessiner des formes. Il n'y a pas grand monde. Une dizaine de voyageurs tout au plus.

Soudain, je n'ai plus sommeil du tout. Mes pensées sont devenues rapides, fluides, comme si l'on avait versé une dizaine de cafés directement dans mes veines. Je glisse mes doigts dans mes cheveux et les tire en arrière. Je fais ça quand je réfléchis ou quand je stresse.

Deux personnes se lèvent en repoussant leurs voisins.

– Hé !

– Ta gueule.

– Qu'est-ce que vous foutez ?

– Tu la fermes.

Les deux gars de tout à l'heure déboulent devant moi. Capuches rabattues. Foulards sur le visage. On distingue à peine leurs yeux.

Deux guerriers urbains, debout dans la pénombre.

Le premier porte un survêtement avec le mot *Cannabis* imprimé en rouge, juste en dessous d'une feuille de chanvre. Je suppose que c'est censé imiter le logo *Adidas*.

– Tu bouges pas, dit-il à mon intention.

Son acolyte tient son téléphone portable d'une main et une lampe torche de l'autre. Il balaye la rame tout en observant son écran.

– Qu'est-ce que vous faites ?

– On vous filme.

– Pourquoi ?

– Parce que c'est drôle.

Cannabis s'approche de la femme brune.

– Toi, file-moi ton sac.

– Non.

– Genre, tu résistes ?

– J'ai dit non.

Ricanement, sous la capuche.

– Meuf, tu veux passer à la télé ?

– Je ne vous donnerai pas mon sac.

Courageuse.

Je fais mine de me lever. Le portable se braque aussitôt sur moi.

– Dis coucou à la caméra.

– C'est bon, les gars, les lumières vont se rallumer...

– Et alors ?

– Alors, vous feriez mieux de partir.

Cannabis s'esclaffe.

– Partir où ? Tu vois pas qu'on est en panne ?

Il glisse sa main dans la poche ventrale de son survêtement. J'observe son geste. Son poing s'est refermé sur quelque chose. Il m'a vu. Et il sait que je le sais.

– Assieds-toi, mec.

Sa voix a perdu toute trace de plaisanterie.

Je transpire à présent.

La caméra du portable balaye les voyageurs.

– Tu filmes toujours ? questionne Cannabis.

– Nickel.

– On est à combien de vues ?

– Trois cent cinquante. Ça grimpe en flèche.

– OK. Revenons à la dame.

– Laissez-moi ! dit-elle.

– T'inquiète, on va pas te violer.

– Quoique, renchérit l'autre.

Rires encore, sous les capuches. Ces deux enfoirés s'en payent une tranche.

– Qu'est-ce que vous me voulez ? demande la femme.

– On te l'a déjà dit. Ton sac.

– Et si je refuse ?

– Dépêche.

Cette fois je me lève et m'avance, les mains écartées, bien visibles.

– Tout va bien, les gars. Je ne sais pas ce que vous fichez avec votre portable, mais il y a plein de témoins, ici. Des gens, des caméras partout...

Cannabis sort le pistolet de son survêtement et pose le canon sur mon front. Tranquille.

– C'est bon, mec. Reste cool.

La froideur du métal contre ma peau. À deux centimètres de mon lobe frontal.

J'espère pour vous, sincèrement, que vous n'éprouverez jamais cette sensation.

Dans la rame personne ne bouge. Je crois que plus personne ne respire.

Capuche numéro 2 commence à s'agiter.

– Vas-y doucement avec le gun.

– Annonce plutôt les vues.

– Mille deux cent cinquante. Mille trois cents. Mille quatre...

– Marrant, non ?

– On devait juste piquer un sac à main.

– Et alors ? Grâce à ce connard, on fait beaucoup mieux.

C'est de moi qu'il parle.

– Faites pas de bêtise, je réponds.

Je devrais lui sortir un long discours. C'est comme ça qu'il faut se comporter. J'ai l'habitude, ce n'est pas la première fois qu'on me menace. Certains patients de psychiatrie peuvent devenir très dangereux, il faut leur parler, engager le dialogue sur un sujet banal, conserver une voix paisible et rassurante, attendre qu'ils se calment s'ils en sont capables. Tout cela dans un unique but : temporiser jusqu'à ce que les secours se pointent.

Je le sais.

Mais je ne fais rien.

Ma gorge est aussi sèche qu'une vieille éponge.

– Hé ! dit la femme en tentant d'interpeller les voyageurs. Un type nous menace ! Tirez le signal d'alarme !

Personne ne bouge un cil.

Cannabis se tourne vers elle.

– Oh, ça ? Parce que tu crois que ça va t'aider ?

Joignant le geste à la parole, il actionne la manette. La sirène retentit pendant qu'il toise la femme du regard, la défiant de tenter quoi que ce soit. Elle reste immobile, et l'autre assaillant lui arrache finalement son sac.

– Allez, on se casse.

Ils s'éloignent à reculons.

La sirène hurle en continu, comme dans un mauvais rêve. Apparemment une coupure électrique n'empêche pas l'alarme de sonner.

Un grondement sourd résonne dans ma poitrine. Je mets un moment à comprendre qu'il s'agit des battements de mon cœur.

Ils forcent l'ouverture de la porte et le premier homme saute sur la voie. Cannabis s'apprête à l'imiter, mais au dernier instant, il se retourne.

– Hé ! Mec !

Il pointe son pistolet vers moi. Un bruit de tonnerre.

Dans le monde réel, le son d'un tir de pistolet est beaucoup plus puissant que dans les films.

La peur me transperce.

Non. Pas la peur.

L'homme saute. Longe la rame. Disparaît dans le tunnel.

J'essaye de me retenir à la barre centrale.

La jolie brune plaque ses deux mains sur sa bouche.

Puis le sol monte à ma rencontre.

Un choc.

Et c'est le noir pour de bon.

2

Morphine.

Voilà ce dont vous avez besoin lorsque votre épaule a explosé tel un miroir. Mille morceaux de verre qui se baladent. Du moins, c'est l'impression que ça vous donne. La douleur irradie loin en aval, dans le coude, dans vos doigts des sensations de piqûres atroces, et ce n'est pas fini : la petite fête remonte dans le cou, installe des avant-postes dans votre poitrine, vos omoplates, votre abdomen.

Vous êtes sur un lit de clous. Aucune position ne vous soulage. En même temps vous êtes tellement faible, si faible, dans ce brancard (car vous êtes dans un brancard, de ça, vous êtes à peu près certain), et vous avez perdu tellement de sang...

Ou alors c'est les médicaments qui vous rendent flasque. Vous êtes mou. Mou avec l'épaule qui pique. On appelle ça des dysesthésies, vous vous en souvenez parce que vous êtes médecin, c'est vrai, vous l'aviez oublié. Vous connaissez les mots pour désigner la douleur, la souffrance sous toutes ses formes, ses variantes les plus atroces décrites avec minutie. Un nom pour chaque chose. Sauf que ça fait une putain de différence lorsqu'on l'éprouve, la douleur, au lieu de la décrire comme dans un manuel.

La prochaine fois vous serez plus gentil avec un patient lorsqu'il a mal. Promis juré.

Puis on vous injecte la morphine.

– Christian, ça va ? Tu m'entends ?

C'est bon, c'est bon. Mon Dieu que c'est bon.

– Tout s'est bien passé, Chris. Ne t'inquiète pas. Tu es en salle de réveil. On t'a opéré. Tu es encore sous l'effet de l'anesthésie.

La voix m'est familière. J'aimerais bien mettre un nom dessus. Mais je m'endors.

*

Sam Shahid est mon beau-frère.

C'est lui qui vient de me parler.

Il est chirurgien orthopédiste. D'origine iranienne. Et tout à fait gay, même s'il évite de le crier sur les toits. Dans le monde des cow-boys machos de la chirurgie orthopédique, je peux vous dire que ce n'est pas une combinaison courante. Il faut le voir au bloc, son calot fluo sur la tête. Il est grand, mince, avec des yeux bleus et de longs cils de fille. Ses patients viennent de loin pour se faire opérer par ses mains expertes : ce type est l'un des meilleurs praticiens de la place de Paris.

– Comment tu te sens ? demande-t-il en entrant dans ma chambre.

– Aussi léger qu'un parpaing.

– T'exagères. Je t'ai opéré en douceur.

– T'as joué au Rubik's Cube avec mes os, oui !

– J'ai fait super attention, je t'assure.

– Et moi j'ai super mal.

Il hausse les épaules.

– On t'a tiré dessus, tout de même. Cela dit, c'était facile, je ne me suis même pas amusé.

– Évidemment. Vous, les orthopédistes, tant qu'on se fait pas écrabouiller la totalité du squelette par un tractopelle, c'est même pas drôle.

Il sourit d'un air espiègle.

– Au bloc, on t'a vu à poil.

– Vous vous êtes bien rincé l'œil, j'imagine.

– On a fait des photos.

– Normal. Avec mon corps d'athlète…

– T'emballe pas. J'ai vu mieux.

– Pervers.

– Frimeur.

Il me serre dans ses bras.

Sam m'a présenté sa sœur lorsque nous avions dix ans. À l'époque, nous étions juste des gamins de la cité. Des petits marioles qui traînaient dans la rue. Jamais nous n'aurions imaginé accomplir un si long chemin ensemble, ni devenir médecins, et encore moins nous retrouver un jour devant la même pierre tombale, pleurant la même femme, dans les bras l'un de l'autre.

– Tu m'as flanqué une sacrée trouille, espèce d'idiot, dit Sam. Quand on m'a appelé au milieu de la nuit pour me dire qu'on t'amenait à l'hôpital avec une plaie par balle, j'ai sauté dans ma voiture. J'ai dit : « Personne ne le touche, c'est moi qui l'opère ! »

Il me sort les photos qu'il a prises avec son portable, avant et après l'intervention.

– Tu as eu une chance folle, regarde. Le tireur t'a complètement loupé. La balle a arraché des fibres musculaires de ton deltoïde mais elle est ressortie par-derrière sans toucher l'os. Pas de nerf majeur ni d'artère sectionnés. Ç'aurait pu être cent fois pire…

Je l'écoute patiemment. Sam a l'air calme, mais je sais qu'il a besoin de parler, de m'expliquer son travail, de me réconforter, tout en se rassurant lui-même. Ma femme est morte il y a trois ans. Sam est solide, mais il ne faut pas se fier aux apparences. Il est comme chacun d'entre nous : après un grand malheur, on redoute tous que la foudre s'abatte une deuxième fois au même endroit. Et moi, je m'en veux de lui avoir infligé une frousse pareille. Me faire tirer dessus, ce n'est pas le genre d'événement que j'avais prévu au programme.

— Ta douleur a provoqué un malaise vagal, conclut-il, c'est pour cette raison que tu t'es évanoui dans le métro. Mais il n'y a rien de grave. Tu ne conserveras aucune séquelle.

— Grâce à toi. J'en suis sûr.

Il sourit sous le compliment.

— Bah, c'était facile, je te l'ai dit.

Cette conversation nous fait du bien.

Notre amitié s'est un peu distendue ces dernières années. Il a mené sa vie de son côté, moi du mien. Les drames familiaux engendrent souvent ce type de réaction, c'est une leçon que j'ai apprise. Nous demeurons unis, bien sûr – la famille reste la famille –, mais entre nous, il y a désormais un spectre qui flotte au milieu de chaque conversation. Ce n'est pas facile de se comporter comme si personne n'était mort.

En psychologie, on appelle cela la culpabilité des survivants.

— Les gens de ton service ont organisé un pot en ton honneur, dit Sam.

— C'est gentil de leur part.

— Apparemment tu es très populaire aux urgences.

— Prendre une balle rend populaire.

— C'est *survivre* à une balle qui rend populaire. La prochaine fois qu'on te menacera avec une arme, essaye de faire profil bas. On a eu suffisamment de drames, je n'ai pas envie qu'il t'arrive quelque chose à toi aussi.

— J'ai une âme de héros.

— Mouais. Plutôt de casse-cou.

Sam ne travaille pas dans le même hôpital que moi. Il est venu exprès pour m'opérer. Il s'agit d'une procédure inhabituelle, mais le chirurgien de garde l'a laissé faire. Entre médecins, on peut s'arranger lorsqu'il s'agit d'un proche.

— Tu te sens capable de descendre aux urgences ? dit-il.

– Allons-y.

Je me redresse un peu trop vite. La pièce se met à tourner. Il se précipite pour me rattraper mais je l'interromps d'un geste.

– Ça ira, fais-je en m'appuyant sur le pied à perfusion.

Je tiens à accomplir cet effort seul.

Quelques minutes plus tard, nous nous retrouvons dans la salle de repos pour une petite fête avec les amis du personnel. L'avantage de travailler sur place est que je m'y sens comme à la maison. Je tangue encore un peu à l'arrivée, mais les gobelets se lèvent et les exclamations fusent.

– Des journalistes t'attendent dehors, me glisse Sam à l'oreille. Ils veulent voir le médecin qui s'est fait tirer dessus. On dirait que tu es le héros du jour, mon vieux.

– Hé, Chris ! T'es sur le Web ! lance une infirmière.

– Il paraît que la scène a été filmée, commente Sam. Je ne l'ai pas encore vue, mais elle passe sur Internet de façon virale. Tu veux la voir ?

– Oui. Et toi ?

– C'est un peu morbide, mais pourquoi pas ? Puisque tout s'est bien terminé.

On m'aide à m'asseoir et quelqu'un place un ordinateur portable devant nous.

– Le film ! Le film ! clame l'équipe.

– C'est sur Megascope, précise l'infirmière.

– Qu'est-ce que c'est ? demande Sam.

– Une application pour smartphone, dis-je. Megascope est un truc de jeunes, les externes m'en parlent souvent durant leurs gardes. Tu filmes avec ton portable et ça retransmet en direct sur le Web, comme une émission télé dont tu serais le cameraman. Le contenu est accessible durant vingt-quatre heures, et ensuite il s'efface. L'un des deux agresseurs nous a filmés de cette façon. C'est sûrement ce gars-là qui l'a mis en ligne.

– Gonflé ! siffle Sam.

En effet, Megascope possède une réputation sulfureuse. Il n'y a pas si longtemps, un célèbre footballeur du PSG s'est filmé en train de répondre aux questions des internautes en direct, et ses propos ont débordé sa pensée, il s'est carrément moqué de son entraîneur. Ses paroles étaient déplacées, voire injurieuses, d'autant que le type avait manifestement fumé de l'herbe. Hilarant pour les spectateurs, mais lui s'est retrouvé suspendu par le club.

Il y a aussi l'histoire des deux mineurs qui ont proposé aux internautes d'agresser un type au hasard dans la rue dès qu'ils dépasseraient le cap des quarante connectés. Encouragés par les commentaires des utilisateurs, ils l'ont fait, ces idiots ! Ils ont choisi un gars, lui ont filé quelques claques, et l'ont projeté à terre. Comme les deux jeunes étaient parfaitement identifiables dans la vidéo, la police les a interpellés, bien sûr, et ils se sont retrouvés au tribunal. Mais d'autres anecdotes sont beaucoup plus glauques : le suicide en direct d'une jeune fille qui s'est jetée sous un train, observé par des centaines de personnes... Toutes ces scènes étaient censées disparaître de Megascope, mais elles ont été copiées, exportées sur les réseaux sociaux et diffusées partout ailleurs sur le Web.

Ainsi vont les choses aujourd'hui. La société du spectacle a envahi nos vies. Nous sommes écrasés par le rouleau compresseur des informations et des drames à la télévision. Pourtant nous en réclamons toujours plus, jusqu'à fournir nos propres images en pâture aux médias...

— Alors, cette vidéo ? demande quelqu'un dans la salle.

Sam appuie sur Play. Je me raidis. Le souvenir de l'impact du projectile dans mon épaule est encore brûlant. Revivre le choc ne va pas être agréable.

Pourtant, personne ne s'attend à ce qui va suivre.

3

CLIC.

Sur l'écran, la scène commence. Elle se déroule telle que je l'ai vécue, vue sous un autre angle.

Les deux voyous sont là, ils filment depuis l'arrière du wagon. L'image est de bonne qualité, mais elle tremble. On ne voit pas leur visage, bien entendu. Juste un morceau du survêtement du premier, celui que j'ai surnommé Cannabis. La rame est encore éclairée. Ils se tiennent tranquilles, ils ne disent rien. On entend le bruit du métro.

Autour de moi, c'est le silence total. Je jette un coup d'œil, chacun retient son souffle, guettant les images par-dessus mon épaule. Je reviens à l'écran. Qui devient plus sombre.

La panne électrique. Les lumières habituelles se sont éteintes, il ne reste que les plafonniers. Crissement de freins. Puis le silence.

Ça rend pas mal, cette application Megascope.

Soudain l'image se met à bouger dans tous les sens. Un bruit de tissu. Les deux types doivent être en train de rabattre leurs capuches. En bas de l'écran, des bulles de texte défilent. Les commentaires des internautes commencent à s'exciter.

Vas-y, reuf ! Pique un truc !
Choure le sac !
Nique ces bâtards !

F** la poliss !!

Tout ça enregistré en temps réel, avec des smileys à tête de diable, à tête de mort, en feu.

Sympas, les spectateurs de la chaîne.

Stabilisation. L'image devient propre. Capuche numéro 2, celui qui tient le portable, veut manifestement faire les choses bien.

Les gars bousculent les voyageurs et se plantent devant moi. Échange d'amabilités. Sur le côté de l'image, je vois le nombre de connectés qui s'affole. Huit cents, neuf cents, mille. À peine croyable.

Les deux types s'adressent maintenant à la femme brune. Je me vois intervenir. Le ton monte.

OK, j'ai déjà vécu ça. Ce n'est pas le plus intéressant. Le plus intéressant est ce qui se déroule *entre*. Pendant les courts instants où Capuche numéro 2 filme le reste du wagon.

Il tient à faire des zooms et des plans d'ensemble. Une vraie petite graine de Francis Ford Coppola.

Et c'est là que ça survient.

Tout à coup, on l'aperçoit.

Mes yeux s'écarquillent.

Sam blêmit.

Ce que nous voyons est impensable, évidemment. Il n'y a aucun moyen de l'expliquer. Pourtant c'est elle.

La caméra s'éloigne. Revient. À deux, trois reprises. Il fait sombre, mais on la distingue assez bien : elle se tient dans le halo d'un plafonnier, à quelques rangées de là où je me trouve. Une passagère parmi les autres.

Blonde. Le même âge que moi. Ses longues mèches encadrent son visage ovale. Elle est assise comme n'importe qui dans la rame. Sauf que c'est impossible. Parce qu'elle est morte. Sam et moi, nous étions ensemble le jour où nous l'avons enterrée.

Cette personne dans le métro... c'est ma femme.

4

Dissimulé sous un tas d'ordures, à l'abri des feuilles de journaux étalées autour de lui, le Chien observe la voiture qui descend la rampe du parking souterrain.

Bien sûr, la jeune conductrice au volant ne sait pas qu'il est là.

Elle arrête son véhicule, une Clio bleue cabossée et constellée de crottes de pigeon, pile devant le garage. Puis elle sort, relève la porte et jette un coup d'œil circulaire.

– Ben quoi, vas-y, murmure le Chien. Tu crois quand même pas qu'on va te la voler, ta poubelle ?

Est-ce qu'elle peut le voir ? L'entendre ?

Non. Il est trop bien caché. Cela fait des heures qu'il l'attend, suant et puant sous les détritus. Mais ce n'est pas un problème pour lui. L'inconfort, les cafards qui lui courent sur le ventre, ça fait partie du plaisir de la chasse.

Cette fille est l'image même de la victime : moche, maigre, insignifiante. Elle se prétend assistante de direction chez un ferrailleur poids lourds, en Seine-Saint-Denis. Le Chien ricane. Assistante de direction, c'est la nouvelle expression à la mode. Ces connasses ont toutes adopté le même titre. C'est plus classe que secrétaire promotion canapé. Ou garage à bites.

Assistante mon cul.

Il continue de l'observer par les trous qu'il a découpés dans le journal. De son côté, la fille plisse les yeux pour tenter de percer les ténèbres du parking souterrain. Son instinct animal doit y déceler une menace. Un néon sur deux est en panne, le Chien y a veillé. Tout au bout, une lumière épileptique indique la sortie vers les ascenseurs.

Lueur rouge.

Noir.

Rouge.

Noir.

Viens par là, dit le néon. *Viens voir de l'autre côté du miroir, Alice.*

Le Chien se retient de rire. Dans n'importe quel film d'horreur, le spectateur moyen est parfaitement au courant qu'il ne faut *pas* aller dans cette direction. L'héroïne est censée prendre ses jambes à son cou et remonter vers le soleil au plus vite. Seulement voilà : petit a, cette fille n'a rien d'une héroïne. Et petit b, dans la vraie vie, les demoiselles pensent que les monstres n'existent pas. Donc elle se ravise, secoue sa tête, range sa voiture dans le garage, fourrage quelques instants à l'intérieur, puis ressort en refermant soigneusement la porte.

Elle vient de planquer cinquante cartouches de cigarettes de contrebande. De ça, le Chien est au courant. Et aussi un peu de crystal meth – car chez le ferrailleur, les secrétaires de direction ont leurs petites compensations. La fille n'en est pas encore à se l'injecter. Pour le moment elle la fume, elle l'avale ou se l'introduit par voie anale. Et la voilà qui repart en faisant sauter ses clés dans sa main, joyeuse et insouciante. Sans doute songe-t-elle à sa prochaine soirée, à l'argent qu'elle va tirer de la revente des clopes, à la drogue qu'elle s'enverra en écoutant « Paris Is a Bitch » de Biga Ranx, à poil sur un matelas en compagnie de quelques amis, qui sait ? Pfff, comme s'il lui restait plus de vingt minutes à vivre...

Le Chien est une sorte d'inquisiteur. Un mal nécessaire. Un guerrier saint.

Dans le *Clavis Calendaria*, écrit par le prêtre John Brady en 1813, il est dit que les Jours du Chien consacrent l'apogée du Mal. « C'est une période durant laquelle bouillonnent les flots. Le vin tourne à l'aigre, les molosses hurlent à la Lune et l'Homme devient fou. Fièvres mystiques, hystéries et frénésies s'abattent sur les pauvres gens. » Le Chien adore ce genre de trucs. Il ne sait pas si c'est vrai. Probablement que ce John Brady n'était qu'un pauvre moine ivrogne et sentant la pisse. Mais il n'en a rien à foutre. Il a plein d'autres références dans le même style. Si l'on se base sur les croyances antiques, par exemple, les Jours du Chien désignent le cœur brûlant de l'été et coïncident avec l'ascension de l'étoile de Sirius, dans la constellation Canis Major. Quant aux Égyptiens, ils pensaient que le lever héliaque de Sirius était annonciateur des crues du Nil.

Voilà ce qu'il est : un fleuve en crue. Une force qui va.

Il attend que la fille soit engagée dans le couloir, puis il embrasse sa croix et la remet sous son T-shirt. Certaines choses doivent être faites. Ainsi le veut notre Seigneur. Il s'extrait de son tas d'ordures et cavale après elle dans un silence impeccable.

Elle ne l'entend pas venir : elle est plantée comme une conne devant le panneau « ascenseur en dérangement ». Le Chien lui glisse un serre-câble en plastique autour du cou et le resserre au maximum. Son visage devient bleu en cinq secondes et commence à virer au noir.

– Du calme. Tranquille, dit-il en l'attirant tout au fond du couloir.

Il emprunte un passage à gauche, puis tourne à droite, et termine dans un cul-de-sac. Il coupe le lien avant que l'autre ne soit totalement à court d'oxygène. Il n'a pas envie non plus de se la trimbaler. La jeune femme s'affale de tout son long sur le sol de la cave. Le Chien referme la porte.

Elle le voit. Tente de pousser un cri. N'y arrive pas.

C'est sûr, les lunettes de soudeur qu'il porte sur son visage cagoulé, ça fait toujours sa petite impression.

— Pitié, parvient-elle à articuler.

Il dépose sa boîte à outils sur le sol et en sort une seringue, une balle en caoutchouc et un chalumeau.

— Tu vas parler. Hier, il y a eu une agression dans le métro. Un truc filmé et envoyé sur le Web. Deux types du coin, d'après mes renseignements. Qu'est-ce que tu sais là-dessus ?

— Vous… vous faites erreur…

— Je ne crois pas.

— J'ai des relations…

— Tu veux dire que t'es une indic ? Que les flics te connaissent et que t'es protégée ? Ça aussi, je suis au courant. Et tu sais quoi ? Je m'en tape.

Le Chien allume le chalumeau. Il lui glisse la balle en caoutchouc dans la bouche, puis lui crame le globe oculaire droit. Bien sûr, elle s'évanouit. Il s'y attendait un peu. Il patiente quelques instants tandis que l'odeur de chair brûlée se répand dans la cave, puis il lui injecte la seringue d'adrénaline. Pas trop, sinon le cœur explose. La fille se réveille. Le Chien sait que la douleur est insupportable, mais ça fait partie du jeu. Les inquisiteurs sont là pour ça. Il continue à jouer un moment avec elle. Mais finalement, elle a raison, elle ne sait pas grand-chose.

Elle le supplie. Raconte qu'elle est enceinte. Lui propose de le sucer. De devenir son esclave. N'importe quoi pour survivre, alors qu'elle est déjà à demi morte.

Il finit par l'arroser d'essence. Il jette quelques seringues d'héroïne autour, une cuillère, garrot, briquet, puis il met le feu à l'ensemble. Une toxico s'immole par inadvertance dans la cave d'une cité. Personne n'en a rien à foutre.

Le Chien s'essuie le front. Il fait chaud. C'est fatigant. Il ressort en plein jour et place une main en visière devant son visage.

La température extérieure doit atteindre les trente et un degrés, et d'après Météo France, ça n'est qu'un début. Le soleil plante ses lances majestueuses à travers les nuages immaculés. Au loin, les tours de la ville montent vers le ciel, tel un cantique.

Il devra s'y prendre d'une autre façon pour retrouver la femme qu'il recherche. Mais il n'est pas inquiet.

Dieu est avec lui.

Et Dieu a toujours un plan.

5

Ma femme s'appelait Djeen.
Chris Kovak.
Djeen Kovak.
Sam Shahid.
Les trois mousquetaires de la cité.

Je donnerais n'importe quoi pour retrouver ces noms côte à côte sur une photo. Et j'espérais tellement y ajouter un quatrième, un jour : l'enfant de Djeen et moi.

Cet enfant, j'en ai longtemps rêvé. Djeen n'était pas pressée d'en avoir un. Moi si, j'ai toujours voulu fonder une famille. C'était un point de désaccord entre nous car elle souhaitait se consacrer à sa carrière, alors que je me suis toujours imaginé avec des gosses courant entre mes pattes. Mes parents et moi formions une famille heureuse, l'envie de reproduire ce modèle était probablement inscrite dans mes gènes dès le départ. J'aurais adoré avoir une petite fille par exemple. Une princesse que j'aurais gâtée, évidemment. Combien de fois nous ai-je rêvés en train d'écumer les magasins de puériculture pour lui préparer un environnement douillet, assembler son lit à venir, ou peignant les murs de sa future chambre ? Plus tard j'aurais accompagné ma fille à la maternelle, fier comme un coq. Elle m'aurait appelé son « papou », je lui aurais appris à nager et à faire du vélo. On aurait partagé des fous rires complices. Elle se serait rebellée aussi, bien sûr. Adolescente, je l'aurais mise en garde contre les garçons, mais elle n'en aurait pas tenu compte. Peut-être qu'elle aurait appris à jouer de la guitare électrique, piloté une moto, ou fumé un peu d'herbe, comme ça, juste pour agacer son père. Elle aurait piqué des crises, mais Djeen et moi nous aurions tenu le cap. Notre fille serait ensuite devenue étudiante en médecine, pourquoi pas ? On aurait partagé nos passions respectives. Et plus tard encore, elle se serait mariée à son tour, elle aurait eu des enfants. Tout aurait recommencé.

Une belle vie.

Sauf que mes rêves ne se réaliseront jamais.

— La fille du métro ressemble beaucoup à Djeen, dit Sam.

— Ta sœur est morte, je réponds d'une voix neutre.

— Avoue quand même que c'est troublant.

Je me tourne pour le dévisager. Nous sommes dans la voiture. C'est mon beau-frère qui conduit. Il me ramène chez moi.

J'aurais dû être hospitalisé vingt-quatre heures de plus, mais mon épaule bouge déjà bien, et je sais refaire mes pansements et assurer ma propre surveillance. Ce matin j'ai répondu à quelques journalistes, *Le Parisien*, BFM TV. Cet après-midi le médecin d'astreinte de l'unité médico-judiciaire est venu prendre des photos de mes lésions corporelles. La police me contactera pour la suite de l'enquête.

Nous filons sur l'autoroute A15. À gauche, les tours de la Défense s'éloignent dans la chaleur. Nous enjambons la Seine à cinquante mètres de hauteur sur le viaduc de Gennevilliers. En d'autres circonstances, j'aurais trouvé la vue fabuleuse.

— Arrête ça, Sam. Arrête tout de suite.

— Pourquoi tu t'énerves ? On discute, c'est tout.

— Djeen est morte. Tu le sais très bien ! La femme du métro lui ressemble, et alors ?

— Comme deux gouttes d'eau, tu veux dire !

– Ta sœur était la femme de ma vie. Sa perte est un drame pour chacun de nous. Mais j'étais présent. Et toi aussi. On a formellement identifié son corps. Il n'y avait aucun doute. Je ne sais pas pourquoi cette fille blonde lui ressemble autant, ni pour quelle raison elle se trouvait dans la rame. C'est le hasard.

Il lève un bras en signe de capitulation.

– OK, c'est bon…

– Écoute, dis-je pour enfoncer le clou, nous sommes des gens rationnels et les fantômes n'existent pas. Djeen est morte, point barre. La femme du métro est une autre personne. On a tous des sosies. Il ne faut plus y penser, se tourner vers l'avenir. Nous avons passé de sales moments, mais on doit se reprendre.

CLAP !

J'ai frappé dans mes mains, comme pour le sortir d'une transe hypnotique.

Sam sursaute. Il se détourne en marmonnant.

– Quoi ? Qu'est-ce qu'il y a ? je demande.

– Rien.

– Vas-y.

– J'aurais dû te donner plus de morphine. T'es moins chiant quand t'es shooté.

*

Je suis en colère. Je m'en veux.

Il m'a déposé devant le portail de la maison avec un sac rempli de compresses et d'antalgiques avant de retourner travailler. Sam m'abandonne. Il me fuit. J'ai mal à en mourir. Et cela n'a rien à voir avec cette fichue épaule en vrac.

Je m'installe sur la terrasse, un verre d'alcool à la main. Paracétamol codéiné, cent milligrammes de kétoprofène, oméprazole, Glenfiddich single malt dix-huit ans d'âge. Ma recette miracle pour une vie meilleure.

Je suis un pauvre con. Qu'est-ce qui m'a pris de l'enguirlander de la sorte ? Je lui ai fait de la peine. Tandis qu'il redémarrait, je lui ai dit : « Djeen est partie pour toujours, il faut savoir tirer un trait. » Il m'a répondu : « J'ai tiré un trait, Chris. C'est toi qui n'y arrives pas. »

Je sirote à petites gorgées en contemplant la vue. Sur Paris, le ciel est barré de longues traînées orange. Ma main fait lentement tourner les glaçons dans le verre. Le son des arroseurs automatiques crépite dans l'air du soir. Ça sent l'herbe mouillée, des odeurs de barbecue. Les voisins dînent en terrasse mais, dans le lotissement de luxe où j'habite, les terrains sont suffisamment grands pour qu'on n'entende rien.

Je vis dans une belle maison. Villa d'architecte en L, de plain-pied, avec un grand sous-sol confortable : le bureau de Djeen, où je ne vais plus guère. Murs blancs. Sol en marbre. Palmiers. Piscine chauffée. Le centre de la capitale n'est qu'à une trentaine de minutes mais on se croirait à Miami Beach. Et je peux voir la tour Eiffel en prime.

N'allez pas croire que je suis riche. C'est ma femme qui a payé tout ça. Le génie, c'était elle. Pas moi.

Je ne suis ni riche ni pauvre. Ni vivant ni mort. Juste un type qui enquille ses gardes, passe son temps à soigner des inconnus, réfléchit le moins possible. Les échéances s'enchaînent. Factures, impôts, nettoyer la piscine dans laquelle je ne me baigne pas, couper les arbres d'un jardin où je ne me promène plus. L'autre jour le gars de Canal m'appelle : « Pourquoi résiliez-vous l'abonnement de votre bouquet numérique ? – Parce que j'en ai rien à cirer, mon vieux, ce genre de loisir ne m'intéresse plus, on regardait des films et des séries avec ma femme, mais cela ne sert plus à rien, le bonheur est éphémère, vous croyez le tenir dans votre poing mais il vous échappe, il se volatilise, alors lâchez-moi, avec votre putain d'abonnement. – Inutile de vous énerver comme ça, monsieur, je ne fais que mon travail », et le mec a raccroché.

Le quotidien me paraît totalement vide de sens. Je m'emporte contre n'importe qui.

Il y a trois ans que Djeen est morte, trois années entières, ça devrait suffire à quelqu'un de raisonnable pour parvenir à faire son deuil, non ?

Seulement je ne suis pas raisonnable. Tout le problème est là.

Je termine mon verre quand mon smartphone se met à vibrer dans ma poche. Coup d'œil sur l'écran : un e-mail de Van Grenn, la surveillante des urgences. Greta Van Grenn est une légende de l'hôpital. La soixantaine passée, tonique, incorruptible, elle possède l'autorité d'un colonel des Marines et les connaissances d'une encyclopédie. Elle devrait avoir terminé sa carrière depuis longtemps, mais elle a connu tous les grands patrons à l'âge où ils avaient encore des boutons d'acné, et aucun d'entre eux n'arrive à soutenir son regard plus de cinq secondes, encore moins lui demander de prendre sa retraite. Alors elle est là. C'est aussi la seule personne, à ma connaissance, qui envoie des e-mails sans la moindre faute d'orthographe, ni trace d'humour, ni abréviation.

Son message est le suivant :

« Bonsoir, docteur Kovak. J'espère que vous tenez le choc. Le chef de service vous a arrêté pour une semaine. Dites-moi quand vous comptez revenir. Vous avez reçu beaucoup d'appels pour des demandes d'interviews. Une femme en particulier cherche à vous joindre. Elle a insisté, elle dit que c'est important. Je vous ai noté son numéro de téléphone. Bon rétablissement. GVG. »

Je contemple le numéro envoyé par Greta. Il apparaît en chiffres bleus. De nos jours, on n'a plus qu'à l'effleurer du doigt et il se compose tout seul. Vive la technologie moderne.

Je me lance.

Première sonnerie.

Deuxième…

— Allô ? dit une voix de femme.

— Bonsoir, je suis le docteur Kovak.

— Ah, je vous remercie de me rappeler. Donnez-moi une seconde...

Déclic d'un briquet. Bruit d'une cigarette qu'on aspire.

— Je m'appelle Audrey.

— Audrey qui ? dis-je sur un ton un peu brusque.

— Excusez-moi... J'ai insisté auprès de votre surveillante, mais ce n'est peut-être pas le moment...

Je change mon portable d'oreille et m'injecte mentalement une dose de calmant supplémentaire.

— C'est moi qui m'excuse, Audrey. J'ai eu une journée difficile.

— Normal. Vous avez survécu à une tentative de meurtre.

— Vous êtes journaliste ?

— Non.

— Comment m'avez-vous retrouvé ?

— Votre interview à BFM. La photo est assez réussie. « Un médecin se fait tirer dessus dans le métro. » Ils mentionnent le nom de l'hôpital où l'on vous a transporté. J'avais envie de vous contacter, alors j'ai tout simplement appelé les urgences, et je suis tombée sur la cheftaine, apparemment. Un vrai cerbère. J'ai dû la supplier pour qu'elle accepte de vous transmettre mon numéro.

Je m'éclaircis la voix.

— Qui êtes-vous ?

— C'est délicat à expliquer. Nous nous sommes croisés assez brièvement. Les circonstances étaient un peu spéciales...

Une pause.

— Je suis cette femme. Celle que vous avez vue dans le métro.

6

Audrey a proposé que l'on se retrouve à la pyramide du Louvre. J'ai accepté.

Elle n'est pas la femme blonde qui ressemblait à Djeen. Il s'agit de la brune : celle dont on a volé le sac à main. Elle voulait me remercier d'avoir pris sa défense au cours de l'agression. J'ai répondu que c'était normal. Elle a insisté pour faire ma connaissance. J'ai dit d'accord.

Après tout pourquoi pas ? Son physique était loin d'être désagréable. Durant notre conversation téléphonique, je pouvais quasiment entendre la voix de Sam dans ma tête : « Vas-y, Chris, bouge-toi, tu dois aller de l'avant ! »

La rencontre avec cette fille n'est pas un rencard à proprement parler, certes. Mais discuter avec une nouvelle personne me fera du bien. L'incident du métro m'a secoué, et il y a trop longtemps que je rumine de mauvais souvenirs. Il faut que ça change.

*

Le lendemain, je prends le Transilien à la gare d'Ermont-Eaubonne. Des manifestations sont prévues à Paris et je préfère éviter d'être bloqué en voiture, d'autant que tourner le volant me fait mal à l'épaule.

À l'entrée de la station, une trentaine de flics et de contrôleurs filtrent nerveusement les voyageurs. C'est dingue, tous ces uniformes, on dirait que leur nombre augmente en même temps que la température. Hier des incidents ont éclaté entre la police et des bandes de casseurs. Sur France Info, ils disent que les violences se multiplient dans la capitale. Je prends place dans un wagon moderne aux couleurs vives. Il n'y a pas de séparation entre les rames. Des écrans vidéo diffusent de la publicité.

À côté de moi, deux ados dodelinent de la tête au rythme de la musique dans les écouteurs qu'ils se partagent, un pour chacun. Le son est tellement fort que je peux entendre les paroles.

> *On verra bien ce que l'avenir nous réservera.*
> *On verra bien, vas-y, viens, on n'y pense pas.*

Nekfeu. Je l'ai aussi dans mon téléphone. Les gamins ne font pas attention à moi, alors je les observe. Si j'ai bien compris, ils sont occupés à harceler une bande rivale sur Twitter et s'apprêtent maintenant à réunir leurs potes pour une baston grandeur nature. Ils parlent librement devant moi parce que je suis un adulte, ma présence ne compte pas. Ils pensent sans doute que je ne comprends rien à leur univers, pourtant ma propre jeunesse n'était pas si différente.

Je pourrais vous parler de mes affrontements contre les petits minets arrogants de l'époque, par exemple, des gars qui roulaient en Chappy, avec leurs chaussettes Burlington et leurs Ray-Ban façon Tom Cruise dans *Risky Business*. Sam, Djeen et moi, nous portions ces fameux badges jaunes en forme de main, *Touche pas à mon pote*. Sam se faisait régulièrement chambrer à cause de ses origines beurs et ses manières de fille. On se battait sur le parking du supermarché Cora. Puis on racontait aux parents qu'on s'était vautrés à vélo. Ça se terminait par des écorchures, une engueulade avec le paternel, puis ma mère nous embrassait en nous ébouriffant les cheveux et nous renvoyait dans la rue sans avoir peur. On était des petites teignes de la cité, c'est vrai, mais on n'avait pas de portable pour se regrouper en gang. Nos réseaux sociaux se limitaient à une discussion autour d'un Pac-Man, ou un message sur le Minitel des parents. On donnait surtout dans le combat de hip-hop, pas dans le commentaire assassin sur Twitter qui déclenche une guerre des gangs à coups de barres de fer. Aujourd'hui, les médias déversent la violence de la planète directement dans votre main. La brutalité en ligne est devenue banale. En rétrécissant ainsi, est-ce que le monde est devenu fou ?

Je ne sais pas. Je ne suis pas plus avancé que vous sur la question, mais parfois je me prends à rêver d'une époque moins connectée. J'aime l'idée qu'on puisse rester dans son coin, anonyme. Respirer. Les grands espaces.

Quand la pression devient trop forte, j'imagine des paysages de montagnes sous la neige. Un traîneau tiré par des chiens. Je suis seul, le soleil rase les cimes, et mon souffle monte dans l'air froid en produisant des petites volutes de vapeur. Loin du stress et de la foule. Djeen y pensait souvent. Pour elle, trouver la paix était devenu une véritable obsession.

Ses créations numériques sur ce thème étaient extraordinaires.

*

Le commandant Batista pénètre dans son bureau en coup de vent. Son crâne chauve est luisant de sueur. On dirait une boule de démolition qui aurait pris vie.

Il ouvre son frigo personnel, sort une bouteille d'eau minérale riche en magnésium et la descend d'une traite. D'après son médecin, c'est bon pour sa tension. Les vitres de son bureau donnent sur un open space, et dans le bâtiment, c'est partout la même ambiance.

Le site se nomme Évangile : le nouveau QG high-tech de la police des transports. Avant, ils s'entassaient tous à la gare du Nord. Maintenant, c'est par ici que ça se passe. Quatre mille mètres carrés de technologie de pointe retranchés dans un bunker de couleur crème derrière des grilles et des barbelés, avec un effectif de plus de deux cents personnes. Des écrans partout, l'accès à quinze mille caméras de surveillance, sécurisation maximale. On se croirait dans un building du FBI. Grâce à Évangile, la brigade d'atteinte aux personnes, l'unité de police technique et la brigade anti-criminalité du BLAST se coordonnent pour traiter les affaires en temps réel, comme dans le service des urgences d'un hôpital.

Cet été, Batista a pris la tête de l'unité de recherches et d'investigations. C'est le groupe d'élite consacré aux affaires délicates. Sa femme est partie en vacances au Portugal avec ses trois enfants, il pensait être un peu tranquille, profiter de la maison, se faire des plateaux-repas et regarder quelques vieux DVD, loin des cris du petit dernier qui est encore dans les couches, des deux grands qui se disputent leurs cartes Pokémon et de sa femme qui surveille son régime d'un œil implacable. Il les adore, tous les quatre, mais il faut bien reconnaître que lorsque les vacances débutent, on se retrouve un peu les uns sur les autres. Alors quand l'opportunité de prendre la tête du service s'est présentée, Batista a sauté dessus. Désolé, chérie, je suis coincé ici pour quelques semaines, manque d'effectifs, c'est le boulot. Vous n'avez qu'à partir sans moi, je vous rejoindrai en août.

C'est un petit mensonge, mais il est un homme comme les autres, quel mal y a-t-il à vouloir souffler un peu ?

Sauf qu'il s'est planté. Depuis quelques jours, les incidents se multiplient dans tout le réseau souterrain. Entre les cinglés qui veulent faire la fête dans des lieux underground, les gangs de tagueurs qui repeignent les tunnels, les Roumaines pickpockets dans les stations des quartiers chics, les manifestations antigouvernementales qui paralysent le réseau, et maintenant les casseurs qui s'excitent, les services sont débordés. C'est commandant Batista par-ci, commandant Batista par-là. Son téléphone n'arrête pas de sonner. On dirait que la terre entière a décidé de lui pourrir l'existence. Il est là pour les investigations difficiles, lui. Les meurtres, les affaires de terrorisme. Qu'est-ce qu'il en a à cirer des Roumaines ?

Son adjointe l'attend déjà avec un nouveau dossier. Il s'essuie le front et déboutonne sa chemise.

– C'est quoi ?

– L'affaire Djeen Kovak.

– Je vois bien. Pourquoi sa photo est-elle sur mon bureau ?

– On nous l'a fait parvenir.

– L'enquête est bouclée depuis trois ans.

– Il y a du nouveau. Lisez l'e-mail qui l'accompagne.

Batista se penche.

– Nom de Dieu.

– C'est exactement ce que j'ai dit.

7

Mon portable sonne quand j'arrive au Louvre. La photo qui s'affiche sur l'écran est celle de mon beau-frère, hilare, un chapeau haut de forme aux couleurs du drapeau américain sur la tête. Le cliché date de trois ans. Je l'ai pris pendant la dernière soirée de la Saint-Sylvestre que nous avons passée ensemble avec Djeen, une fête sur le thème des États-Unis. Elle s'était fabriqué un costume compliqué de statue de la Liberté. J'avais opté de mon côté pour un déguisement plus simple de chef indien. Quant à Sam, l'accoutrement de l'Oncle Sam s'était imposé, bien entendu. Djeen est morte quinze jours plus tard. Je n'ai jamais eu le courage d'effacer ces photos. Elles me transpercent le cœur chaque fois que je les regarde, mais je ne peux pas faire autrement. C'est juste impossible.

La sonnerie s'arrête, puis recommence. Sam insiste.

Je coupe mon téléphone. Le moment est mal choisi.

Je suis en train de descendre l'escalier hélicoïdal sous la grande pyramide du Louvre. Je lève les yeux vers le plafond en verre et la sensation de vertige s'accroît. En haut, le quadrillage majestueux découpe le ciel d'un bleu étincelant. Ça fait plaisir de s'éloigner de la chaleur accablante du dehors pour aller vers la fraîcheur souterraine. L'escalier s'enroule autour d'un cylindre géant qui s'enfonce dans le sol tel un piston, et je rejoins bientôt les cohortes d'Asiatiques occupés à prendre des selfies en tenant leurs portables au bout de longues perches.

Audrey m'attend là. C'est notre point de rendez-vous.

— Christian Kovak, dis-je en tendant la main.

— Audrey Valenti, répond-elle avec le sourire.

— Tout ce monde, c'est impressionnant...

— C'est le Louvre. Mais vous le savez mieux que moi.

— À vrai dire non, c'est seulement la deuxième fois que je viens.

— Vous êtes sérieux ?

— Je ne vais pas souvent dans les musées.

— Ah, les Parisiens. *Ils vous parlent de tous les pays du monde. Mais de leur ville natale, ils ne connaissent que leur quartier. De leur quartier, que leur rue. Et de leur rue, que leur maison.*

— C'est une citation ?

— D'Alexandre Dumas. La réputation des Parisiens ne date pas d'hier.

Je hoche la tête.

— J'en déduis que vous n'êtes pas de la région alors ?

— J'ai été mutée ici il y a quelques années. Mais je me sens toujours dans la peau d'une touriste. Cette ville est si extraordinaire... Son charme ne me laisse jamais indifférente.

Elle a dit ça sans se départir de son sourire, en me regardant droit dans les yeux.

Il n'en faudrait pas beaucoup plus pour que je rougisse.

— Chaque semaine, je m'organise une petite visite dans un lieu culturel, poursuit-elle. C'est pour ça que je vous ai proposé le Louvre.

On achète nos tickets tandis que j'observe Audrey, le plus discrètement possible.

Elle est habillée dans un style simple et élégant. Ses cheveux mi-longs sont savamment décoiffés, avec de fines boucles brunes encadrant son visage. Quelques touches discrètes de maquillage, un peu de rouge à lèvres. Et des yeux verts à tomber à la renverse. Dans le métro, je n'avais pas remarqué tout ça.

– Moi aussi je connais des anecdotes historiques, dis-je. La pyramide au-dessus de nous, par exemple, est constituée de 666 panneaux de verre. Et 666 est le chiffre de la Bête dans l'Apocalypse. C'est le président Mitterrand qui l'a voulu ainsi. Vous le saviez ?

– C'est faux.

– Pardon ?

– Cette rumeur a la peau dure, notamment parce qu'elle a été colportée par le *Da Vinci Code*. Il n'y a pas 666 panneaux, mais 673 exactement. C'est facile à vérifier : la pyramide comporte quatre faces de 171 plaques chacune, ça fait 684 au total. Moins 11 plaques que l'on a retirées pour l'entrée de l'édifice. Ce qui donne 673.

Je la regarde en haussant les sourcils.

– Vous êtes architecte ?

– Du tout. Lavage des vitres, c'est moi qui fais les carreaux.

Mes yeux s'écarquillent.

– Mais non, je vous taquine, dit-elle. Je l'ai lu dans mon guide. Et j'observe, aussi. Ma mère dit que je suis une très grande observatrice.

Elle fronce le nez.

– Pour elle, c'est une façon de signifier que je suis une petite intellectuelle qui ne parle pas beaucoup.

– Moi je trouve que vous parlez beaucoup, au contraire.

Elle rit.

– Vous, vous n'êtes guère habitué aux femmes.

– Pourquoi ?

– Pour rien.

On marche un peu. Je sais qu'on peut visiter les fondations d'un château fort dans les souterrains, j'aimerais bien voir ça. J'en parle à Audrey et elle me guide dans cette direction.

– Merci de m'avoir sauvé la vie dans le métro, dit-elle.

– Je ne vous ai pas réellement sauvée.

– Un peu quand même.

– Ils étaient lourdingues, ces types.

– *Lourdingues* ? Ils vous ont tiré dessus !

J'effleure machinalement mon épaule douloureuse.

– Exact.

– Vous avez subi une opération ?

– Oui.

– Ça fait mal ?

– Un peu.

– C'est incroyable. Ç'aurait pu être grave. Tout ça pour un sac à main. Et on l'a retrouvé, en plus, dans le tunnel entre les deux stations. La RATP me l'a rendu. J'ai juste perdu l'argent.

– À mon avis, ils voulaient surtout filmer la scène. Vous vous souvenez du gars qui tenait le portable ? Ça passait en direct sur Megascope.

– J'en ai entendu parler. La vidéo a été retirée du site. Se filmer en train d'agresser quelqu'un, c'est dément. Ces nouvelles applications rendent les gens fous.

J'arrête de marcher. Les gens nous entourent, touristes, couples qui se promènent main dans la main. Ils sont heureux, en vacances, inconscients des dangers qui les guettent à la lisière de leur champ de vision. Des horreurs qui gravitent dans l'ombre...

– Et sinon, dis-je, vous avez remarqué quelque chose ? Quelqu'un ? On m'a parlé d'une femme blonde dans la rame.

– Une blonde ?

– À peu près mon âge. Elle se trouvait à l'arrière.

– Vous la connaissiez ?

– Pas personnellement, mens-je. Je voudrais juste être sûr que personne d'autre n'a été blessé.

– Non, je n'ai rien remarqué.

Nous reprenons notre progression. Nous marchons à présent derrière un couple de petits vieux, probablement d'origine britannique. La femme ressemble à la reine d'Angleterre avec un chapeau et des écouteurs dans les oreilles.

— Que s'est-il passé quand je me suis évanoui ? dis-je.

— Le courant est revenu. L'alarme ne s'arrêtait pas. Le conducteur est entré, il vous a vu à terre, il a prévenu les secours et remis le métro en route pour nous conduire à la station. Ça a pris moins d'une minute. Il a demandé aux gens de rester à l'intérieur en attendant la police, mais presque tout le monde s'est enfui. C'était un peu la panique.

— Vous êtes restée ?

— Vous étiez inconscient, je n'allais pas partir.

— Et ensuite ?

— Les pompiers se sont occupés de vous. Des policiers ont pris ma déposition. Ils vont mener une enquête.

— Je serais étonné que ça donne grand-chose. Deux voyous dans le métro, s'il n'y avait pas ma blessure par balle...

— Pas sûre que ce soit aussi simple.

— Ah bon ? Pourquoi dites-vous ça ?

— Leur style faisait penser à des petits loubards de banlieue, c'est vrai. Mais pas leur attitude.

— Quoi, leur attitude ?

Elle hausse les épaules.

— Je ne sais pas. Ce n'est peut-être qu'une impression. Mais je les ai vus de près. Ils étaient sûrs d'eux. Déterminés. Je ne vois pas des voyous ordinaires se comporter ainsi. Surtout celui qui tenait l'arme...

— Eh bien ?

— Il n'avait pas l'air du crétin de base, vous savez, le genre je m'enfuis en tirant des coups de feu dans tous les sens façon western. Il vous a visé vous. Avec calme. Ça paraissait délibéré. Presque comme s'il était là pour ça.

Je me frotte le menton.

– Vous l'avez dit aux flics ?

– Oui.

– Ils ont répondu quoi ?

– Rien. Ils ont pris des notes.

– Je ne comprends pas. Pourquoi m'aurait-on visé exprès ?

Elle secoue la tête.

– Aucune idée.

Nous arrivons dans un vaste lieu souterrain. Un panneau explique que nous sommes dans les fossés du Louvre médiéval situé sous la pyramide. Il s'agit des douves du château de Charles V et du donjon de Philippe Auguste. Un ponton de bois fait le tour d'une énorme construction en pierre, baigné d'une lumière douce. L'air est frais, empli par l'odeur du bois et de la poussière des siècles. Les gens avancent avec lenteur, presque religieusement. Le volume des conversations diminue. La densité de la foule nous force à nous rapprocher l'un de l'autre.

– Vous savez d'où provient le nom du Louvre ? chuchote Audrey.

– Non.

– Il y a plusieurs explications. Mais d'après la plus répandue, cela viendrait du mot *lupara*, qui veut dire « loup ». Des loups vivaient ici à l'origine. En 1190, ce lieu était encore situé au milieu des bois. Il s'agissait d'une maison royale qui servait de rendez-vous de chasse.

– Des loups ? Dans les bois ? Ici même ?

– Étonnant, n'est-ce pas ?

Nous continuons d'avancer dans la lumière tamisée en faisant le tour de la construction.

– Bon, à vous de me raconter une histoire, chuchote toujours Audrey. Donc vous êtes médecin ?

– Oui. Je travaille aux urgences de l'hôpital.

– Vous devez voir des choses étonnantes.

– Ça arrive.

– Racontez-moi une anecdote. Et n'ayez pas peur de me choquer, hein, je ne suis pas en sucre.

Je souris malgré moi. Elle est marrante, cette fille. Sa spontanéité et sa bonne humeur seraient presque contagieuses.

– D'accord. Un jour, j'ai reçu une patiente qui s'était blessée avec un os dans son congélateur. Un peu bêtement, elle avait apporté l'os avec elle. Sans doute pour attirer notre attention et faire la queue moins longtemps, qui sait ? Sauf qu'il y a eu un problème : on s'est rendu compte qu'il s'agissait d'un os humain.

– Pour de vrai ?

– Absolument.

– Et vous avez fait quoi ?

– On a appelé le procureur. On a alors découvert que la patiente gardait les os de sa mère morte dans son congélateur. Elle n'avait pas déclaré le décès, exprès, pour continuer de toucher sa retraite à sa place.

– C'est horrible !

– Oui. L'horreur humaine est tristement banale. Parfois, je me dis que je pourrais en écrire des romans. Mais on croirait que j'invente...

J'observe Audrey tandis que je lui raconte mon histoire. Elle semble sincèrement intéressée. Un peu trop, peut-être. Ce qui éveille ma méfiance : j'ai déjà croisé des gens prêts à tous les stratagèmes pour s'approcher de moi et me questionner à propos de mon passé.

Car je ne vous l'ai pas encore dit, mais la mort de ma femme est loin d'être ordinaire. L'accident qui vient de m'arriver dans le métro va faire ressurgir de vieux articles. Je n'en doute pas. Et si les journalistes n'ont pas encore accolé mon nom à celui de Djeen Kovak, cela ne saurait tarder.

Audrey a-t-elle tapé mon nom dans Google ? Fait-elle partie de ces gens qui viennent parfois me voir, mus par une irrésistible curiosité morbide ? Je me tâte pour lui poser des questions. J'ai remarqué qu'elle ne portait pas d'alliance. Moi, en revanche, je n'ai jamais abandonné celle de Djeen.

Nous sortons des profondeurs du Louvre pour nous diriger vers le secteur des antiquités grecques. Les allées deviennent larges et lumineuses. Des statues martiales, guerriers, centaures, s'élèvent de loin en loin. Soudain un garçonnet s'arrête devant nous et lève son épée en plastique.

– En garde ! réplique aussitôt Audrey, très sérieuse.

L'enfant ouvre de grands yeux, ravi.

– File ! dit-elle. Avant que je te dévore tout cru !

Il s'enfuit en riant.

– Vous savez y faire avec les enfants, dis-je. Vous en avez ?

– Non. Seulement un jeune frère que ma mère idolâtre. Il ne travaille pas, il vit chez elle. Elle lui passe tous ses caprices. Moi, en revanche, je peux toujours me brosser pour obtenir le moindre compliment. J'aurais mieux fait de le noyer quand il était petit, ce sale gosse.

Je ris.

– Ça a le mérite d'être honnête.

Nous marchons encore un peu, et je finis par lui poser la question qui me brûle les lèvres depuis un moment.

– Audrey, vous avez déjà entendu parler de moi ?

– Pardon ?

– Vous vouliez me rencontrer.

– Juste pour vous dire merci.

– Rien d'autre ?

– Quoi, vous pensez que je vous drague ?

– Non.

– De toute façon, vous portez une alliance.

– Ce n'est qu'un souvenir. Ma femme est morte.

Vlan. Comme ça. Direct. J'ai envie de voir sa réaction. Et ça ne loupe pas : son visage trahit sa surprise, voire son malaise.

Donc elle n'est pas au courant.

Ou alors c'est une sacrée bonne comédienne.

— Je suis désolée, dit-elle. Une... une maladie grave ?

— Non.

Je l'observe toujours.

— On a beaucoup parlé d'elle à une époque, fais-je. Sa photo était dans les journaux. La mienne aussi. J'ai cru que vous étiez attirée par le côté morbide.

— Je ne comprends rien. Quel côté morbide ?

— Celui qui intéresse les paparazzis, les amateurs de faits divers. Ils m'ont souvent traqué après le drame. Les gens ont envie de savoir. Ils font semblant de s'intéresser à moi. Ils se rapprochent, par un moyen ou par un autre, mais c'est la curiosité maladive qui les motive.

— Christian, je ne sais rien sur vous, ni sur votre famille.

— Ma femme a été assassinée par un psychopathe. Un tueur en série. Ça s'est passé sur la même ligne. Celle où nous avons été agressés. Il l'a jetée sur les rails. Elle a été écrasée par un train.

*

Nous nous quittons peu de temps après. La Joconde, une ou deux sculptures, et hop, Audrey trouve un prétexte pour prendre la poudre d'escampette.

Je ne sais pas ce qui m'a pris de me montrer aussi sec. À croire que je suis incapable de me comporter d'une façon décente. Je rallume mon portable. Plusieurs SMS me sautent à la figure.

Sam.

Je le rappelle aussitôt.

— Mais qu'est-ce que tu fabriquais ? s'exclame-t-il. Je t'ai laissé une tonne de messages !

— Désolé. J'avais éteint.

— La police est venue dans mon service.

— Pour te poser des questions ?

— Ils nous cherchaient tous les deux. Ils me sont carrément tombés dessus à la sortie du bloc opératoire.

— Qu'est-ce qui se passe ?

— Il y a du nouveau.

— Tu ne peux pas m'en parler ?

— Il vaut mieux que tu voies ça de tes propres yeux. Ils t'attendent au commissariat. Vas-y tout de suite, Christian. C'est très important.

8

Le commandant Batista dépose le papier sur son bureau, juste en face de ma chaise.

Nous nous connaissons bien, lui et moi : il a mené l'enquête sur la mort de ma femme. J'ai trouvé ses investigations un peu trop superficielles. Il m'a trouvé un peu trop arrogant. Nous nous sommes écharpés à plusieurs reprises par médias interposés. J'avais l'opinion publique en ma faveur : le pauvre petit médecin dont la femme est assassinée de façon horrible, ça fait toujours pleurer dans les chaumières. Je crois qu'il s'est fait enguirlander par sa hiérarchie. Vous vous en doutez, ce n'est pas le grand amour entre nous.

Il pousse la feuille dans ma direction.

— De quoi s'agit-il ? je demande.

— On a reçu cet e-mail la nuit où on vous a tiré dessus.

— Et ?

— Mon adjointe l'a découvert ce matin.

— J'ai fait une sortie papier, précise l'adjointe en question.

Elle, je ne la connais pas. Cheveux courts, lèvres pincées, pas de maquillage, un tailleur raide comme la justice – si j'ose dire.

— Pourriez-vous nous lire la phrase ? demande Batista.

— Si ça vous fait plaisir.

Je m'empare du papier et prononce les mots : « JE SAIS CE QUE VOUS AVEZ FAIT. »

Je le repose avec un sourire sarcastique.

– C'est pour un titre de film ?

– Arrêtez de faire le malin.

– Sinon je peux vous en proposer d'autres. *Souviens-toi l'été dernier... Rien que pour vos yeux...*

– Ce n'est pas une plaisanterie, dit la femme.

Je me tourne vers elle.

– *Le Gendarme et les Gendarmettes...*

Batista écrase son index sur son bureau comme s'il comptait le perforer avec.

– Il y a autre chose.

– Sous votre doigt ?

– Regardez le dessin.

Je l'examine. Mon cœur fait un bond. Évidemment, je le reconnais tout de suite, mais je n'en montre rien. Je veux d'abord savoir où Batista m'emmène.

– C'est un personnage de dessin animé, non ?

– Vous n'êtes guère coopératif.

– Et vous ne m'avez guère aidé, quand ma femme est morte.

– On a quand même attrapé le tueur.

– Les éléments du dossier ont fuité dans la presse.

– Je n'y étais pour rien.

– Notre famille a adoré les photos de mon épouse écrasée sur les rails.

Batista se retourne, fait quelques pas, se passe une main sur le visage et revient vers moi.

– Écoutez, Kovak...

– Pour vous, c'est docteur Kovak.

– Écoutez-moi, répète-t-il en me fixant droit dans les yeux, on vous a tiré dessus à vingt-trois heures. Trente minutes après, notre serveur informatique a reçu le film de l'agression.

— La vidéo sur Megascope.

— Vous l'avez regardée.

— Je suppose que mon beau-frère vous l'a dit.

— Il nous l'a dit.

— Et vous en déduisez quoi ?

— Il y a une femme blonde sur ces images.

Cette fois mes pulsations grimpent en flèche.

— Elle ressemble diablement à votre épouse. Ça n'a pas pu vous échapper.

— Ce n'est pas elle. Ma femme est morte.

— J'ai juste dit : « Elle lui ressemble. »

— Une passagère parmi d'autres.

— Les images s'attardent dessus. On la voit parfaitement.

— C'est peut-être un rajout volontaire. Un trucage numérique.

— Non. La rame ne comportait pas de caméra de surveillance, mais il y en avait sur le quai. On retrouve la même femme sur les vidéos. Elle s'éloigne peu après l'agression, se rend dans une zone de correspondance, et on la perd ensuite dans la foule des voyageurs.

— Admettons. Qu'est-ce que ça change ?

— Tout.

— Ah bon ?

— Eh oui. Vous vous prenez une balle. Ça se déroule en direct. Une personne qui ressemble à votre femme, comme par hasard, est bien visible à l'écran. On reçoit cet e-mail une demi-heure plus tard, la vidéo en prime. Avec le message : « Je sais ce que vous avez fait. » Et cette signature en bas.

— Qui vous dit qu'il s'agit d'une signature ?

— Docteur Kovak, arrêtez de vous foutre de ma gueule.

Ses mâchoires se serrent et se desserrent. On dirait les deux mors d'un étau.

— Ce dessin, tout le monde le connaît.

Il dépose un second papier sur la table. Un agrandissement.

– C'est un génie, comme le personnage bleu, dans ce film de Disney. Un djinn.

Il hoche la tête.

– Djeen. La signature de votre femme. Elle employait ce logo pour toutes ses créations. L'ensemble de ses programmes informatiques. Ça ne vous dit toujours rien ?

9

Je ressors sonné.

La chaleur dans la rue n'arrange rien. C'est la fin de l'après-midi, mais Paris est encore une véritable fournaise. Je me réfugie à l'intérieur du café de la Gare, place Hébert, où Sam m'attend. Il a confié son service à ses collègues pour venir me soutenir. Ça devient une habitude, ces temps-ci. Je sens que ses amis chirurgiens commencent à m'adorer.

– Comment ça s'est passé ? demande-t-il.

– Ça va.

– Tu es tout pâle.

– Je me sens parfaitement bien.

Docteur Kovak, roi du bluff.

Sam n'a pas l'air très à l'aise non plus. Il a commandé une salade mais n'y a pas touché.

– T'en veux ? dit-il en désignant les feuilles qui commencent déjà à mollir dans la chaleur.

– Non, merci.

Je me laisse tomber sur la banquette. Je connais bien cette sensation. En deuxième année de médecine, après la dissection de l'un de mes premiers cadavres, je suis ressorti exactement dans le même état : l'impression d'avoir vécu une scène traumatisante. J'avais envie de crier aux gens : « Hé, les gars, je viens de découper un type en morceaux ! Pendant que vous lisiez votre journal ou que vous mangiez un sandwich, vous savez quoi ? J'ai pris une scie circulaire, je l'ai appliquée sur la tête d'un mort, j'ai ouvert sa boîte crânienne et j'ai déposé son cerveau sur la table. Qu'est-ce que vous dites de ça ? »

— Tu m'excuses, dis-je, il faut que je me passe un peu d'eau sur le visage.

Sam me retrouve aux toilettes quelques instants plus tard.

— Tu as vu le dessin ?

— Oui.

— C'était sa signature ?

— Tu le sais très bien.

— Et ce message. On dirait une accusation.

— Je ne comprends pas plus que toi.

— Qui ferait une chose pareille ?

— Une personne qui veut semer le doute, je suppose.

— Tu crois qu'elle est...

Je lève ma main pour l'interrompre.

— Sam. Je t'aime comme un frère. Mais s'il te plaît, ne dis rien. Ne prononce pas un mot de plus.

Je termine de me sécher la figure.

Quant à Sam Shahid, le chirurgien que rien ne stresse, il est en train de se mordre l'intérieur des joues et de presser ses mains l'une contre l'autre.

— Christian ? Qu'est-ce qui est en train de se passer ?

— Je n'en sais rien, mon vieux.

Je me retourne vers lui.

— Mais les flics ont raison sur un point : c'est un message. Quelqu'un veut nous faire croire qu'elle est là. Que Djeen n'est pas morte.

*

Le Chien écoute tranquillement la suite de la conversation.

Il est parvenu à se cacher à l'intérieur d'un corbillard stationné à dix mètres du café. À l'abri des rideaux, il les espionne, au calme.

Son micro parabole Telinga fabriqué en Suède est une petite merveille de technologie : il capte le moindre mot des deux zigues, qui sont revenus à table et qui discutent à présent autour d'un bol de chips. Il peut même entendre le bruit de leur mastication.

Le Chien est fier de son travail. Planquer à l'intérieur d'un corbillard est une super idée. Personne n'ose jamais vous déranger, ni toquer à votre fenêtre. Ce serait carrément indécent, non ? En plus il y a des croix partout. Il adore.

Il ajuste son casque et augmente le niveau sonore. Qu'est-ce qu'ils se racontent encore, ces deux idiots ? Et je vois que tu ne te sens pas bien, dit le pédé, mais non je t'assure, répond Kovak, et si je venais dormir chez toi quelques jours, reprend l'autre, je pourrais t'aider à la maison, ça ne doit pas être facile de gérer ton quotidien avec ton épaule, on en profitera pour reparler de tout ça au calme, et gnagnagna.

Le Chien se gratte l'entrejambe. Il aimerait bien pouvoir pisser. Si ça continue, il va falloir qu'il urine dans une bouteille, comme les camionneurs. Il soupire.

Bon, ça n'est pas grave. À la guerre comme à la guerre. L'important est que son enquête avance. Il suffisait de patienter au bon endroit, c'est tout. Le docteur Kovak allait forcément se pointer chez les flics à un moment ou à un autre. Pourquoi courir après les auteurs de la vidéo, alors qu'il pouvait prendre le problème à l'envers ?

C'est retrouver Djeen qui l'intéresse. Si elle est réellement de retour parmi les vivants, elle va forcément s'intéresser à sa famille. Surtout si sa famille a des ennuis. Surtout des ennuis graves.

Les deux hommes ressortent enfin. Ils se dirigent vers une entrée de parking souterrain comportant un logo Vinci affiché en bleu. C'est là que le chirurgien a garé sa voiture. Le Chien va-t-il en profiter pour les intercepter à l'intérieur ?

Il réfléchit.

Non. Trop dangereux. Ces endroits sont généralement bien aménagés, avec des caméras. Il ne veut pas prendre de risque. Le plus simple est de les suivre. Ils vont chez Kovak. La villa sur les hauteurs de la ville. Là-bas, ce sera parfait.

Le Chien sourit.

Deux pour le prix d'un.

10

Sam a décidé de s'installer dans l'une des chambres de ma villa. Ce n'est pas la place qui manque. Et, de toute façon, il ne m'a guère laissé le choix.

– Je viens vivre chez toi quelques jours, ça nous fera du bien. C'est l'été, il y a peu d'interventions programmées au bloc, et puis il me reste des congés à prendre. J'en profiterai pour t'aider à rééduquer ton épaule. On remettra un peu d'ordre dans ta maison, au passage, ton jardin est dans un état pitoyable. L'activité physique, rien de tel pour nous vider la tête.

Que pouvais-je lui répondre ?

Il est allé faire les courses, a rempli mon frigo, mon congélateur, effectué quelques changements sur ma terrasse en déplaçant une table et des chaises pour créer un coin cosy, il a acheté un parasol déporté, placé des fleurs dans des vases, puis il s'est mis aux fourneaux. Du coup les lieux ont pris un petit air de fête, et je parviens à relâcher un peu ma tension nerveuse. Je raconte même à Sam ma rencontre avec Audrey et notre visite au Louvre.

En fin d'après-midi, le lendemain, il se décide à aborder un point épineux entre nous.

– Tu t'es débarrassé des affaires de Djeen ?

– Pas vraiment, je réponds.

– Tu ne t'es toujours pas décidé à vider son bureau ?

– Je n'y arrive pas.

– Tu me le montres ?

Nous descendons au sous-sol et j'allume la salle.

Les ordinateurs ne bourdonnent plus comme avant mais Djeen est toujours là, présente dans chaque détail : Mac, PC, réseaux de câbles, écrans multiples. La pièce occupe tout l'espace sous la villa. Elle baigne dans une clarté lunaire légèrement bleutée. Le plafond tendu imite un ciel nocturne piqueté de diodes électro-luminescentes en guise d'étoiles. Pas de fenêtre, mais des murs peints : montagnes neigeuses, vallées imaginaires, mystérieuses citées antiques sous la lune. Des paysages de glace et de neige mélangeant ses deux thèmes de prédilection : les mythes de l'ancienne Perse et le froid. Des centaines d'objets et de figurines fantastiques parsèment le lieu, rangés dans des vitrines, posés sur les plans de travail ou suspendus à des câbles. Maquettes de temples et de ziggourats, épées ensorcelées, griffons babyloniens, guerriers mythologiques… Elle s'en servait pour les numériser. Sa collection ferait saliver le plus blasé des geeks.

Au fond, on trouve même un grand lit et une salle de bains privée, pour les fois où elle ne remontait pas dormir.

– Ça sent le renfermé, dit Sam.

– Je ne descends plus.

– Tu avais promis de ficher en l'air tout ce bazar, dit-il sur un ton réprobateur.

Vieille conversation entre nous. Il pose sa main sur mon épaule.

– Chris, le fantôme de ma sœur vit dans ton sous-sol, tu en as conscience ?

– Ouais.

– Tu vois d'autres femmes ?

– Des tonnes.

– Je ne te parle pas que de YouPorn.

– Pourquoi se limiter à YouPorn ? Il y a PornHub, Brazzers…

Sam soupire.

– Tu dois fréquenter des personnes réelles. Si tu ne t'en sers pas, ton machin va tomber par terre, tout mort et tout sec, je te signale.

– Laisse mon machin tranquille. Il va très bien.

– Et cette Audrey dont tu m'as parlé, elle te fait un peu de rentre-dedans, non ?

L'image de la jeune femme me revient. Il ne s'est rien passé entre nous, mais ç'aurait pu. Il y avait un début d'attirance réciproque, il me semble. Sauf qu'après ma brillante sortie, j'estime mes chances redescendues à, disons, dix pour cent. Et je dois être optimiste.

– Alors ? insiste Sam.

– Je vais tâcher de faire un effort.

La vérité, c'est que je ne me sens pas prêt pour une nouvelle relation.

Djeen était atteinte du syndrome d'Asperger. Il s'agit d'une forme d'autisme. Quand on parle d'Asperger, les gens se représentent souvent le personnage de Dustin Hoffman dans le film *Rain Man* : un genre de handicapé mental, capable par ailleurs de prouesses mathématiques hors normes. La réalité est très différente.

Les Aspergers, ou Aspies, comme ils se surnomment entre eux, sont généralement intégrés à la société. Ils n'ont aucun retard intellectuel. Ils se lèvent le matin, travaillent, font leurs courses et rentrent s'occuper de leur famille tout comme vous.

Ce sont parfois des génies dans certains domaines, et parfois non. De temps en temps, leur nature est insoupçonnable, et on parle alors de handicap invisible. Plus souvent, ils vous laissent de l'extérieur une impression bizarre. Djeen ne supportait pas la foule, par exemple, et une simple conversation avec des inconnus pouvait l'épuiser et lui donner mal à la tête. Sa vie comportait de nombreux rituels et routines : lever, coucher, pauses à heures fixes, se nourrir de céréales Froot Loops en retirant les rondelles de couleur verte, courir sur son tapis de course jusqu'à ce qu'elle ait dépensé exactement 601 calories en regardant des séries telles que *Mr. Robot* ou *Sherlock* – autres exemples d'Aspergers. Elle adorait le contact de la neige sur sa peau, collectionnait les figurines fantastiques et ne supportait pas d'être enserrée dans des vêtements étroits. Elle était également connue pour balancer leurs quatre vérités aux gens sans aucun filtre, ou bien elle pratiquait un mutisme sélectif en ne s'adressant qu'aux personnes qu'elle aimait, ce qui nous a brouillés, je dois dire, avec un certain nombre de nos voisins, car les Aspies ont du mal à comprendre les conventions sociales.

Surtout, Djeen était capable de concevoir des univers visuels extraordinaires. Pour le jeu *World of Warcraft*, elle a créé une bonne partie des décors enneigés du Norfendre, idem pour *The Witcher 3*, même si je suppose que ces détails ne parlent qu'aux gamers, comme on les appelle. Elle a aussi contribué à des films comme *Prince of Persia* ou la série *Game of Thrones*, ainsi qu'aux travaux de plusieurs laboratoires de recherches et sociétés ayant fait appel à ses images de synthèse.

Depuis son abri souterrain, elle voyageait à travers ses mondes. Elle était une magicienne du numérique. Une virtuose. Un démiurge. Elle créait à n'en plus finir. Les Aspies sont ainsi. Souvent malheureux durant leurs années scolaires, ils peuvent s'avérer incroyablement productifs dès que vous les laissez s'immerger dans leur passion.

Je pourrais vous parler des talents de Djeen ou des Aspergers pendant des heures. Vous dire qu'Albert Einstein, Isaac Newton, Mozart ou Bill Gates présentent les caractéristiques du même syndrome. Que l'actrice Daryl Hannah, le créateur des Pokémons, ou encore la chanteuse Susan Boyle révélée par l'émission *Britain's Got Talent* en sont des exemples officiellement diagnostiqués. Ou qu'un rapport du FBI rendu public en 2015 affirme que Vladimir Poutine en est atteint.

Mais la vérité est que tout cela n'a aucune importance. Djeen était ma femme. Je l'aimais. Voilà tout.

J'aimais discuter avec elle, rire avec elle, dormir avec elle, me promener avec elle, ne rien faire avec elle. J'aimais me rendre avec elle dans les magasins tôt le matin pour éviter la foule. Courir à côté d'elle sur mon propre tapis de gym pour l'accompagner dans son effort, quitte à cracher mes poumons. J'aimais la regarder jouer à Tetris à une vitesse extraordinaire et atteindre des scores inaccessibles au commun des mortels. J'aimais me promener dans les allées d'une jardinerie et la voir s'émerveiller devant des petites choses que les gens normaux ne remarquent pas. J'aimais quand elle se laissait flotter sur son matelas gonflable dans la piscine, rêveuse, les yeux perdus dans l'azur. J'aimais lorsque nous employions des mots et un langage fait d'expressions propres et incompréhensibles pour les autres. J'aimais bâtir des projets d'avenir avec elle, vivre dans ce monde autistique avec elle. Un monde dont nous seuls possédions les clés. Mais tout cela est terminé. Fini. Rideau.

Et trois ans plus tard, je n'arrive toujours pas à tourner la page.

Sam secoue une jarre en forme de djinn bleu. Sa signature, apposée sur chacune de ses créations.

— Y a quoi là-dedans ?

— De la terre des montagnes des Carpates.

— Djeen est allée dans les Carpates ?

— Elle le faisait régulièrement. Elle y filmait des paysages enneigés, pour ses jeux vidéo.

Il secoue la tête.

— Je n'étais même pas au courant de ça. Je sais qu'elle voyageait, mais elle ne racontait rien. C'était ma sœur, et j'ai parfois l'impression d'avoir vécu à côté d'elle sans la connaître.

Il remet le djinn bleu à sa place.

— Vous deux, en revanche, vous avez toujours eu une relation fusionnelle, dit-il avec un peu d'amertume.

– Ne crois pas ça, Sam. On a vécu nos moments difficiles. Comme tous les couples.

– Au lycée, quand elle avait quinze ans, elle a fait cette longue dépression, tu t'en souviens ?

– Oui.

– Elle ne supportait plus les élèves, ni les profs. Elle s'habillait en baba cool, toujours des vêtements amples. C'était « la fille bizarre du lycée ».

– Et aussi la plus belle.

– À un moment, elle ne tolérait même plus le moindre contact physique. Personne ne pouvait la toucher. À part toi.

Je n'étais pas le seul à pouvoir la toucher, ai-je envie de répondre. Son petit copain de l'époque en avait le droit aussi. Car Djeen avait des petits copains, parfois. Je n'ai pas été le premier, ni le seul sur sa liste, même si je le suis devenu ensuite. Mais à quoi bon remuer ces souvenirs désagréables ?

– Où veux-tu en venir, Sam ?

– Au fait qu'on ne la connaissait pas vraiment, en fin de compte. J'ai vécu avec elle en Iran, puis en France. Et elle ne m'a jamais laissé entrer dans son univers.

– Elle ne disait pas tout. Même à moi. Elle était comme ça.

Il croise les bras.

– Qu'est-ce qu'on va faire ?

– Quelqu'un s'amuse à se déguiser et à envoyer des messages comme si elle était en vie. C'est un acte de malveillance évidente. Dans quel but ? Je n'en sais rien. Mais notre famille a suffisamment souffert de la curiosité des gens et des journalistes. Je n'ai aucune intention de revivre une chose pareille.

Sam me connaît. Il attend patiemment la suite.

– Bref, dis-je, je suis décidé à y mettre un terme.

– Et tu as une idée.

– Oui.

– Je peux savoir laquelle ?

Je prends mon courage à deux mains.

— Voilà. Djeen est morte, on le sait. Alors avant que le doute s'insinue chez les flics, les journalistes ou quiconque, on exhume son cercueil. La police refait le constat, des prélèvements si besoin, et voilà. Fin de la discussion.

Il hoche la tête.

— C'est un peu violent.

— Mais nécessaire. La procédure n'est pas compliquée. J'ai vérifié sur Internet. On a le droit d'exhumer un corps à la demande de la famille, pour le déplacer d'un cimetière à l'autre par exemple. Ou bien sur réquisition de la justice pour procéder à des expertises. C'est la solution la plus rapide. Je voudrais la proposer au commandant Batista.

— Il va accepter ?

— Et pourquoi non ?

— Mon père et tes parents risquent de ne pas être d'accord.

— Ils n'ont pas besoin d'être au courant. On est médecins, on gère. On en parle à la police tous les deux, et c'est tout. Pas la peine de faire revivre un deuil à nos familles.

Il réfléchit un moment.

— OK. Si tu penses que c'est la meilleure solution, je suis prêt à te suivre.

— Parfait.

— Mais à une condition. (Il pointe son doigt sur la pièce.) On se débarrasse de tout ça. Et tu commences tout de suite. On avance, on se soutient, et on le fait ensemble.

— D'accord, dis-je en le serrant dans mes bras. Ensemble.

Sam m'abandonne. Il souhaite travailler un peu dehors et nettoyer l'allée en profitant que la chaleur retombe. Venant de sa part, je comprends qu'il s'agit surtout d'une manière délicate de me laisser seul face aux souvenirs de Djeen.

Je pousse un soupir. Il a raison, il est temps de m'y mettre.

J'avais attaqué un carton, il y a des mois. Je le rouvre, m'empare de quelques figurines sur des étagères et les dépose à l'intérieur. Le début est difficile. Chaque objet me rappelle des souvenirs. Puis je cesse de réfléchir et le carton se remplit. Je suis bientôt obligé de remonter dans la maison pour en chercher un autre.

Lorsque j'arrive au rez-de-chaussée, j'entends le cri.

11

Sam nettoie les dalles de l'allée en les passant au jet du Kärcher.

Nettoyer est un grand mot : pour l'instant, il s'applique à dégager le gros de la mousse verte et moche qui s'est incrustée partout. L'entrée principale de Christian avait vraiment besoin d'un coup de propre.

Il chantonne, même s'il n'entend rien (le bruit du nettoyeur haute pression est assourdissant). Ce travail pourrait être rébarbatif, mais non. Il adore. Travailler dans la tiédeur du soir avec le jour qui décline, il trouve ça merveilleusement agréable. Sortir l'appareil, brancher le tuyau, dérouler la prise, régler le débit, c'est comme un jeu d'arrosage pour les gosses. Le bruit indispose peut-être les voisins, mais ce n'est pas grave, de toute façon il aura bientôt terminé. Ce gadget puissant est d'une précision diabolique.

Un vélo s'arrête près de lui en dérapant.

— Salut, m'sieur.

Sam coupe son jet d'eau.

Il s'agit d'un gosse d'une douzaine d'années.

— Bonjour, répond Sam avec le sourire.

— Elle est à vous, la voiture garée plus bas ?

— Quelle voiture ?

— Le truc pour les morts.

— Pardon ?

— Ce serait bien de la déplacer un peu, si elle est à vous. Je peux plus prendre le petit raccourci, avec mon vélo.

Sam hoche la tête.

— Désolé, jeune homme, mais je ne vois pas de quoi tu parles.

Le gamin remue les joues et plisse le front, comme s'il mâchait un chewing-gum ou qu'il produisait un effort cérébral intense, puis :

— Mmmmm... Corbillard. Ai retrouvé le mot.

— Il y a un corbillard dans la rue ?

— Pile devant le passage entre les haies, celui qui conduit dans la forêt. Mais y a pas de maisons, là-bas. Trop chelou, hein, m'sieur ?

Sam rit.

— Oui, chelou, comme tu dis. Peut-être que le conducteur s'est arrêté pour faire pipi, qui sait ?

Le gosse rit à son tour.

— Ha ! Ha ! Vous imaginez ? Le gars qui pisse en laissant la voiture du mort.

— Demande au voisin, sinon.

— Non, lui, je préfère pas. C'est un taré. Chaque fois que je joue au basket sur le parking, il gueule rien que pour les claquements du ballon. Bon, j'y vais. Au revoir, m'sieur.

Le gosse s'en va, et Sam relance son nettoyeur infernal.

C'est quand même bizarre, cette histoire de corbillard.

Il continue de désincruster la mousse.

À aucun moment il n'entend l'homme arriver derrière lui.

*

Au second cri, je pique un sprint.

La voix est celle de Sam, ça ne fait aucun doute.

J'atteins l'entrée en bas de ma propriété en dix secondes chrono.

Le portail est ouvert. Quelques mètres plus loin, un homme est campé devant mon beau-frère.

Grand. Balèze, même. Environ un mètre quatre-vingt-quinze, ce qui fait dix centimètres de plus que moi. Mâchoire carrée, muscles taillés par la gonflette, chemise courte ouverte sur sa poitrine, lunettes de soleil posées au sommet de son crâne. Je peux sentir d'ici l'odeur de son eau de Cologne.

Il tient la prise du Kärcher entre ses mains, lesquelles sont à peine moins grandes que des raquettes de tennis. Quant à l'appareil, il gît renversé sur le sol.

– Sam ? Qu'est-ce qui se passe ?

– Ton voisin a décidé d'interrompre mon travail. Il a filé un coup de pied dans le nettoyeur et arraché la prise.

Sourire sinistre de l'intéressé.

– Ça te servira de leçon, mon pote.

Il jette le cordon à nos pieds et croise ses bras sur son torse.

Vous vous rappelez quand je vous parlais de brouille entre Djeen et certains de nos voisins ? Nous y voici.

Gary Molas est le patron d'une concession automobile à Cergy-Pontoise, *Molas Motors*. Il a beaucoup d'argent, et quelques sbires, qu'il appelle ses vendeurs, qui viennent parfois faire du quad dans la colline. On ne s'est jamais adressé la parole mais je le vois souvent passer à toute vitesse au volant de son énorme 4 × 4 sur ce chemin limité à 20 km/heure où se promènent les familles. Son bras velu est habituellement posé sur sa portière et il insulte tous ceux qui ne dégagent pas assez vite. Que dire d'autre ? Il est raciste, violent, il a eu des démêlés avec la justice, sa femme est dépressive, et il la frappe sûrement. Voilà, je pense avoir fait le tour de la question. Soyez médecin dans une petite communauté, on vous confiera toutes les histoires croustillantes.

– Donc c'est toi, le toubib ? dit-il en me toisant du regard. Et lui c'est qui ? Le mec du jardinage ?

– Je ne pense pas vous avoir permis de me tutoyer.

– Il fait du bruit avec son monstre. Je dîne. Ça me dérange. Je lui ai dit d'arrêter, mais apparemment il s'en tape.

– Doucement, fais-je, vous parlez de mon beau-frère.

– Ah ouais ? Il comprend le français, au moins ?

– Je vous ai demandé de lâcher la machine, intervient Sam. Deux fois.

Sam n'a jamais pesé bien lourd, et son polo estival d'où sortent ses bras longs et fins ne joue pas en sa faveur, mais il possède l'autorité naturelle d'un chirurgien dirigeant un bloc opératoire. Pour qu'il soit aussi décontenancé, l'autre brute n'a pas dû y aller de main morte.

– Vous devriez vous calmer, poursuit Sam en essayant de reprendre le contrôle.

Gary Molas s'avance, les poings sur les hanches.

– Ah ouais ? Sinon quoi ? Tu vas encore crier comme une fillette ? poursuit Cro-Magnon, certain de sa supériorité physique. J'ai vingt bonshommes sous mes ordres. Aucun d'entre eux ne me parle comme ça. C'est une copropriété, ici. Il y a un règlement. Mais les gens de ton pays s'en foutent, pas vrai ?

Un éclair apparaît dans le lointain. Des nuages noirs s'amoncellent et j'entends le tonnerre qui roule. On va avoir droit à un bel orage d'été. Mon épaule opérée me fait encore un peu mal. Je me demande si je vais ressentir des rhumatismes durant des mois chaque fois qu'il pleut, comme les petits vieux.

– Écoutez, dis-je, nous ne voulons pas d'ennui. Nous allons ranger notre matériel et chacun va rentrer chez soi. Tout ça n'est pas bien grave…

Les yeux de Gary se plissent.

– Quoi, tu te débines ? T'es comme ta femme, hein ? Je la croisais, des fois. Un sacré brin de fille, mais elle en avait rien à cirer de la politesse. Ni bonjour, ni bonsoir, ni merde. Alors, ça se passe comme ça chez vous, on se croit toujours à Bab El-Oued ?

— Maintenant ça suffit, dit Sam.

— Toi, le pédé, ta gueule.

Et ça part tout seul.

Ma main claque violemment contre sa joue.

Son cou de taureau dévie de vingt degrés sous la puissance de la gifle, pas plus.

Ses yeux, en revanche, s'agrandissent de surprise.

Je me colle tout près de lui. Tellement proche, en fait, qu'il dispose à présent d'une vue panoramique sur mon front, juste à portée de son arête nasale.

Je me suis battu à de nombreuses reprises durant ma jeunesse. Je ne le clame pas sur les toits parce que ce n'est pas une gloire, surtout pour un médecin. Mais les réflexes sont toujours là, bien présents.

— Ne vous approchez plus jamais de ma maison, dis-je avec le plus grand calme. N'adressez plus jamais la parole à un membre de ma famille.

Il frotte sa joue. Tente de soutenir mon regard. Mais dans mes yeux, à cet instant précis, il n'y a que la rage pure.

— Tu... vous...

— Il pleut, dit Sam. On devrait rentrer.

Molas cligne des yeux. Ses mains s'ouvrent et se referment comme s'il hésitait à m'étrangler, mais je peux voir qu'elles tremblent.

Pas les miennes.

Une goutte de pluie tombe sur son nez avec un *plop* un peu ridicule.

Il sursaute.

Puis se décide enfin à tourner les talons.

– On en reparlera, vous m'entendez ? menace-t-il par-dessus son épaule. Attendez un peu, bande de bougnouls... Vous allez vite avoir de mes nouvelles, vous pouvez me croire...

Je patiente, le temps qu'il soit parti.

– Quel malade, fais-je en relâchant mes épaules.

– Tu crois qu'il est allé chercher des grenades et un fusil à pompe ?

Je ne trouve pas ça comique. Nous rentrons à la maison tandis que l'averse arrive. Sam désigne mes caméras de surveillance.

– Tu devrais brancher ton système de sécurité.

– J'ai interrompu le contrat.

– Ben, reprends-le. On ne sait jamais, avec ce genre de fou. Et puis tu risques d'avoir des visites de journalistes, ou de curieux, mieux vaut être prudent.

J'acquiesce d'un hochement de tête.

– OK. Je contacte la société de gardiennage.

*

Le Chien sort des fourrés au moment où Gary Molas rentre chez lui.

– Salut.

Sourire du Chien.

Sourire de Gary, un peu perplexe.

– On se connaît ?

– Non.

Le Chien s'approche.

– Hé, vous êtes sur ma propriété pri...

Gary ne termine pas sa phrase.

Au lieu de cela, il encaisse les huit cent mille volts de la matraque électrique qui vient frapper son ventre. L'objet crépite pendant cinq secondes durant lesquelles il se tord, se crispe, tombe à terre, perd l'orientation, et termine complètement hébété.

Le Chien rigole. C'est vraiment l'éclate.

Il en profite pour lui passer un serre-câble en plastique autour du cou.

– Allez, mon gros, on va faire un tour.

12

Le Chien ouvre le guide, pose un doigt ganté sur les lignes et commence la lecture.

— « Cette commune proche de Paris existe depuis le xie siècle et compte 7 171 habitants. Elle est connue pour son cadre paisible et ses nombreux châteaux. Des personnalités célèbres y ont élu domicile : Boileau, Victor Hugo, Edmond Rostand… Aujourd'hui, le village demeure très prisé par les artistes, comme Catherine Deneuve… »

Il relève la tête.

Gary et lui sont installés dans une petite pièce voûtée. Vieilles pierres recouvertes de mousse. Bougies posées dans les coins. Ombres vacillantes sur les murs. On dirait la grotte de Lourdes, version sinistre.

— Ben, dis donc, y a des stars qui vivent chez vous.

Gary ne répond pas. Il faut dire que ce n'est pas facile, avec une balle en caoutchouc dans la bouche et les bras enchaînés au-dessus de la tête.

Le Chien lui file un coup. Comme ça. Pour rire.

Gary pousse un cri étouffé.

— Oh, tu peux gueuler. Personne ne t'entend. Dehors, il y a un orage. Et nous sommes dans une glacière. « C'est une construction datant de plusieurs siècles. Celle-ci est bâtie sous un tumulus, enterrée aux trois quarts dans le sol. Les glacières étaient destinées à conserver en toute saison la glace et la neige durcie, amassée pendant l'hiver près des châteaux et des abbayes... »

Le Chien tapote sur le guide.

– C'est écrit là. La nôtre se trouve au milieu du bois, à deux pas de ta maison. Moi je la trouve pittoresque, mais je doute que grand monde la fréquente. Ça pue les chiottes, y a des araignées, et c'est dangereux : un puisard, en bas, sert à évacuer l'eau de fonte, un gosse pourrait tomber à l'intérieur. Bah, de toute façon j'ai verrouillé l'entrée.

Gary secoue ses chaînes.

Le Chien se penche et retire la balle.

– Libère-moi, putain !

– Tu plaisantes ?

– Je vais te tuer !

– Je ne crois pas.

– C'est quoi cette voix de psychopathe ?

Les intonations du Chien montent et descendent les octaves, comme le vent ferait se creuser et onduler la surface d'un lac. Tantôt les accents d'un homme, tantôt une voix de femme, tantôt un rire de fillette.

– Synthétiseur vocal. J'adore les gadgets technologiques. Ça s'applique devant la bouche. On procède ainsi.

Une pluie de rires enfantins dansent et se mélangent entre eux, descendent et fusionnent en un grondement guttural, avant de remonter et de disparaître dans une spirale hystérique.

– Je peux faire varier mon timbre à volonté. Ça évite toute identification vocale.

Le Chien lui enfonce à nouveau la balle en caoutchouc dans la bouche. Puis il allume quelques cierges supplémentaires, installe divers crucifix – il en a toute une collection, c'est lourd à transporter mais il en apprécie l'esthétique – et il réarrange l'ensemble jusqu'à ce qu'il juge le tableau harmonieux. L'autre le regarde

faire en roulant des yeux effrayés tandis que leurs ombres trem-
blotent sous la voûte. Le Chien fouille dans sa boîte à outils, en
ressort un hachoir, une barre de fer et son chalumeau.

– Tout cela est un peu impressionnant, je te l'accorde. Mais
le décor, c'est capital. Les véritables inquisiteurs de jadis, Gary
– ça ne t'ennuie pas si je t'appelle Gary, hein ? –, les véritables
inquisiteurs, disais-je, procédaient selon tout un rituel. Costumes,
pinces, accessoires…

Le Chien chausse ses lunettes de soudeur. Puis il passe la
flamme du chalumeau sur le fer jusqu'à ce qu'il devienne rouge.

– Un inquisiteur sans costume, c'est comme un policier sans
flingue, ou un garagiste sans doigts…

Il saisit la main droite de Gary et la tranche d'un coup sec.

Puis applique le fer rouge sur le moignon.

– … Ça ne sert pas à grand-chose.

Le Chien attend que l'autre revienne à lui.

Il a l'habitude.

Quand ça se produit enfin, Gary a le teint cireux. La bouche
pâteuse. Les yeux vides. Il ne fanfaronne plus. Des larmes coulent
sur ses joues lorsqu'il aperçoit sa main sectionnée gisant à terre,
telle une grosse araignée morte.

Et dire que le Chien commence à peine la séance.

Il secoue l'index.

– Gary, je ne suis pas content. À cause de toi, Kovak va renforcer la sécurité de son domicile. Comment je le sais ? Parce
que j'écoute les conversations à distance. J'allais m'occuper de
son beau-frère, mais t'as débarqué comme un gros connard et t'as
tout fait foirer. Je vais être obligé d'abandonner mon plan initial.
Du coup, c'est toi que j'interroge.

Il sort une photo. L'agite devant son nez.

– Djeen Kovak. La femme du docteur. Tu la connais ?

Les paupières de Gary papillonnent. On dirait qu'il va tourner de l'œil.

Le Chien lui donne un coup de barre de fer sur le tibia.

— On est là. On se réveille.

Gary hurle.

Le Chien soupire exagérément, tandis que l'autre reprend son souffle.

— Bon, tu la reconnais ou pas ? Hoche la tête pour répondre.

Gary hoche la tête.

— Bien. On progresse. Et tu l'as déjà croisée dans le secteur, je suppose ?

Nouveau hochement.

— Super. Et maintenant, je vais te demander d'être très attentif. La réponse suivante est importante. C'est le but de ma visite. Est-ce que tu aurais aperçu cette femme dans les parages depuis moins de trois ans ?

Ses yeux s'écarquillent. Il secoue la tête.

— Oui, je comprends ton étonnement, dit le Chien. Moi aussi je sais qu'elle est morte. Officiellement, du moins. Mais Djeen Kovak était une petite maligne. Je préfère vérifier. Alors comme ça, juste pour être sûr : tu es bien certain de n'avoir jamais vu aucune femme blonde par ici ? Ou quiconque qui pourrait lui ressembler ?

Le Chien ôte la balle en caoutchouc et continue de le faire parler.

Non, Gary n'est au courant de rien. Il n'a rien vu. Aucune femme, ni personne. Le docteur Kovak vit tout seul, comme un fantôme.

Gary avoue avoir déjà lorgné sur Djeen, il y a longtemps, bien sûr, comme tout le monde. Elle était complètement siphonnée, mais belle. Qui n'aurait pas lorgné dessus ? Il avoue aussi avoir trompé sa propre épouse. Il avoue la battre. Il avoue maltraiter ses employés, voler ses clients, toucher à la bouteille, avoir été condamné pour violence envers ses propres enfants. Il avoue des tas de trucs.

Le Chien n'écoute guère.

À ce stade, certains comprennent qu'ils vont mourir. Pas tous. C'est dommage. Ils peuvent encore négocier la façon dont ils vont y passer. Après, quelle que soit la méthode, ce n'est jamais tellement agréable.

Le Chien finit par se lasser. L'air sent la chair brûlée et la cire chaude. Il est temps que ça se termine.

– Tu as entendu parler de Notre-Dame des Sept Douleurs ? Son culte, dans sa version antique, est intéressant. Il y a un rituel avec sept cierges. Chaque fois que j'en allume un, ça veut dire que toi, mon vieux, tu franchis une nouvelle étape. Cheminer sur la voie de la lumière prend du temps. Il faut beaucoup de patience. Alors tu sais quoi, Gary ? On va dire que ta main tranchée, ça comptait pour le premier des sept cierges. C'est cadeau.

Le Chien déverse le continu de sa boîte à outils sur le sol.

– Pour les suivants, je ne vais pas te parler de la Dame des Douleurs, je vais te la faire apparaître. C'est comme une vision céleste, tu vas voir, au bout d'un certain temps, c'est fou : on l'aperçoit.

Bien plus tard dans la soirée, le cri de Gary finit par monter, monter, s'étire horriblement, s'amplifie, et...

13

... déchire l'espace, éclatant sur la scène de l'Opéra de Paris. Un chant puissant et désespéré. Puis l'homme s'effondre d'une façon théâtrale, mort, aux pieds de la cantatrice. Cette dernière porte ses deux mains à sa poitrine et se lance à son tour dans une vibrante tirade en hommage à son amour perdu.

Audrey Valenti est assise dans une loge en compagnie de sa mère. Elle ressent une vibration dans la pochette posée sur ses genoux. Elle hésite, puis l'entrouvre et jette un coup d'œil à l'écran du portable.

Bonsoir. C'est Christian. J'ai besoin de vous parler.

Sa mère hausse les sourcils.

— Audrey, tu n'as pas éteint ? Il faut couper ton gadget, ma chérie. Sinon ça dérange.

Elle s'oriente vers son voisin, un grand moustachu, et pose sa main sur son avant-bras.

— Les enfants. Ils n'écoutent jamais rien.

L'homme la dévisage, vaguement irrité.

— Vous êtes d'accord, cher monsieur ?

— Maman...

— Quoi, j'ai pas raison ?

– Chut ! dit Moustache.

Sa mère se rencogne dans son fauteuil.

– Et voilà. Qu'est-ce que je disais.

Audrey tapote des deux pouces sur l'écran.

Suis à l'opéra. Vous téléphone plus tard.

Puis elle le range dans son sac.

Elle ne sait que penser. Christian Kovak la rappelle. Étonnant. Mais est-ce bien, ou pas bien ? Elle n'arrive pas à se décider.

Lorsqu'elle a pris l'initiative de le contacter la première fois, c'était avant tout pour le remercier d'être intervenu dans le métro. Leur rencontre a été agréable, certes. C'est le genre beau ténébreux, sûr de lui, qui possède un charme indéniable. Mais elle perçoit autre chose. Lors de l'agression, il était prêt à se battre. En le revoyant au Louvre, elle a retrouvé la même intensité : un mélange de confiance en soi et d'émotions potentiellement explosives, comme chez les mauvais garçons qui l'attiraient parfois dans sa jeunesse. Une séduction vénéneuse qui emballe facilement le cœur des jeunes filles, mais qui fait réfléchir la femme qu'Audrey est devenue.

Leur conversation s'est terminée de façon abrupte par l'évocation de la mort de son épouse. Pas vraiment la meilleure manière de se quitter. Était-ce l'expression de sa souffrance ? D'une certaine vulnérabilité ? Elle ne sait pas trop.

Lors de leur rencontre il était habillé en noir. Christian le Ténébreux est quand même un type spécial. Et dans le genre spécial, Audrey a eu sa dose. Tout cela ne cesse de la faire tergiverser.

Et puis il y a eu ce moment, quand Christian lui a pris la main pour lui dire au revoir. Il s'est rapproché d'elle, elle pouvait sentir son parfum – ou bien était-ce un shampoing ? –, l'odeur était plaisante, discrète. Il a raffermi son étreinte comme pour s'excuser d'avoir été trop brusque, son pouls à elle s'est subitement accéléré et...

Holà, ma fille, sur quelle pente tu t'engages ?

— C'est quoi, ce sourire ? chuchote sa mère à son oreille.

— Rien.

— Y a un type mort sur la scène, et toi tu souris.

— Je réfléchis.

— Le téléphone, c'est un garçon ?

— Mais non.

— J'étais sûre que c'était un garçon.

— Maman...

— C'est bon, tu peux me le dire, je suis ta mère.

— Mesdames, s'impatiente le voisin.

Rosa Valenti se retourne vers lui.

— Qu'est-ce qu'elle veut, la moustache ?

— Pardon ?

— On a payé nos places, cher monsieur.

— Et moi aussi !

— Alors, fermez-la.

— Rosa ! Euh, Maman...

— C'est l'autre, là, il n'arrête pas de me tripoter le bras depuis tout à l'heure. Je suis certaine que c'est un pervers...

Les yeux de Moustache s'agrandissent de façon démesurée.

— Pervers ! répète Rosa.

Des têtes se retournent. Moustache s'étrangle derrière son nœud papillon. Il a l'air bien parti pour faire une crise d'apoplexie.

— On file, dit Audrey en entraînant sa mère par la main.

Elles sortent toutes les deux.

Audrey allume une cigarette sur les marches de l'Opéra. Aspire une bouffée. Souffle longuement. Les lumières de Paris sont magnifiques à cette heure. Sa mère s'assoit sur les marches à côté d'elle et entreprend de rajuster l'un de ses bas à varices.

— Tu as honte de moi.

– Mais non.

– Mais si, je le vois bien. Je t'avais dit que ce n'était pas pour moi, ce genre de spectacle. C'est trop sophistiqué. Je ne savais même pas comment m'habiller. Tu as vu toutes ces femmes en robe de soirée ? Où veux-tu que j'achète une robe de soirée ?

Audrey ne répond rien et se contente de tirer sur sa cigarette.

– Tu es devenue une intellectuelle. Tes livres, tes études, ta carrière de magistrat...

– Je ne suis pas une intellectuelle, Maman. C'est juste l'un des opéras les plus célèbres au monde. Ça s'appelle la culture.

– Eh bien, je n'y comprends rien, à ta culture. Ils ne chantaient même pas en français là-dedans. Tu aurais dû venir avec ton frère quand il m'a emmenée voir les saltimbanques sur la butte Montmartre. Ça, c'était drôle !

Et voilà. Elle ne peut pas s'en empêcher, songe Audrey. Bien sûr, une bande de saltimbanques – gratuits, alors que ces places lui ont coûté les yeux de la tête –, c'était mille fois mieux.

Sa mère a déjà sorti son téléphone, elle est en train de l'appeler pour le prévenir qu'elles viennent de sortir et qu'elle va rentrer à la maison. Elle habite avec lui. Le père d'Audrey est mort il y a longtemps, et à présent, c'est comme si elle formait un nouveau couple avec son fils. Elle l'appelle et son visage s'éclaire, c'est son seul réel bon moment de la soirée : celui où elle lui annonce qu'elle quitte enfin cette parenthèse ennuyeuse.

L'année dernière, Audrey a été frappée par une maladie grave, un problème cardiaque dont elle a failli mourir. Tout ce que sa mère a trouvé à lui dire, c'est de comparer son état à la terrible gastro-entérite de son frère à Noël. « J'ai dû tout lâcher pour aller m'occuper de lui, Audrey, tu comprends, je ne pouvais pas venir te voir à l'hôpital, je ne peux pas être présente sur tous les fronts, et puis tu as réussi toi, tu n'as pas besoin d'aide, alors que ton frère qui est sans travail, le pauvre... »

Ben voyons.

Son frère est un glandeur de première qui passe ses journées avachi devant *Les Feux de l'amour*. Elle, elle a dû se bagarrer bec et ongles pour conquérir chaque centimètre de terrain dans la magistrature, milieu éminemment macho, comme tant d'autres, où l'on ne pardonne pas la moindre faiblesse à une femme alors que ces messieurs, eux, ont droit à l'erreur. Ce sont les règles du jeu et elle les accepte – comment faire autrement –, mais de temps en temps, elle aimerait bien un tout petit gramme de reconnaissance de la part de sa mère. Un « bravo, ma fille ». Un « je t'aime, je suis fière de toi ». Mais là, on rêve.

Pourtant, elle donnerait n'importe quoi pour entendre ces paroles, ce serait tellement merveilleux. Son père était avare de compliments, mais il savait trouver les mots. Sa mère ne s'intéresse à elle que pour lui faire des reproches. Parfois, elle se demande si elle n'éprouvera pas un tout petit sentiment de délivrance lorsqu'elle sera morte et que le poids de son jugement ne pèsera plus sur ses épaules.

Elle pousse un soupir intérieur.

Les parents. Vous passez toute votre vie à espérer leurs compliments. Et ils ne s'en rendent jamais compte.

– Je vais prendre un taxi, dit Rosa.

– Tu ne préfères pas plutôt que je te raccompagne ?

– Non. Ça va te faire loin. Un taxi, c'est mieux. Et puis comme ça on ne dérange pas ton frère en rentrant. Il sera sûrement en train de dormir.

– D'accord.

– Audrey ?

– Oui ?

– Cet homme qui t'a écrit, tu devrais lui répondre.

– Pourquoi tu dis ça ?

– Une femme comme toi n'est pas faite pour vivre seule. Tu as déjà laissé ton mari mettre les voiles.

– C'est moi qui l'ai quitté, il me trompait.

– Qui est responsable, peu importe.

– Tu dis ça comme si c'était de ma faute.

– Tu aurais pu lui laisser une chance, non ?

– Je lui en ai laissé plusieurs.

– Il n'était pas si méchant.

– Aucune méchanceté de sa part. Il sautait juste la totalité de ses secrétaires.

– Eh bien, tu dois réagir. Tu ne peux pas continuer ainsi. Regarde où ça t'a menée. Tu as fait un infarctus. À ton âge.

– Ça n'a aucun rapport.

– Mon généraliste dit que si. Le syndrome du cœur brisé, voilà ce qui t'est arrivé. Ton cœur a été brisé, au sens figuré comme au sens propre.

– C'est un hasard.

– Pas du tout. Ce syndrome existe. Je ne suis peut-être pas aussi intelligente et cultivée que toi, mais je lis les journaux. Il y avait un article là-dessus la semaine dernière dans *Femme actuelle*. Écoute un peu ta mère.

Elle l'embrasse sur la joue.

– Allez. Bonne nuit. Et merci pour le spectacle.

Audrey la regarde monter dans le véhicule et s'éloigner.

Elle écrase sa cigarette. Sort son téléphone.

– Christian ? Vous vouliez me parler. On pourrait peut-être se revoir ?

14

Jean, chaussures, polo, veste. L'ensemble en noir intégral. J'observe mon allure dans la glace, puis je me rends dans la cuisine pour montrer le résultat à Sam. Il est en train de préparer le repas de midi. Poulet au curry et noix de coco, si j'ai bien compris.

– Qu'est-ce que tu en penses ? je lui demande.

– Que ça manque de curry.

– Je te parle de mes fringues.

– Tu t'habilles toujours pareil.

– Je trouve ça plus commode.

– Alors mets un T-shirt à col V. Ce sera plus chouette.

Je suis son conseil avant de passer à table. Pour une fois, nous déjeunons à l'intérieur. Dehors, la barre des trente-cinq degrés a été franchie. Heureusement qu'on a la clim.

– Elle est incroyable, cette maison, dit Sam en déposant quelques cuillerées de riz parfumé dans mon assiette. Toute cette superficie, la piscine, il y a de la place pour une tribu entière...

Je goûte son plat : c'est délicieux. Et le poulet est à tomber.

– Il ne manque que des enfants, poursuit-il en s'installant en face. Pourquoi vous n'en avez jamais eu ?

Je prends le temps de mâcher quelques secondes avant de répondre.

– Tu le sais très bien. Ce n'était pas son truc.

– Elle ne pouvait pas en avoir ? C'est pour ça que tu n'en parles jamais ?

– Si.

– Quoi, si ?

– Elle le pouvait. Elle n'en voulait pas. Nuance.

Mon ton est un peu sec.

Il secoue la tête.

– C'est dingue, le sujet a toujours été inabordable avec vous deux. Même maintenant qu'elle est morte. Dès qu'on parle d'enfant…

Je repose ma fourchette, un brin exaspéré.

– Asperger, Sam ! Les conventions sociales l'angoissaient comme pas possible. Fêter Noël chez mes parents la stressait des semaines à l'avance, rien que par peur de ne pas savoir se comporter avec les cousins de ma famille. Tu l'as déjà oublié ? Elle ne voulait pas d'enfant parce qu'elle se sentait incapable d'en élever un au quotidien. Trop d'émotions. Pas assez de contrôle. Les parents d'élèves, l'école, les profs, les copains, les sorties, tout l'aurait rendue folle. Moi j'aurais adoré, mais elle ne m'a jamais laissé le choix. C'est bon, tu as ta réponse ? Je peux finir cet excellent poulet tranquille ?

Je plonge le regard dans mon assiette.

Il m'observe toujours. On dirait qu'il n'est pas prêt à lâcher l'affaire. Ou bien il a quelque chose à me demander.

– Eh bien, moi, j'aimerais en adopter un, d'enfant.

Je lève les yeux, surpris.

– Ah bon ? Tu… es en couple ?

– Oui.

– Première nouvelle.

– Si tu t'intéressais un peu à ma personne.

Je hausse les épaules en protestant mollement.

– Je m'y intéresse.

– Tu ne me poses jamais de question.

– Je me suis peut-être un peu replié sur moi-même, ces derniers temps...

– Un peu ? On ne se voit presque plus ! À la fin, quand je venais chercher Djeen pour l'accompagner à Paris lorsqu'elle avait un déplacement professionnel, c'était tout juste si tu me disais bonjour.

– Je te rappelle que si c'est toi qui devais conduire Djeen, c'est que j'étais alité à cause d'une hernie discale à ce moment-là.

– Ouais, grommelle-t-il.

Le pire, c'est qu'il a raison. À cette époque, je m'étais éloigné de tout le monde. Y compris de moi-même.

– Bon, dis-je. Tu voulais me demander ce que j'en pense, c'est ça ? Il s'appelle comment, ton copain ? Tu as des photos ?

– C'est bon, oublie. De toute façon, il n'est même pas au courant pour cette histoire d'enfant. Notre couple n'est pas assez stable. Si ça se trouve, on ne sera même plus ensemble dans six mois...

Sam a peur de la solitude, je le vois bien. Avant, Djeen était parmi nous. Avec ses rituels et ses bizarreries, peut-être, mais elle était présente pour nous deux.

Maintenant, il n'y a que le vide.

Je profite de cette pause dans la conversation pour aller ouvrir un tiroir, récupérer quelques antalgiques qui y traînent et les avaler. Sam me regarde faire d'un air réprobateur.

– Tu devrais lever le pied sur les pilules.

– Mon épaule est encore douloureuse.

– Tu redeviens accro.

Je soupire en regardant ailleurs.

Il insiste :

– Je suis ici pour toi. Je veux bien t'aider pour ta kiné, ta maison, et tout ce dont tu auras besoin. Mais il y a une chose que je refuse de faire, c'est de te voir repartir à la dérive. Les médicaments, l'alcool, tu as déjà donné. Mon père et moi, nous avons besoin de toi. Vous êtes la seule famille qu'il me reste, tous les deux. Sans vous, je... je...

Il s'arrête de parler. Sa gorge est nouée, mais il ne flanche pas.

Sam est capable de réparer les corps des pires accidentés de la route sans la moindre émotion. Cependant, dès qu'il s'agit de sentiments familiaux, j'ai l'impression de le revoir à l'âge de dix ans : un môme frêle au regard perdu, cramponné au bras de sa sœur. Tous les deux marchant collés l'un à l'autre en direction de mon immeuble. Une employée des services sociaux s'apprête à les confier à leur famille d'accueil. Je m'arrête de jouer au ballon sur le parking pour les observer. Il paraît qu'ils arrivent d'une zone de guerre, ils n'ont plus de parents, ils ne connaissent rien ni personne. Ils ne savent pas si cette « France, terre d'accueil » qu'on leur a promise sera meilleure ou pire que l'endroit d'où ils viennent. Ils sont terrorisés.

Le voilà, mon Sam à dix ans. Et aujourd'hui, vous le supplieriez d'être votre chirurgien parce qu'il est le seul à pouvoir sauver votre bras ou votre jambe.

— Alors, tu as rendez-vous avec cette Audrey ? finit-il par dire sur un ton plus doux.

— Oui. Grâce à tes conseils vestimentaires, j'ai un look irrésistible. Il faut bien que je le teste.

— Dis-moi la vérité.

— À quel propos ?

— Tu n'y vas pas seulement pour faire plus ample connaissance, n'est-ce pas ? Tu as une idée derrière la tête. C'est en rapport avec cette histoire ? Le métro, Djeen, les flics ?

Je fais semblant de ne pas comprendre.

— Bien sûr que non. Qu'est-ce que tu vas imaginer...

15

Je m'habille toujours en noir car je n'aime pas perdre de temps à réfléchir à propos de mes tenues. Comme ça, mon esprit reste concentré sur les problèmes essentiels.

Mais Sam a raison, j'ai effectivement une idée en tête. Je veux parler à une personne neutre. Quelqu'un qui ne sait rien de moi, ni de ma famille, et qui pourra me donner son avis. J'ai fait quelques recherches sur Audrey, et je pense qu'elle pourrait m'être d'une aide précieuse.

– Désolé de vous avoir dérangée hier soir, lui dis-je en guise de préambule.

– Vous ne m'avez pas dérangée, répond-elle.

Nous sommes ensemble sous la nouvelle voûte du Forum des Halles. C'est notre rendez-vous du jour.

La structure est d'une hauteur gigantesque : la Canopée, c'est son appellation officielle. Vous devriez voir ça. Une voile de métal gonflée au-dessus de la ville, une dentelle d'acier audacieuse et délicate, découpée en espaces géométriques qui laissent voir l'azur. Il y fait frais, les jupes et les cheveux se soulèvent, balayés par les courants d'air. Quand j'étais jeune, les Halles ressemblaient à un coupe-gorge. Aujourd'hui c'est un endroit à la mode. On y trouve même une brasserie du chef Alain Ducasse.

De grands escaliers semblables à des gradins conduisent à l'extérieur. Nous empruntons les escalators sur le côté droit. Audrey se trouve devant, et je ne peux pas m'empêcher de reluquer ses jambes. Nous atteignons l'esplanade face à l'église Saint-Eustache et nous marchons un peu.

— Alors vous étiez à l'opéra ?

— Avec ma mère.

— Et c'était bien ?

— Mmm, laissez-moi réfléchir... J'ai mis trois mois pour obtenir les réservations, les places ont coûté à peine moins cher qu'un prêt immobilier, ma mère a loupé le début, elle a ronflé durant la première partie, tenté d'arracher la moustache d'un type durant la seconde, et nous avons été obligées de fuir pour éviter un esclandre. Donc, disons qu'il s'agissait plutôt d'une expérience négative. Mais il y a une compensation : je me suis offert un énorme sorbet aux fruits en rentrant pour oublier ce formidable fiasco.

Je hoche la tête.

— Sacrée soirée.

— En effet. Sinon, vous, cette blessure ?

Ma main se porte à mon épaule.

— Ça va. Mon beau-frère est venu me filer un coup de main à la maison. Il me chouchoute.

— Une attention délicate.

— C'est lui qui m'a opéré. Sam est chirurgien. Et aussi un as des fourneaux. Si vous goûtiez les petits plats qu'il me prépare...

— Vous habitez ensemble ?

— Temporairement. Il a un copain, il est gay. Mais pour l'instant, c'est de moi qu'il s'occupe. Une vraie petite mère, fais-je avec le sourire.

Elle replace une mèche derrière son oreille et j'admire l'élégance de son cou au passage.

— Vous avez l'air d'une famille très unie, dit-elle.

– Ma femme était la sœur de Sam. Nous étions plus proches avant, mais sa mort nous a un peu éloignés.

L'ombre de Djeen se glisse dans mon esprit et tente d'assombrir mes pensées. Je la chasse aussitôt.

– Parlez-moi plutôt de vous. Que faites-vous dans la vie ?

– Je suis magistrate. Juge de l'application des peines. JAP pour les intimes.

– Mince alors. Je dois vous appeler Votre Honneur ?

– Plutôt Madame le Juge. Ou bien Madame le Président, quand je préside les audiences. C'est une marque de respect. Les anciens avocats l'emploient de façon habituelle.

Nous nous arrêtons pour observer un jongleur. Un mime déambule pas loin. Habillé comme le mime Marceau : pull marin, pantalon noir, visage fardé de blanc. Il se place derrière les spectateurs à leur insu et imite leur allure, puis quand ils se retournent, il reproduit leurs gestes comme s'ils regardaient dans un miroir. Il est assez drôle.

– Je vous offre une pâtisserie ? dis-je. Il y a d'excellentes boutiques rue Montorgueil.

– Non, merci. J'évite de manger trop gras en ce moment, raison médicale.

Elle lève une main pour stopper net tout interrogatoire.

– J'ai eu un petit souci de santé l'année dernière, mais tout va bien. Je suis en arrêt maladie pour quelques mois. Je ne dirai rien de plus.

– Bien, Madame la Présidente. Pas d'autre question.

J'arrive à la faire sourire. Nous reprenons notre balade.

– Pour une femme, on dit magistrat ou magistrate ?

– On peut dire les deux.

– JAP, en quoi ça consiste ?

– Après le jugement, je m'assure que les coupables vont en prison. Et s'ils s'évadent, je les rattrape. Je peux mener la traque sur tout le territoire si nécessaire. Un peu comme dans *Walker, Texas Ranger*.

– Vous êtes plus jolie que Chuck Norris.

– Et beaucoup moins poilue.

– C'est vous qui commandez les flics, alors ?

– Certains d'entre eux.

– Et vous êtes championne de tir ?

– Oui. Comment le savez-vous ?

– Heu, je ne le savais pas, dis-je en essayant de me rattraper. C'était une simple question...

Elle réfléchit une poignée de secondes en m'observant d'un air bizarre.

– En l'occurrence... J'ai effectivement gagné quelques coupes. Je possède un SIG-Sauer SP 2022, un 9 mm semi-automatique, comme dans la police nationale. Mon père était gendarme, il voulait que je sache me défendre. Je pratique le tir pour le plaisir mais peu de personnes le savent en dehors de mon entourage. Vous avez fait des recherches sur moi ?

Je tente de dévier la conversation par une pirouette.

– Et si je vous défiais au Laser Game ?

– Tous les deux dans le noir ? fait-elle d'un air espiègle.

– Je serais sûrement intimidé.

Elle rit. Puis s'arrête soudain, et croise les bras.

– Christian.

– Oui ?

– Cessez de me prendre pour une idiote.

Son ton a changé. Plus aucune trace d'humour.

– Vous n'êtes pas intimidé. Ce n'est pas votre genre. C'est comme pour le tir au pistolet, vous le saviez avant de poser la question, n'est-ce pas ?

– Quoi ?

– Que j'étais juge.

Ses yeux s'étrécissent. Je déglutis.

– Bon. J'ai peut-être jeté un coup d'œil sur Google...

– Et ?

– Ce n'est pas de ma faute. Il suffit de taper Audrey Valenti. Il y a plein de sites, Copains d'avant, LinkedIn...

– Et vous m'avez trouvée.

– Sur le portail de la magistrature.

J'écarte les mains et laisse retomber mes bras le long de mon corps.

– Et dans un journal d'anciens élèves, aussi. On y mentionne vos exploits de tir. N'importe qui peut le faire : vous entrez un nom dans le moteur de recherche, vous allez sur « Images » et vous cliquez sur toutes les photos représentant cette personne. Il suffit de suivre les liens. Même si vous faites attention à votre anonymat, vos amis postent plein d'images de vous. C'est leurs journaux et leurs blogs qui vous trahissent...

Elle mordille sa lèvre inférieure.

– C'est pour cette raison que vous vouliez me revoir, n'est-ce pas ? Il ne s'agissait en aucun cas d'un rendez-vous galant. Seule la *juge* Valenti vous intéresse.

Je vois qu'elle est vexée. Terriblement déçue.

Le pire, c'est qu'avec le soleil qui danse dans ses cheveux bruns, cette robe estivale et son air triste, elle est d'une beauté à couper le souffle. Nous reprenons la marche. Nos pas nous ont menés jusqu'au bord opposé à Saint-Eustache et nous retournons maintenant vers le Forum.

– Alors, vous vouliez juste un service ? dit-elle en regardant vers le sol. Très bien, dites-moi lequel.

J'ai l'impression qu'une lance me perfore le cœur.

– Je vous demande pardon, Audrey. Hier soir, j'ai cherché des renseignements sur vous, c'est vrai, parce que vous avez réagi avec tellement de sang-froid dans le métro, et vous m'avez localisé si facilement ensuite, j'ai pensé que vous étiez peut-être flic. Vous êtes logique, perspicace...

– C'est un peu tard pour me passer de la pommade.

– J'ai besoin de vous.

– Pourquoi ?

– Parce que je ne peux me fier à personne.

Elle redresse la tête.

– Encore une fois : pourquoi ?

Je la regarde. Elle n'est pas seulement belle, elle est magnifique. Il y a des beautés qui ne vous frappent pas au premier regard : elles sont là, dans votre champ de vision, et pourtant, jusqu'à ce que vous ayez plus longuement posé les yeux sur elles, vous ne savez pas encore les ravages qu'elles vont infliger à votre cœur. Et quand vous vous en rendez compte, il est trop tard, le sentiment qui vous transperce est comme une empreinte indélébile, une image qui brûlerait votre rétine et qui ne peut plus s'en aller par la suite. Audrey fait partie de ces beautés-là. C'est maintenant, à cet instant précis, que je m'en rends compte.

Tout d'un coup, je ne sais plus si j'ai envie de l'entraîner dans mon histoire. J'éprouve plutôt le besoin de la prendre dans mes bras. De lui dire que tout va bien, qu'il s'agit d'un malentendu. Nous n'avons qu'à nous asseoir et boire un café, nous raconter des banalités et rire ensemble, comme deux étrangers faisant connaissance. La suite dépendra de nous.

C'est très facile : je n'ai qu'à refermer le couvercle du cercueil de Djeen une fois pour toutes.

Je sais ce que vous avez fait.

Je n'ai qu'à ignorer ce souffle froid qui remonte des tunnels sombres, ce courant d'air qui vient escalader ma nuque et se poser sur mon épaule, tels des doigts glacés.

Je sais ce que vous avez fait.

– Allô, la Terre ? dit Audrey.

– Pardon ?

– Vous n'aviez pas l'air de m'entendre.

– J'étais en train de réfléchir.

– Donc, en quoi puis-je vous être utile ?

– D'accord. Voilà. L'agression pour voler votre sac, la balle que j'ai prise... À mon avis, tout cela n'est pas dû au hasard...

– Que voulez-vous dire ?

– Cette fameuse vidéo sur Megascope tournée par les agresseurs : ma femme figure dessus. Ou plutôt une personne qui lui ressemble. Elle était présente dans la rame, je l'ai vue. Les flics aussi, quelqu'un les a directement prévenus en leur faisant parvenir le film. Quelqu'un veut faire croire que mon épouse est toujours vivante.

Elle me jette un regard dubitatif.

– Votre épouse assassinée il y a trois ans ?

– Oui.

– On la voit dans la vidéo ?

– C'est ça.

Elle prend quelques secondes pour analyser l'information. Puis elle jette un coup d'œil à sa montre, comme si elle était un peu gênée et qu'elle avait conscience de perdre son temps, avant de me regarder à nouveau.

– Écoutez, Christian, je ne suis pas au courant des détails de votre histoire. Mais ce qui s'est passé ressemble plutôt à un banal fait divers. Vous avez été choqué par votre agression. Dans ces cas-là, on éprouve le besoin de comprendre, de donner du sens à ce qui nous arrive. Peut-être qu'il y avait une femme blonde. Peut-être qu'elle ressemblait à votre épouse. La police mènera son enquête. Je n'ai plus beaucoup de temps devant moi, et si nous en discutions une fois prochaine ?

Son ton est devenu neutre, détaché. Je sens la professionnelle reprendre le pas sur la femme. Surtout, je peux lire sa réaction sur son visage. Chris le séducteur : zéro, Kovak le mytho : un. Mais je m'y attendais. Il faudrait pourtant que je parvienne à la convaincre. Le commandant Batista ne m'a jamais inspiré confiance, et la justice s'est désintéressée de mon affaire. Si seulement Audrey voulait bien y accorder un regard neuf. Je passe mes mains dans mes cheveux – je le fais quand je suis stressé, c'est un tic, je vous l'ai déjà dit.

Elle poursuit :

– Si vous voulez mon conseil – et là, c'est la juge qui s'adresse à vous –, vous devriez laisser faire les autorités compétentes. Vous êtes chamboulé par cet incident. La suite est plutôt de leur ressort.

– Attendez, laissez-moi vous expliquer...

Je m'interromps, bouche bée.

– Quoi ? dit-elle. Qu'est-ce qui se passe ?

Elle suit mon regard.

En haut des escaliers du Forum des Halles, là où nous étions tout à l'heure en train de regarder le mime, il y a une femme blonde.

C'est Djeen.

16

La ressemblance est extraordinaire.

– Venez ! dis-je à Audrey.

La femme se tient à présent de dos. J'avance dans sa direction, d'abord lentement, puis à grands pas. Cette silhouette, cette taille, ces cheveux blonds, c'est son clone parfait, ça ne fait aucun doute.

Nous sommes au bord de la Canopée, en haut des immenses escaliers qui ressemblent à un amphithéâtre, sur le côté droit. Elle se trouve à l'autre bout, à gauche. J'accélère. Audrey trottine à mes côtés.

– Vous allez me dire ce qui se passe ?

– C'est elle.

– Qui ça ?

– Ma femme.

Elle m'observe, éberluée.

– La blonde, là-bas, dis-je. Avec le mime.

Elle tord son cou dans la direction que je lui indique.

– Quelle blonde ? Il y a des centaines de gens, ici !

Exact. Comme un fait exprès, le secteur est envahi par la foule. Des vagues entières montent ou redescendent vers le Forum en nous coupant la route. Qu'est-ce qu'ils ont tous à débarquer ainsi ? J'ai l'impression de devoir traverser un fleuve.

– Poussez-vous !

– Faites attention, monsieur, dit une grosse dame.

– C'est urgent ! je réplique.

– Christian !

– Pardon, Audrey. Alors, vous la voyez ?

– Vers l'escalator ?

– Oui. C'est Djeen. Ou une personne qui lui ressemble de façon incroyable…

La femme blonde a terminé sa conversation. Elle dit au revoir au mime et emprunte l'escalier roulant pour descendre.

– Djeen !

Elle ne se retourne pas. Elle s'éloigne.

– Il faut qu'on la rattrape.

– Vous vous trompez forcément, dit Audrey.

– Je vous dis que c'est elle.

– Ne soyez pas ridicule.

Les escaliers sont toujours envahis. Tant pis, c'est la seule solution.

J'oblique par là.

– Venez, on prend par les marches.

J'attrape la main d'Audrey et l'entraîne. Le mime vient vers nous.

Rectificatif : en fait, il nous fonce droit dessus.

Il me stoppe net en haut des escaliers.

– Hé ! je grogne. Qu'est-ce qui vous prend ?

Il reproduit mon expression.

– QUÉÉééé SQUIiiii VOUUuus PRREEnnd…

Il écarte les bras pour m'empêcher de passer. Il m'énerve.

– Dégage, ahuri !

Sa bouche s'ouvre en grand :

– AAAhhhh UUUuuu Riiiiiii

Je le tire en avant d'un coup sec tout en lui faisant un croche-patte, et il s'étale de tout son long.

– Christian ! Vous êtes fou !

– Désolé, Audrey. Pas le temps de réfléchir.

La blonde a atteint le pied de l'escalator. Elle a beaucoup d'avance. Je me jette dans l'escalier et descends les marches à toute vitesse.

Plus vite, allez, allez…

Coup d'œil en arrière, Audrey me suit.

Je rate l'une des dernières marches.

Un instant de panique. Je m'envole brièvement, mais je parviens à me réceptionner sur mes deux jambes. La plante de mes pieds frappe le sol, le choc ébranle mes cuisses, mon bassin, et fait claquer mes dents. Je pars en avant, entraîné par la vitesse, je cours comme un dératé et me rétablis par miracle.

Pas d'entorse. Tout va bien.

– Elle est là-bas ! crie Audrey en pointant son doigt. À droite !

Des vigiles se mettent à converger vers nous. Depuis les attentats dans Paris, on n'aime pas les gens qui courent et qui s'agitent dans les lieux publics. Je le sais mais j'en ai rien à foutre.

Des flux de personnes se croisent. Je n'aperçois plus la chevelure blonde.

Je cours dans une direction. Dans l'autre.

– Ce n'est pas elle, près du magasin ? dit Audrey.

On s'élance. On la rattrape. Fausse alerte, ce n'est pas la femme que j'ai vue tout à l'heure. Dans une allée, une porte est entrouverte, je la pousse. Elle donne sur un escalier qui plonge dans l'obscurité des galeries techniques. Au loin, je peux entendre le grondement du métro. Si je descends ces marches, je vais me retrouver dans un local d'entretien, d'autres couloirs peut-être, ou bien je vais déboucher dans l'un des tunnels qui parcourent les profondeurs.

Comme tout le sous-sol de Paris, celui des Halles constitue un véritable labyrinthe. Un siècle plus tôt, on trouvait ici des abattoirs. Deux siècles encore, et nous étions dans le cimetière des Innocents, la plus grande nécropole de la capitale. Les ossements y débordaient de toute part, à tel point qu'en 1786 on a décidé de transférer ses deux millions de cadavres dans les anciennes carrières souterraines de pierre, qui sont alors devenues les fameuses Catacombes.

– Vous croyez qu'elle est descendue là-dedans ? demande Audrey par-dessus mon épaule.

J'éclaire la galerie avec la lampe torche de mon téléphone.

Il n'y a rien. Juste un escalier jonché de détritus.

Une tape dans mon dos. Je me retourne.

C'est le mime. Il a l'air en colère.

– AH HU RI ! dit-il.

Et il me met un coup de boule.

*

De loin, la femme blonde les observe. Elle s'est cachée dans la foule d'un grand magasin de vêtements, une marque célèbre dont les allées sont envahies. Elle a pris la précaution de s'entourer la tête d'un foulard, de chausser une paire de lunettes fumées, et elle ne serait pas plus discrète si elle était invisible. Elle jette un bref coup d'œil par-dessus les rayonnages. Christian est assis par terre, il se masse le front tandis qu'Audrey le réconforte. Le mime, lui, est en train de s'expliquer avec les vigiles. La femme s'accorde quelques secondes supplémentaires pour épier la scène, mais pas plus, car elle ne veut prendre aucun risque.

Christian doit avoir mal. C'est moche. Tant pis, on n'a rien sans rien.

Elle tourne ensuite les talons, quitte le magasin par la sortie opposée et disparaît dans une autre foule. Jusqu'ici, elle peut s'estimer satisfaite. Tout a parfaitement fonctionné.

17

L'épisode a secoué Audrey tout autant que moi. Je me suis remis debout. Le mime est encore là, il tente de s'expliquer avec les agents, baragouinant dans un français approximatif avec un fort accent de l'Est. Il prétend que la femme blonde a réclamé son aide. Elle lui aurait offert vingt euros pour stopper un type qui la suivait partout, dans le centre commercial, en lui collant des mains aux fesses. Et ce type, évidemment, c'est moi. Donc, croyant bien faire, le mime m'est tombé dessus.

Maintenant il est désolé. Il pleurniche. Il a conscience d'avoir commis une erreur. Il est en France depuis peu, il comprend mal notre langue, est-ce qu'il peut m'offrir un café ? M'acheter des pansements ? Il pleurniche encore, m'attrapant avec ses grosses pattes et me collant du maquillage blanc sur la figure.

Je n'ai qu'une simple bosse et les vigiles commencent à se lasser. Je leur dis de laisser tomber et tout le monde s'éloigne. Je me retrouve seul avec Audrey, le visage plus ou moins tartiné de blanc.

Elle me considère les bras croisés, dubitative.

— Alors, vous pensez vraiment que c'était elle ?

Je hausse les épaules.

— Non. Je sais que c'est impossible... Mais la ressemblance était tellement stupéfiante... En tout cas, elle avait calculé son coup une fois encore, j'en suis sûr. Elle s'est arrangée pour que je la voie, puis pour que le mime m'empêche de la suivre, et elle en a profité pour disparaître.

— Avouez que votre histoire est dingue.

— Mmm.

— Vous avez du blanc sur la figure.

— Ouais.

— Et vous avez l'air dingue vous-même.

— Hélas, j'en suis conscient.

Elle lâche un soupir.

— Bon. D'accord. Tout ça est bizarre. Vous avez réussi à piquer ma curiosité. Et si vous m'en disiez un peu plus ?

*

Nous marchons un moment et atteignons bientôt le quai de la Mégisserie. Des odeurs de thym et de menthe nous enveloppent tandis que nous traversons les étals des jardineries installées sur le trottoir. Nous dépassons la boutique d'un oiseleur, dont s'échappent toutes sortes de pépiements, puis nous entrons dans un salon de thé.

À l'intérieur, il fait frais. De lourdes tentures rouges encadrent des miroirs dorés, façon Belle Époque. Des volets en bois filtrent la lumière du jour, le parquet craque et les gens chuchotent dans les recoins. Tout est fait pour que l'on oublie le soleil écrasant du dehors. Il n'y a que des vieux.

J'en profite pour me nettoyer le visage aux toilettes. Je respire un grand coup et reviens m'asseoir face à Audrey. Enfoncée dans une banquette voisine, une vieille dame en robe grise sirote sa tasse de thé en la tenant à deux mains comme un bol de soupe. Son regard semble perdu dans ses souvenirs. Un chien miteux dort à ses pieds. On dirait la fée Carabosse.

Je me lance.

Je commence par l'image de Djeen que Sam et moi avons eu la surprise de découvrir dans la vidéo. J'enchaîne sur notre audition par le commandant Batista et l'e-mail envoyé aux flics accompagné de la phrase « Je sais ce que vous avez fait ». Et pour finir, le symbole utilisé par Djeen en guise de signature.

— Qu'est-ce que vous en pensez ?

Les plis de son front se creusent.

— Je ne sais pas trop. On peut le voir de plusieurs façons. Pour commencer, soit cette personne est réellement votre femme, soit elle ne l'est pas.

Je balaye l'idée d'un revers de main.

— Ma femme est morte. Je suis allé à l'institut médico-légal pour identifier son corps.

— Et pourtant vous avez cru la voir tout à l'heure.

— Exact.

— Comment l'expliquez-vous ?

— Je ne l'explique pas. Un sosie ? Un habile maquillage ? Je n'en sais rien.

— Il y a trois ans, son corps était... ?

Audrey ne termine pas sa question.

— En bon état ? je fais en ravalant ma salive. Non... il n'était pas en bon état. Elle a été poussée sous le métro. Elle est décédée sur place. Il s'agissait d'une mort d'origine criminelle, donc son cadavre a été rapatrié directement à l'IML, quai de la Rapée, comme c'est l'usage dans ce genre d'affaire. Ils... Ils ont fait ce qu'ils pouvaient pour la rendre présentable.

J'essaye de ne pas trembler quand je m'exprime. Les images qui ressurgissent sont terribles, mais je poursuis :

— Son visage n'a pas souffert. Elle a eu de la chance. Enfin, si on veut. J'ai pu la reconnaître de façon formelle. Sam aussi. Et elle avait ses papiers. Elle les emportait toujours. C'est comme ça que la police nous a prévenus.

Une serveuse pose une théière, des tasses et des petits macarons devant nous, puis s'éloigne. Audrey met sa main sur la mienne.

– Nous ne sommes pas obligés d'évoquer tous ces détails.

– Si. Je veux avoir votre avis. Poursuivons.

– D'accord. Je suppose que les enregistrements de vidéosurveillance ont été saisis ?

– Oui.

– Et il y a eu une autopsie.

– Oui.

– Le juge a confirmé qu'il s'agissait bien de votre femme.

– Absolument.

– Il n'y a pas eu d'identification par ADN ?

– Ce n'était pas nécessaire. Quand il n'y a aucun doute, les tests ADN ne sont pas réalisés de façon systématique, ça coûterait trop cher. Mais vous le savez.

– Vous pourriez réclamer une autre expertise.

– Nous venons de le faire, Sam et moi. La demande a été acceptée. J'aurai bientôt le compte rendu. S'il y a quelque chose d'anormal, en tant que juge, vous pensez que la justice pourrait rouvrir l'enquête ?

– Ça dépendra des conclusions.

Elle retire sa main.

– Mais d'après ce que vous me dites, selon toute vraisemblance, votre femme est morte.

Je hoche la tête.

– Effectivement.

– Pourtant on cherche à vous faire croire le contraire. Pourquoi ?

– Je n'en sais rien. C'est tout le problème.

Elle croise les bras.

– Elle avait une sœur jumelle ? Une cousine qui lui ressemble ?

– Non. Djeen et Sam Shahid sont seuls au monde.

– Comment ça ?

– Ils sont les seuls rescapés d'un massacre ethnique. Ils ont passé leur enfance dans les montagnes du Zagros, dans l'ouest de l'Iran. Leur village a été rasé par des combattants fanatiques. Sam et Djeen étaient partis cueillir des fleurs sur un plateau en altitude. Sam fabriquait souvent des colliers de safran pour sa petite sœur. C'est ce qui les a sauvés.

Audrey m'écoute les yeux mi-clos. Elle n'a pas encore touché à sa boisson. On dirait qu'elle essaye de percevoir le souffle du vent parcourant les montagnes.

– Une mission humanitaire les a recueillis dix jours plus tard, à demi morts de froid et de faim. Le responsable travaillait à Paris. Il avait du cœur et des relations. Quand il a vu les deux gamins, il les a pris en pitié. Au lieu de les abandonner à leur sort dans un orphelinat sur place, il s'est débrouillé pour les faire rapatrier en France et les confier à une famille d'accueil. Je les connais depuis qu'on est gosses. Ils vivaient au-dessus de chez moi, dans mon immeuble.

– D'accord. Donc, étrangers. Sans parent proche. Et personne qui ressemble à votre femme.

Elle m'offre une tasse. Je décline. Elle remplit la sienne, boit une gorgée, puis la repose.

– Passons à autre chose. Votre épouse était blonde.

– Oui.

– Simple curiosité, c'était sa couleur naturelle ?

– Absolument.

– Une Iranienne, je l'aurais plutôt imaginée brune.

– Djeen était grande, blonde, avec la peau mate et les yeux bleus. C'est rare, mais on trouve ce type en Iran et en Irak. Dans la Perse antique, les gardiens de Persépolis étaient blonds aux yeux bleus.

– Je l'ignorais.

– Ils venaient des provinces situées dans l'est de l'Empire. On leur confiait la défense des portes de la ville, c'était un honneur.

– Parlez-moi d'elle. Que faisait-elle dans la vie ?

– Elle était spéciale.

– Je n'en doute pas.

– Pas seulement étrangère. Elle était handicapée.

– Ah.

– Le syndrome d'Asperger. C'est un handicap invisible.

Je lui explique en quoi ça consiste, mais Audrey en a déjà de bonnes notions, elle a vu des reportages.

– C'est à cause de cette particularité qu'on l'a appelée Djeen, je poursuis. Dans son village, on attribuait le prénom définitif à l'âge de sept ans. Très tôt, elle a manifesté une intelligence hors du commun, mais elle faisait des crises et se roulait en boule. Elle était perçue comme un être étrange, on l'a donc nommée d'après les djinns des légendes. Plus tard son comportement s'est adapté. De l'extérieur, vous pouviez la prendre pour une personne normale, juste un peu extravagante.

– Et à quel point dépendait-elle de vous ? Il fallait s'en occuper sans cesse ?

Audrey se reprend aussitôt.

– Pardon. Je ne voulais pas me montrer irrespectueuse. Je cherche juste à cerner la personnalité de votre femme.

– Il n'y a pas de problème. Je l'assistais dans certains domaines, en effet. Mais dans beaucoup d'autres, elle était très indépendante, au contraire.

– Ah bon ?

– Djeen a surtout souffert durant sa scolarité. En France, il n'y a pas grand-chose de prévu pour ce genre d'élève. Dès qu'elle a quitté le carcan de l'école, en revanche, elle s'est épanouie. L'informatique a été sa révélation. Elle se servait des ordinateurs comme si elle était née avec un clavier au bout des mains. Elle est devenue infographiste.

– En quoi ça consiste ?

– La création d'images de synthèse. Elle était spécialisée dans les environnements imaginaires. Elle travaillait pour de grandes compagnies, la télé, le cinéma.

– Ça a l'air génial, dit Audrey en mordant dans un macaron.

– Elle gagnait beaucoup d'argent. Vous connaissez *Game of Thrones* ?

Elle penche la tête sur le côté.

– Bien sûr. *Tu ne sais rien, Jon Snow...*

Je souris.

– Eh bien, le Mur, c'est elle.

– Non ?

– Si. Elle a dessiné le Mur et une bonne partie des décors glaciaires. Les montagnes lui rappelaient son enfance. Elle était très recherchée pour la qualité de son travail.

Audrey essuie quelques miettes sur ses lèvres.

– Jolie, riche, intelligente... Votre femme ne devait pas manquer d'admirateurs.

– C'était un peu compliqué pour elle.

– Pourquoi dites-vous ça ?

– Elle ne se laissait guère approcher. Face à un homme entreprenant, elle prenait vite le large. Elle a vécu une mauvaise expérience à l'adolescence.

– Vous parlez d'une agression ?

– Non. Mais les rapports de séduction la mettaient très mal à l'aise. Les Aspies apprennent en recopiant les attitudes des autres, sans toujours en saisir le sens. Ils comprennent peu le second degré, les intentions cachées, les sarcasmes. Au lycée, ça lui a joué un mauvais tour. Djeen a fait une dépression par la suite. J'ai mis des années à lui redonner confiance en elle. Les hommes, les relations sociales en général, ce n'était pas son truc... Elle préférait ses ordinateurs. Et la solitude.

– Mais elle pouvait prendre le métro.

– Oui.

– Et voyager seule.

– Aussi.

– Elle avait des contacts extérieurs.

– Bien sûr.

– Un banquier, des employeurs, un comptable, sans doute.

– Elle avait tout ça.

– Donc elle avait bien des relations sociales, et elle devait sûrement « se laisser approcher » de temps en temps, contrairement à ce que vous dites.

Je fronce les sourcils.

– Où voulez-vous en venir ?

Audrey soutient mon regard sans ciller.

– Christian, je vais être franche. C'est vous qui me présentez Djeen comme une handicapée. À vous entendre, elle vivait presque en recluse. Moi, je la vois plutôt comme une battante. Elle revenait de loin. Elle était belle. Elle avait réussi sa vie. Certains devaient la désirer, d'autres la jalouser. Comment aurait-elle pu y être indifférente ? Apparemment, son existence n'était pas facile. Chaque jour, elle devait se battre pour gérer son quotidien, pour être reconnue dans son travail. C'est l'histoire de beaucoup de femmes. Elle avait probablement ses désirs, ses peurs, ses envies, comme nous toutes. Simplement, elle ne vous racontait peut-être pas la totalité des choses. Que ce soit pour vous protéger... ou parce qu'elle n'en avait pas envie.

Je la regarde, un peu interloqué.

– Je ne cherche pas à vous blesser, continue Audrey. Je ne dis pas que votre femme avait des secrets. Mais l'histoire qui vous arrive aujourd'hui est un peu étrange. Alors vous devriez peut-être y réfléchir.

Je n'avais pas envisagé cela sous cet angle. Je repense aux voyages qu'elle accomplissait pour photographier des décors naturels. Les Carpates, le Canada, l'Islande... Toujours des séjours brefs, réglés comme du papier à musique. Elle ne me racontait pas chaque détail, bien entendu. Je l'amenais à l'aéroport, la récupérais au retour. Billets en première classe, aucun contact avec personne. Elle revenait avec des tonnes d'images numérisées qu'elle reversait directement dans ses ordinateurs avant de replonger dans son travail. Aurait-elle pu me mentir ?

Non, je ne crois pas. Djeen avait horreur du mensonge. Encore un concept que les Aspies détestent. Avais-je eu tort de lui faire une confiance aveugle ?

— D'accord, dis-je en hochant la tête. Vous marquez un point.

— Elle avait des ennemis à votre connaissance ?

J'imagine la grosse tête de Gary Molas, notre butor de voisin.

— Pas que je sache, mais elle pouvait se montrer désagréable lorsqu'elle n'aimait pas quelqu'un.

Audrey demeure un instant silencieuse, puis :

— Bien. En ce qui concerne votre femme, je crois qu'on a fait le tour de la question. Maintenant, si on abordait le reste ?

— Que voulez-vous dire ?

— Parlez-moi de son meurtrier.

18

Du sommet de sa tour dans le quartier de la Défense, l'homme contemple la ville étendue à ses pieds. Il se tient droit, les mains croisées dans le dos. Il est vêtu d'un col roulé Armani de couleur crème qui tranche agréablement avec son bronzage. Son pantalon et ses mocassins, blancs également, proviennent de marques plus ordinaires. La seule exception concerne sa montre : une Patek Philippe Nautilus ultraplate en acier, cadran bleu-noir. Elle est discrète mais coûte le prix d'une voiture de sport. C'est l'unique extravagance qu'il s'accorde. Pour le reste, il préfère rester sobre. Comme disait son grand-père, qui a bâti les fondations de cet empire : le véritable pouvoir ne se montre pas, il s'exerce.

Sans cesser d'observer la ville, l'homme s'adresse à un autre, en retrait, vêtu d'un simple costume gris.

– Qu'est-ce que vous en pensez ?

– J'ai fait mon enquête.

– Et ?

– Nous ne sommes pas les seuls à avoir reçu cet e-mail.

– Qui d'autre ?

– La police, pour commencer.

L'homme en blanc se retourne.

– La police ?

– Il s'appelle Armando Batista. Il dirige une unité d'élite. Toutes les affaires sensibles sur le territoire des transports urbains, c'est lui. Attentats, meurtres, terrorisme, il s'en occupe. C'est un crack. Mais il y a d'autres personnes.

Il tend une feuille.

– Voici les noms. Tous des responsables d'entreprises.

L'homme en blanc parcourt la liste.

– Étonnant.

– Oui.

– Chacun d'eux a travaillé avec elle ?

– Tout à fait.

– Comment avez-vous obtenu cette liste ?

– Grâce aux indiscrétions de la police. Ils ont parlé de certains employeurs qui les avaient contactés, mais qui hésitaient encore à porter plainte. Alors je me suis acharné à les retrouver. J'ai fait des recherches administratives et répertorié les employeurs de Djeen Kovak. Ce sont de grandes sociétés de l'industrie du cinéma, de la télévision et des jeux vidéo. Chacune a un responsable de la sécurité.

– Comme vous.

– Comme moi. Je les ai donc appelés un par un. Dans notre milieu, entre nous, la communication est plus facile. Pas besoin de protocole.

– Que vous ont-ils appris ?

– La plupart n'étaient pas au courant, mais certains ont reconnu avoir reçu un e-mail identique.

– La même vidéo, la même signature ?

– Oui.

– Combien d'entre eux au total ?

– Ceux de la liste.

– Dans quel but ?

– Je ne sais pas.

– Où ça nous mène ?

– Nulle part.

– L'une de ces sociétés a-t-elle réagi ?

– Non. Comme je vous l'ai dit, aucune n'a encore porté plainte.
Pour le moment elles sont perplexes.

L'homme en blanc fait quelques pas sur la moquette. Dans
le ciel d'un bleu aveuglant, un Airbus A380 passe dans le plus
grand silence. Il pourrait presque le toucher du doigt.

– Je ne comprends pas. Nous avions d'excellents rapports avec
Djeen. Pourquoi ce cirque ?

– C'est inexplicable, monsieur.

– Elle est morte il y a trois ans. Comment son image peut-elle
se retrouver sur cette vidéo ?

– Pour le moment, je n'ai pas de réponse.

– Est-il possible qu'elle soit toujours en vie ?

– A priori non. Son décès ne fait guère de doute.

– « Je sais ce que vous avez fait. » Ça ressemble à une menace.
On dirait du chantage.

– Effectivement.

L'homme en blanc lâche un soupir.

– Ça tombe mal. J'entre en campagne électorale, je ne veux
pas de rumeur.

Il appuie sur une télécommande. Un écran géant s'allume sur
le mur et une vidéo démarre.

– Donc, ce type dans le métro qui s'est fait tirer dessus, c'est
son mari.

– Oui.

– Il est dans un état grave ?

– Simple blessure. Il est déjà sorti de l'hôpital.

L'homme en blanc effectue un arrêt sur image. Il examine le
visage en gros plan.

– Et ce Kovak, il pourrait me causer des ennuis ?

– C'est possible.

– D'accord. Faites le nécessaire.

– Bien, monsieur.

19

Il est exceptionnel de rencontrer le Mal.

Le Mal véritable. Absolu.

Pourtant il existe.

Certaines créatures rôdent à la lisière de votre champ de vision. Elles portent un visage humain mais il s'agit d'un masque, d'un déguisement. Cela peut être n'importe qui. Cette personne qui vous sourit, là-bas, depuis l'intérieur de sa camionnette blanche. La nounou qui garde sagement votre enfant pendant que vous êtes au travail. La gentille infirmière qui remplit votre seringue.

Pourquoi accomplir le Mal ? À quel moment en devient-on l'incarnation ?

Les scientifiques n'ont pas de véritable explication à ce sujet. On dit parfois qu'il s'agit d'une tare à la naissance, d'une incapacité congénitale à éprouver de l'empathie pour les autres. Dans les années 70, on a cru découvrir le chromosome du crime[1]. Puis on a accusé le gène déficient de la monoamine-oxydase A. On parle de l'influence du milieu éducatif, de la misère sociale, des

---

1. Il s'agirait du chromosome Y du « XY » masculin. En effet, certains hommes porteurs d'un « double Y », donc possédant une formule XYY, auraient présenté de graves tendances criminelles. D'où l'idée qu'un Y excédentaire serait responsable de la violence. Largement reprise dans les médias, cette théorie a été invalidée par la suite.

antécédents familiaux de maltraitance. On raconte beaucoup de choses.

Lorsqu'un drame survient, on s'efforce de coller une étiquette dessus. On cherche à comprendre, classer, rassurer, surtout.

Sociopathe. Psychopathe. Tueur de masse. Bouffée délirante. Pour définir cette chose, nous la cartographions, nous tentons d'en appréhender les contours. Mais à la vérité, nous ne savons rien. Seulement que le Mal existe.

Et dans mon cas, il porte un nom.

*

– Il s'appelle Carter Clay.
– L'assassin de votre femme ?
– Oui.

Nous marchons le long de la Seine. En dessous du parapet, les voies sur berge sont à présent fermées et, comme chaque été, c'est la saison de Paris Plage. Les parasols fleurissent, on installe du sable, du gazon, des stands, et les gens peuvent profiter de l'été comme s'ils étaient sur la Côte d'Azur. Ou presque.

– Carter Clay faisait partie de la communauté des gens du voyage. Les Clay sont une famille qui compte assez peu de représentants. Ils sont rattachés aux Cancy et aux Winterstein, que l'on retrouve dans les régions du Nord. Carter a deux frères, Francky et Brayton, une sœur, Devlin, et une ribambelle de cousins. Ne cherchez pas : tous leurs prénoms ont été piochés par leur mère dans des soaps. L'écriture est phonétique.

Audrey hoche la tête sans m'interrompre.

– Carter a été renié par son clan. C'est un fait rarissime. Les gens du voyage n'abandonnent jamais l'un des leurs. Mais apparemment, il était un genre de monstre. Une exception. Depuis tout petit, il se montrait violent, comme ça, pour le plaisir. Il se défoulait sur les animaux, les chiens, les vieux, les enfants, les flics, n'importe qui. Un véritable enragé. Ses deux frères et sa sœur ont tous témoigné à la barre. Il était ingérable. Qu'il possède une case en moins ne fait aucun doute.

Je m'interromps, vaguement essoufflé. Je ne sais pas si c'est la chaleur étouffante ou le fait de parler de ce meurtrier mais j'ai l'impression de manquer d'air.

Autour de nous, des amoureux se prélassent au soleil avec insouciance. Audrey effleure mon épaule pour me donner du courage.

– Pourquoi a-t-il choisi votre femme ?

– Apparemment, c'était le hasard.

– Il n'avait aucune raison ?

– Des voix lui ont dit de le faire.

– Il entend des voix ?

– Dieu. La Vierge. Il communique avec eux. Carter Clay est dans un délire mystique. Officiellement, il est schizophrène.

– Officiellement ?

– On l'a reconnu non responsable de ses actes, et il a été envoyé à l'asile pour le restant de ses jours.

– Mais vous n'étiez pas d'accord.

– Non.

– Expliquez-moi ça.

– Lorsque nous étions au Louvre, je vous ai dit qu'il s'agissait d'un tueur en série. C'est toujours ce que je pense.

– Pourquoi ?

– Parce que Carter Clay n'en était pas à son coup d'essai.

*

Sam déambule dans la galerie marchande, lunettes de soleil sur le front. C'est agréable de prendre un peu de temps pour soi. L'hôpital, c'est sa vie, son univers. Il pourrait rester des jours entiers dans un bloc opératoire à réparer des patients, leur rendre l'usage de leur main, leur place dans la société. Ce qui équivaut pour lui à ne pas penser, ni souffrir.

Son maître, le professeur Saillant, disait toujours : « La chirurgie est un merveilleux refuge qui contente le corps et l'âme, mais à force de la pratiquer, on finit par s'oublier soi-même, et oublier de vivre. » Il avait raison.

Flâner dans un centre commercial en cherchant des objets de déco pour la maison de son beau-frère est déjà une bonne thérapie. Le mieux, cependant, aurait été de pouvoir se confier à Christian.

Son agression par balle a inquiété Sam, bien entendu. De même que cette histoire bizarre à propos de Djeen, et l'interrogatoire des flics. Mais ce n'est pas ce qui occupe son esprit depuis des mois : le couple de Sam ne va pas bien, le voilà, son problème.

Il se pose beaucoup de questions sur son avenir. Il a l'impression que sa vie part en lambeaux. Et il se sent seul.

Avant, il aurait pu en parler à Christian. Aujourd'hui, son beau-frère ne l'écoute plus. La complicité de leur jeunesse s'est étiolée au fil des années, et dernièrement c'est devenu encore pire.

Sam s'arrête pour acheter un Coca Light et passer la canette fraîche sur son front.

Discuter d'adoption n'était pour lui qu'un prétexte. Ce qu'il voulait savoir, c'est s'il devait s'engager ou pas. Assumer sa différence. Affronter le regard des autres. Surtout à l'hôpital. En un mot : se marier.

Son compagnon insiste. Lui, il refuse.

Il boit quelques gorgées en continuant de réfléchir.

Les années de formation en médecine ne sont pas faciles. On raconte que les étudiants sont cool, que tout le monde couche avec tout le monde, mais c'est faux. La coolitude s'arrête à l'entrée du service, quand le vieux patron fait sa visite et vous interroge. À l'entrée de la salle de staff, quand vingt chirurgiens attendent de savoir comment vous allez résoudre le prochain cas. À l'entrée de la salle de garde, quand il faut faire comme les autres internes : gentiment harceler les filles, rigoler des blagues graveleuses, et montrer son cul. Le monde médical est peut-être cool, mais la sexualité y est régie par des codes, comme partout, et l'homosexualité n'en fait pas partie. Sam ne compte plus le nombre de ses amis qui ont préféré se marier avec une femme pour vivre leur double vie tranquille.

Doit-il faire la même chose ? Ou assumer sa différence au grand jour ?

Sam finit sa canette, la froisse et la jette dans une poubelle. Il n'arrive pas à se décider. En attendant, la situation de son couple se dégrade. C'est même l'une des raisons pour lesquelles il est venu temporairement habiter chez Christian.

Bien sûr, quand il y songe, il n'est pas à plaindre. Là d'où il vient, les gens comme lui sont condamnés à mort. Exécution publique, pendaison, lapidation, jeté d'un toit, les façons de procéder ne manquent guère. Ici, au moins, il a le droit de mener une existence normale, pendant que le reste du monde vit au temps des barbares. Alors pourquoi ne pas se contenter de ça, hein ? Pourquoi faudrait-il qu'il s'engage ?

Saisi d'une soudaine envie d'uriner, il se dirige vers les toilettes. Il n'a plus envie de réfléchir, à présent. Il repère le sigle au-dessus d'une porte battante, traverse un long couloir carrelé et pénètre dans des W-C inoccupés, en reléguant mentalement ses questions existentielles à plus tard. Pas besoin de résoudre immédiatement tous les problèmes de sa vie. C'est vrai quoi, il ne va pas mourir dans cinq minutes.

*

— Il y a toujours eu des histoires louches avec Carter Clay. Des accidents, des morts inexplicables. Sa famille l'a laissé entendre à demi-mot, mais ils n'étaient guère loquaces. Apparemment, le jour où l'une de leurs aïeules a passé l'arme à gauche, soi-disant parce qu'elle avait confondu son sirop contre la toux avec une bouteille d'acide, ils se sont mis à avoir de sérieux doutes. La vieille est morte dans des souffrances atroces. Son thorax a été perforé en plusieurs endroits, jusqu'à l'intestin. Il paraît même que les chairs de sa gorge avaient littéralement fondu et que du liquide se déversait à travers son cou.

– C'est monstrueux !

– Je vous l'ai dit. Après ça, leur chef de clan a réuni un conseil et ils ont condamné Carter à l'exil.

– Qu'est-ce qu'il est devenu ?

– À cette époque, les Clay se trouvaient en région parisienne. Ils ne l'ont pas largué en pleine nature, ils ne voulaient pas sa mort non plus. Ils l'ont simplement déposé dans un RER et ils sont partis. Il est devenu SDF et s'est mis à errer dans le réseau des transports en commun. C'est l'un des meilleurs endroits pour survivre : vous pouvez faire la manche, il y a de l'eau, de la nourriture, de la chaleur en hiver, et les autorités vous fichent une paix relative.

– Il a vécu combien de temps de cette façon ?

– Une dizaine d'années.

– Dix ans dans le métro ?

– Au moins. Personne ne sait au juste. Un coup il passait à l'hôpital psychiatrique, un coup en centre d'hébergement à Nanterre, puis retour dans les bas-fonds. D'après ce qu'on sait, Carter vivait dans le noir, comme un rat, dans les tunnels. Il traînait dans tout le réseau souterrain, RER, égouts de la ville, galeries techniques des autoroutes, et même les Catacombes. Il aimait se perdre dans ce dédale. Dieu sait ce qu'il faisait là-dessous. Il a été étiqueté schizophrène. Parfois, il se bagarrait avec d'autres SDF, mais la plupart lui fichaient la paix : c'est un costaud, un Jésus avec les cheveux longs, une barbe hirsute et des breloques qui pendouillent partout, genre crucifix. Quand ce type de gars se met à délirer dans son coin avec une bouteille d'alcool, vous le laissez tranquille. Ça a duré un certain temps. Jusqu'à ce qu'il pousse son premier voyageur.

— Qu'il le pousse... sur la voie ?

— Oui. Carter Clay n'est pas seulement un dingue qui s'amuse à faire avaler de l'acide. C'est aussi un Pousseur du métro. C'est comme ça qu'il a été repéré.

*

Au moment où Sam tire la chasse, la lumière s'éteint. Il se retrouve seul dans le noir à l'intérieur du box.

L'eau s'écoule en tourbillon dans les toilettes. Bruit de succion finale. Terminé. Seule persiste la petite musique d'ascenseur du centre commercial, aseptisée et molle. On dirait la version *lounge* d'un morceau de rock. « Highway to Hell » d'AC/DC, si Sam ne se trompe pas. Il pose sa main sur la poignée de la porte.

Un claquement retentit. Un BANG puissant. Brutal. Qui, tout d'un coup, lui file la chair de poule.

— Il y a quelqu'un ? dit-il.

Question stupide, il en est conscient. En plus, sa voix dans l'obscurité lui paraît plus aiguë qu'à l'ordinaire, avec une intonation un peu pitoyable.

Pas de réponse.

— Si c'est une blague, elle n'est pas drôle ! énonce-t-il plus fermement.

Silence total. Sam reste calme.

— D'accord. Maintenant je vais sortir. Je vous conseille de ne pas faire l'idiot. Je déteste ça.

Un nouveau BANG. Cette fois il sursaute.

Un autre coup.

Encore un.

Les intervalles sont lents. Réguliers. Le bruit se rapproche.

Alors il comprend : quelqu'un, là-dehors, est en train de filer des coups de pied dans les portes des toilettes, une par une, pour les ouvrir.

Les coups s'intensifient. Plus près. Puis s'interrompent.

Il entend une respiration sourde.

Il y a une présence, là-dehors. À moins d'un mètre.

Et il ne reste qu'une porte.

La sienne.

*

— Les Pousseurs sont assez rares. Ils font moins d'une dizaine de victimes par an en France. Il y a peu d'études à leur sujet. La plupart d'entre eux sont des schizophrènes qui vivent dans l'isolement. Comme ils ont rompu tout lien avec leur famille, ils se retrouvent rapidement au chômage puis dans la rue, notamment sur les quais du métro. Ils beuglent, ils haranguent une personne invisible et vous pensez qu'ils sont bourrés. Mais cela n'a rien à voir avec l'alcool : ils sont victimes d'hallucinations permanentes. J'en ai vu un certain nombre aux urgences.

— Comment en viennent-ils à tuer quelqu'un ?

— Ils le font s'ils s'estiment menacés. Cela peut être une pulsion, une voix intérieure.

— C'était le cas pour Carter Clay ?

— Tout ce que l'on sait, c'est qu'il l'avait déjà fait par le passé. Un an avant Djeen, il avait poussé une touriste japonaise. Plus tôt encore, c'était une religieuse. Dans les deux derniers cas, ces femmes ont évité la chute de justesse alors qu'un train entrait en gare. Chaque fois, Clay a été interpellé par la police des transports puis relâché faute de preuves. C'est l'une des raisons de mon conflit avec Batista. Il a fallu la mort de ma femme pour qu'il y ait un procès. Sauf que deux des trois experts psychiatres ont conclu à une abolition du jugement au moment de l'acte.

– Je vois. Non pénalement responsable. Article 122-1 du code pénal : s'il était victime d'un trouble mental, il a dû être...

– Acquitté, oui. C'est exactement ce qui s'est passé. Et on a ordonné son hospitalisation d'office.

– Vous dites deux des psychiatres. Et le troisième ?

Mes mâchoires se contractent involontairement.

– Le troisième a prétendu qu'il s'agissait d'un simulateur.

– Et pourquoi le pensez-vous aussi ?

– Parce que, lorsqu'il est sorti du box, Carter Clay m'a adressé un clin d'œil. Et il a souri.

*

La porte s'ouvre à la volée.

Sam pousse un cri.

Une série de flashs illumine la pièce.

Encore.

Encore.

Puis c'est terminé.

*

Ma journée avec Audrey s'achève.

– Un dernier détail, dis-je. Peu de temps avant sa mort, Djeen m'a confié une chose étrange.

– Laquelle ?

– Elle se sentait menacée.

– Vous m'avez dit qu'elle n'avait pas d'ennemi.

– C'est vrai. Pas d'ennemi à ma connaissance. Pourtant, elle éprouvait une certaine angoisse. Une fois, elle m'a raconté qu'on l'avait suivie dans la rue. Sur le moment, je n'y ai pas prêté attention. Djeen était souvent stressée, ça faisait partie d'elle. Et quelques jours après, elle est morte...

Je m'interromps.

Et voilà, nous y sommes.

La raison pour laquelle je n'arrive pas à tourner la page. Pour laquelle je n'ai confiance en personne.

— Depuis, je ne cesse d'y songer. Il a dû se passer un événement avant sa mort, j'en suis convaincu. Quelqu'un lui voulait peut-être du mal. Était-ce un inconnu ? L'une de ses connaissances ? Y a-t-il un rapport avec le meurtre ? Je n'en sais rien, mais je n'arrive pas me débarrasser de cette idée. C'est... c'est insupportable.

Ma voix tremble. Ça fait bizarre d'exprimer à voix haute les doutes qui me rongent depuis si longtemps.

— Ma femme avait peur. Je ne l'ai pas écoutée, et elle a perdu la vie. Je me sens coupable. J'en ai parlé à Batista. Il m'a traité comme si j'étais un paranoïaque. Il m'a répondu : « On a attrapé le meurtrier, alors cessez de nous harceler avec vos idées ridicules. » Pour lui, ce n'était qu'une affaire criminelle de plus. Mais pour moi... il s'agissait de ma femme, vous comprenez ?

Mes poings sont serrés. Crispés à m'en faire péter les jointures. Audrey m'entoure les poignets avec douceur.

— Christian. Je comprends.

— Je me sens tellement impuissant. Si stupide.

— Ne soyez pas si dur avec vous-même. Vous êtes trop sévère.

Un silence entre nous. Qui s'éternise.

— Audrey, j'ai quelque chose à vous demander.

— Je vous écoute.

— Est-ce que vous pourriez vous renseigner sur lui ?

Elle ne lâche pas mes mains. Ne me quitte pas des yeux.

— Vous parlez de Carter Clay.

— Je voudrais que vous regardiez son dossier, voir s'il y a des éléments bizarres.

— Pourquoi moi ?

– Parce que maintenant que je sais que vous êtes juge, je me
dis que c'est dans vos cordes. Et aussi à cause de cette vidéo. Ces
apparitions étranges. « Je sais ce que vous avez fait. » On dirait
une accusation, non ? C'est peut-être ça, le message. Et si
quelqu'un était au courant ? Et si on essayait de me dire quelque
chose à propos de la mort de Djeen ?

Je baisse le regard.

– Je suis désolé. Je délire. Je suis juste un imbécile qui n'arrive
pas à encaisser la mort de sa femme. Vous pouvez refuser. Je le
comprendrais très bien.

Elle hoche la tête.

– D'accord, je vais le faire.

Soudain, elle se met sur la pointe des pieds et m'embrasse sur
la joue. Un baiser bref, délicieux. Puis elle disparaît dans le vent
chaud de l'après-midi.

20

Je rentre chez moi en train. Pendant le trajet, je suis presque sur un nuage. Mais ça ne dure pas. La surprise qui m'attend à l'arrivée se déroule en deux parties.

D'abord la mauvaise : sur le parking de la gare où j'ai laissé ma voiture, ma vitre a été brisée. Je balaye les morceaux de verre Securit et m'assois derrière le volant en poussant un juron.

Ensuite la très mauvaise : mon téléphone sonne et quelqu'un annonce :

– Salut, Christian. Regarde sous ton siège.

Une voix d'homme.

– Pardon ?

– Fais ce que je te dis.

– Qui êtes-vous ?

– Peu importe.

Maintenant, c'est devenu une voix de femme. Le timbre varie sans cesse, montant et descendant les octaves.

Je tourne la tête pour observer le parking. Les voyageurs s'éloignent. Plus loin, j'aperçois une camionnette blanche. Dans la rue, un corbillard est stationné. À part ça, je suis seul.

– Chris chéri ? Tu m'écoutes ?

Le timbre déformé me donne le frisson. Je finis par tendre le bras sous mon siège. Mes doigts rencontrent un emballage.

– Qu'est-ce que c'est ?

– Une enveloppe. Prends-la.

– Il y a quelque chose à l'intérieur ?

– Tu verras bien.

Je la ramène entre mes mains. Elle est au format A4. En la tâtant, je constate qu'elle contient plusieurs éléments. Des papiers, sans doute, et un objet plus gros, que j'évalue à la taille d'un briquet, sauf que c'est souple. D'après le bruit, il est enveloppé dans du papier bulle.

– C'est une surprise, ajoute la voix.

Je devine un sourire à l'autre bout du combiné.

– Il y a aussi des photos.

Mon ventre se creuse.

– Vas-y, Chris. Ne sois pas timide.

J'ouvre l'enveloppe et déverse le contenu sur mes genoux. Une série de clichés.

Je les regarde. Mon échine se raidit. La température dans l'habitacle chute de vingt degrés. J'ai l'impression de tomber dans un gouffre. Un gouffre noir et glacé, qui me happe dans ses profondeurs.

Car ces photos représentent Sam.

Sam dans un espace confiné. Étroit. Sam levant ses mains. Tentant de se défendre, tandis qu'une lumière blanche et crue le saisit à plusieurs reprises, le frappant telle une lame. Des flashs qui crépitent. Encore. Encore.

– J'ai une question pour toi, susurre la voix. Est-ce que ton adorable femme est toujours vivante ?

Cette fois mon cœur s'arrête. Je ne respire plus.

– En fait, tu sais quoi, Christian ? Peu importe ta réponse. Si tu vois Djeen, passe-lui juste le message : ses petits tours de passe-passe sur Megascope ne m'impressionnent pas. De toute façon, je vais la retrouver. Alors elle ferait mieux de sortir de sa cachette et de bien veiller sur vous, Sam et toi. La prochaine fois que je choperai l'un de vous deux, je prendrai tout mon temps. Et je ne me contenterai pas d'un morceau.

Puis ça raccroche.

L'objet enveloppé dans du papier bulle glisse alors de l'enveloppe et tombe sur mes genoux.

L'intérieur dégouline, plein de sang.

Je l'identifie. C'est un bout de chair. Une oreille humaine.

21

J'ai failli me tuer dans le virage. Mes pneus crissent et je reprends le contrôle de ma voiture. J'écrase la pédale d'accélérateur et fonce de nouveau sur la route, vers les hauteurs où se situe ma maison.

– Tout va bien ! hurle Sam dans le téléphone.

– Tu en es sûr ?

– Bon Dieu, oui ! Arrête de conduire comme un dingue !

Cinq minutes plus tard je bondis hors de l'habitacle.

– Tu es devenu fou ? demande-t-il en courant à ma rencontre.

– Qu'est-ce qui t'est arrivé ?

Il fronce les sourcils.

– Pourquoi, tu es au courant ?

– Réponds.

Il se dandine d'un pied sur l'autre.

– Eh bien, heu, un drôle de truc, à vrai dire… Il y a eu une panne d'éclairage dans les toilettes du centre commercial. Quelqu'un en a profité pour me faire une blague.

– Qui ça ?

– Je n'ai rien pu voir. L'autre m'a ébloui avec un flash.

– Et c'est tout ?

– Oui.

– Tu n'es pas blessé ?

– Bien sûr que non.

Cent kilos tombent de mes épaules.

– Christian, tu te sens bien ?

– Non. Tu dois faire tes valises.

– Hein ?

– Il faut absolument que tu t'éloignes. Et pas seulement de chez moi : quitte Paris et la région.

J'essaye de réfléchir à toute vitesse.

– Appelle ton hôpital. Tu n'as qu'à leur dire que tu prolonges tes vacances. Que tu es malade, peu importe. Pars loin. Tu es en danger, ici.

Ses sourcils s'écartent et se rapprochent en une série de mouvements rapides. Si je n'étais pas aussi paniqué, je trouverais ça comique.

– Attends, tu peux me donner des explications ?

Je pose mes mains sur ses épaules.

– Sam, fais-moi confiance. Parfois il y a des gens réellement dangereux, il vaut mieux ne pas jouer au plus malin avec ce genre de types. Tu te rappelles la fois où on s'est bagarrés avec Youri Chamchourine ?

– La bande des petits minets avec les Ray-Ban ? Ceux qui pilotaient ces motos qu'on appelait des Chappy ? Bien sûr que je m'en souviens. Youri n'arrêtait pas de me chercher des noises. Il avait un couteau, il était taré. En plus il était sorti avec ma sœur. On se détestait, tous les deux. Il venait d'une famille friquée, son père faisait partie de la compagnie énergétique orientale, un truc comme ça.

– Je me suis battu avec lui devant le supermarché Cora.

– Et pendant ce temps, j'ai allumé des pétards sous sa moto garée sur le parking.

– Elle a explosé.

– Un vrai carnage.

– Et Youri a juré qu'il allait nous crever le bide avec son couteau. Pour de bon.

– Quinze ans, et déjà psychopathe, le pauvre.

– Voilà, c'est exactement ce dont je te parle. On a été obligés de se planquer combien de temps ?

– Deux semaines. D'après toi, c'est ce qu'on devrait faire ?

– Les menaces que j'ai reçues sont très sérieuses.

– Du genre ?

– Du genre Youri. En pire. Tu peux multiplier par cent.

Il se mord les lèvres.

– Bon Dieu, tu veux dire que l'incident dans les toilettes...

– ... n'était qu'un avant-goût, oui.

– Et ce serait en rapport avec l'histoire du métro ?

– Sûr et certain. Je vais rester là, il faut que j'en parle aux flics. Mais toi, tu dois te mettre à l'abri.

– Tu crois qu'on devrait prévenir nos proches ?

– Non. Attendons l'avis de la police, avant d'affoler tout le monde.

Sam se met à tourner en rond, les mains dans les cheveux.

– Alors c'est vraiment grave ?

Je repense à l'oreille coupée.

Je l'ai laissée sur le siège passager, dans son papier bulle.

– Ça va aller, Sam. Aie confiance en moi. Je m'en occupe.

*

Une heure plus tard, il s'en va.

Il a décidé d'aller dans le Sud, comme ça il rendra visite à mes parents. En revanche, il ne m'a pas parlé de son copain. Je ne sais pas s'il l'a prévenu de son départ. Je n'ai pas osé poser de question – après tout, je ne le connais pas, ce ne sont pas mes affaires – mais j'ai bien l'impression qu'entre eux, il y a de l'eau dans le gaz.

– J'ai besoin d'air, dit simplement Sam. Ce n'est pas plus mal si je m'éloigne quelques jours.

– Je t'appellerai vite.

– Tiens-moi au courant.

Et il disparaît.

Peu après, les flics se pointent. J'ai appelé directement Batista. Je n'ai pas longtemps à attendre avant de le voir débarquer. Comme d'habitude, il a l'air plus ou moins furieux. C'est une seconde nature, chez lui.

– Bon sang ! Qu'est-ce qui se passe ?

– Je vais très bien, commandant. Merci. Ça fait plaisir de voir que vous vous souciez de ma santé avant tout.

– Kovak, il y a une putain d'oreille dans votre voiture !

– Je vous jure que ce n'est pas la mienne.

– Pourquoi n'avez-vous pas prévenu la police locale ?

– Et vous, pourquoi êtes-vous seul ? Vous n'êtes pas censé arriver avec des techniciens de scène de crime, dérouler des rubans jaunes, ce genre de trucs ?

– Vous le faites exprès ?

– Quoi ?

– Qu'est-ce que je fais, dans la vie ?

– Vous êtes flic.

– Dans quel domaine ?

– Les transports.

– Et on est où ?

– Chez moi, heu, dans le Val-d'Oise.

– Voilà. Pigé. Je n'ai aucune autorité pour enquêter dans le secteur. À moins d'un lien direct avec votre affaire.

– Le gars a parlé de la mort de ma femme et menacé de nous découper en morceaux, mon beau-frère et moi. Ça vous suffit, comme lien ?

– Nous allons pouvoir en juger. J'ai appelé mes collègues. Ils arrivent. Vous vouliez du monde et des rubans ? Vous allez être servi.

Il a raison.

Durant les heures qui suivent, des policiers et des spécialistes envahissent le parking devant chez moi, plantent les fameux rubans, prennent des photos de ma voiture sous toutes les coutures, effectuent des relevés d'empreintes, placent des objets dans des sacs en plastique et consignent diverses informations. Je vous fais grâce des voisins qui sortent en hochant la tête, quasiment le sourire aux lèvres, du genre : « On savait que ça finirait mal, vous êtes au courant pour sa femme ? » Je ne mens pas : j'en ai même vu qui prenaient des selfies.

Pendant ce temps, des fonctionnaires de police s'installent dans ma cuisine (les flics mettent de la terre partout, se servent à boire dans mon frigo, utilisent mes toilettes, tout ça sans rien me demander) et on m'interroge, encore et encore, en me faisant répéter l'histoire.

— Vous avez des ennemis ?

— Non.

— Qui pourrait vous en vouloir, selon vous ?

— Je ne sais pas.

— Que faisiez-vous aujourd'hui ?

— J'étais avec une amie.

— Pas avec votre femme ?

— Ma femme est morte.

— Vous avez les coordonnées de cette amie ?

— Et en quoi ça ferait avancer l'enquête ?

— À qui est cette oreille ?

— Vous plaisantez, je suppose ?

— Contentez-vous de répondre, s'il vous plaît.

Et ainsi de suite.

Durant tout ce temps, Batista écoute, sans entraver l'interrogatoire de ses collègues. Parfois on dirait qu'il dort appuyé contre le mur, mais pas du tout : ses yeux sont entrouverts, comme ceux d'un gros chat, je peux en observer la lueur. Il écoute avec attention.

Le temps passe. Les flics se raréfient, le murmure des grillons envahit la colline et même les voisins les plus accros au sensationnalisme finissent par rentrer chez eux. À la fin, une dépanneuse embarque ma voiture et je me retrouve seul. Il est deux heures du matin.

— Vous ne laissez pas des policiers en faction devant chez moi ?

— On n'est pas dans un film, dit Batista. Votre maison est déjà bien sécurisée, enfermez-vous et conservez votre téléphone à portée de la main. En cas de besoin, faites le 17.

— Me voilà complètement rassuré.

— Vous serez bientôt convoqué au commissariat. Il devrait y avoir un point assez vite.

Je l'interpelle alors qu'il franchit la porte.

— Commandant, pourquoi ai-je l'impression qu'une fois de plus, vous ne faites pas grand-chose ?

Je m'attends à ce qu'il se retourne, façon Columbo. Mais il ne s'en donne même pas la peine.

— Et vous, pourquoi chaque fois que j'ai une histoire merdique, c'est votre tête que je retrouve ? Allez vous coucher. Bonne nuit, Kovak.

22

La vie, c'est faire des choix. Et choisir, c'est savoir renoncer.

À la fin du lycée, j'ai renoncé à la vie de petit délinquant que je menais alors. J'exagère un brin – de toute ma jeunesse, si j'ai cambriolé quelques caves et vendu un peu de shit, c'est le bout du monde. Pourtant j'aurais pu facilement tourner mal. Mais choisir, c'est renoncer à la facilité, justement. Alors, sur un coup de tête, j'ai inscrit mon nom sur la liste des candidats à la faculté de médecine.

Kovak à la fac. La bonne blague.

D'accord, je l'avoue : je voulais impressionner Djeen. Je n'avais pas les épaules pour devenir un caïd, contrairement à d'autres. Alors il fallait que je sois différent. Original. Exceptionnel. N'importe quoi pour séduire la plus belle fille de la cité, même si c'était aussi la plus bizarre. Tous mes copains fumaient, portaient des fringues de cailleras et n'en branlaient pas une. Alors j'ai arrêté la clope, choisi des fringues classe, et je me suis mis au travail.

Dans mon immeuble, j'étais un ovni.

J'ai renoncé aux fêtes, aux consoles de jeux, aux autres copines, aux virées en bécane, aux soirées fumette avec Bob Marley en fond sonore à trois heures du matin, aux rigolades avec ma bande de potes, en d'autres termes au sel de la vie. Et bien entendu, j'ai renoncé au fric facile que me proposaient certains si je dealais pour eux. À la place, j'ai acheté un Walkman et j'ai mis dedans des bandes originales de films pour me stimuler, j'ai appris à me lever tôt et à étudier comme une bête. Puis je suis allé passer le concours.

Et là, je me suis ramassé.

Les fils de bonne famille, leur bac C mention Très Bien en poche (certains portaient déjà un costume-cravate et une sacoche en cuir de futur docteur) obtenaient des notes stratosphériques. Moi pas.

Sauf que Kovak est un nom d'origine polonaise, et je suis aussi têtu que le prétend le proverbe. Alors j'ai renoncé de plus belle, à dormir, à manger, à quasiment tout. Il est là, l'équilibre impossible de l'étudiant : plus on mène une vie agréable, et plus il est difficile d'y renoncer pour se concentrer sur son travail. Pour ma seconde tentative, mon cerveau était mieux préparé. Désormais j'optimisais chaque seconde. Je scotchais même des schémas d'anatomie dans les toilettes et sous la douche, derrière des feuilles en plastique, pour réviser en me lavant. Quand j'échouais, je frappais contre un mur. Quand je réussissais, je passais *Eye of the Tiger*. Du travail. Encore du travail.

Et en fin de compte, j'y suis parvenu.

Deux ans plus tard, j'avais perdu quatorze kilos et validé mon entrée en médecine. J'ai entraîné Sam avec moi. Le tournant de notre existence.

Je pensais avoir trouvé la bonne formule, alors j'ai continué de la même façon. Au cours de mes études, j'ai renoncé aux autres femmes pour n'en épouser qu'une : celle de ma vie. Puis j'ai renoncé aux relations sociales pour cultiver cet univers fusionnel où notre amour a grandi, tel un arbre en fleur, et tant pis si vous trouvez cela bêtement romantique. Seulement, le piège de ces renoncements successifs, c'est que l'on finit par y croire. Au grand amour. Au bonheur parfait. Aux petits papillons dans le ventre. On a tellement travaillé pour y parvenir. On pense que cela nous est dû, qu'on l'a mérité. Surtout, on croit naïvement que ça va durer pour toujours. Et puis un matin, quelqu'un d'autre fait un choix à votre place.

Clay a tué Djeen. Et tout s'est arrêté.

Aujourd'hui, j'ai une nouvelle décision à prendre. Elle est très simple : subir à nouveau, ou bien agir. Car Audrey vient de m'appeler au téléphone.

Et elle m'a appris quelque chose de crucial à propos de l'homme qui a détruit mon existence.

*

J'ai besoin de réfléchir avant de prendre une décision.

Dans ces cas-là, je me rapproche de ma famille, et plus particulièrement des plus âgés. Leur présence m'apaise. Elle m'oblige à relativiser mes problèmes. Je ne leur donne pas de détails pour ne pas les inquiéter, juste quelques éléments, et j'étudie leur réaction. En général, ils minimisent. « Vue d'ici, la Terre paraît plus petite », si vous voyez ce que je veux dire. C'est le genre de recul qui me fait du bien.

Mes parents ne sont pas disponibles, ils vivent dans le Sud, où Sam va passer les voir. Amir Shahid, en revanche, est toujours là.

– On l'a attrapé ? demande-t-il.

– Qui ça ?

– Celui qui m'a pris ma fille.

Je lui donne le bras et le guide jusqu'à la table. Entre la caisse de la cafétéria et la chaise, il n'y a que quelques mètres, mais cela nous prend facilement trente secondes pour y parvenir.

Amir est le père adoptif de Djeen et de Sam. Dans le temps, il tenait une boucherie à Sarcelles avec son épouse. Il fallait le voir jongler avec ses couteaux, débiter de belles tranches de rosbif et les emballer avec amour dans du papier rose. Pour ses meilleures clientes, souvent des petites vieilles, il ne manquait jamais d'ajouter un « et avec ça, qu'est-ce que je peux faire pour vous ? » accompagné d'un clin d'œil suggestif. Il ressemblait à Omar Sharif. Elles tombaient toutes amoureuses de lui. À son grand désespoir, son couple ne pouvait pas avoir d'enfant. Alors Amir avait déposé une candidature de famille d'accueil à la mairie auprès du service d'aide sociale. Il avait rempli patiemment des pages et des pages de formulaires, subi de longs entretiens, et un beau jour Djeen et son frère s'étaient retrouvés devant sa porte. Deux petits rescapés du bout du monde, avec de grands yeux bleus et la peau sombre, qui ne parlaient pas un mot de français.

Amir Shahid ne croyait en aucun dieu. Sa seule religion était celle du bon sens et du pragmatisme. Mais à partir de ce jour, j'ai vu son regard s'illuminer comme celui d'un homme touché par la grâce. Il avait trouvé un sens à son existence, et aussi le bonheur. Il les a adoptés et leur a donné son patronyme. Le dimanche, on allait jouer au foot tous ensemble pendant que nos mères nous encourageaient depuis les gradins en confectionnant des sandwichs. Quand Sam a réussi son examen de médecine, Amir m'a serré entre ses bras maigres, j'ai cru qu'il allait défaillir tellement il était fier.

C'était un homme bon.

Aujourd'hui il traîne des pieds, il est devenu l'ombre de lui-même. Sa femme est décédée il y a des années, mais c'est la mort de Djeen qui l'a réellement anéanti, plus sûrement que la maladie de Parkinson ou la démence qui commence doucement à s'installer dans sa tête. Aucun enfant ne devrait mourir avant son père.

Je l'installe sur sa chaise, je sors sa fourchette et son Opinel de sa boîte en plastique, puis je nous sers un verre tandis qu'il commence à découper sa viande.

Cette cafétéria est celle du supermarché où nous faisions nos courses. Voilà l'existence d'Amir à présent. L'endroit est fréquenté par les gens du troisième âge. Sans doute trouvent-ils du réconfort à s'y rassembler, tel un vieux troupeau se rendant à l'abreuvoir. Ils ne se parlent pas, ne se fréquentent pas pour la plupart d'entre eux, mais ils se reconnaissent. Ils savent qui ils sont. Depuis le temps que je viens ici, j'ai remarqué leurs habitudes. Chaque fois la même place, la même heure, les mêmes plats. Parfois l'un d'eux disparaît et sa chaise demeure vide durant quelques jours. La pudeur empêche les autres de s'y installer, ou même de lever la tête, mais chacun sait très bien ce qui arrive. Puis le vide se comble et la chaise se remplit à nouveau. Un jour, je viendrai moi aussi m'asseoir dans cette salle.

Amir s'arrête de manger.

— On l'a attrapé, hein ?

Ses yeux sont brûlants de fièvre, effarés, comme s'il venait d'apprendre la nouvelle. C'est comme ça de temps en temps, ça dépend s'il prend bien son traitement ou pas. Non seulement il a perdu sa fille, mais il revit le même calvaire encore et encore. C'est inhumain.

— On l'a attrapé. C'était il y a trois ans. Tu n'as plus rien à craindre. Il a été puni.

Ses épaules retombent.

— Pardon. Je ne m'en souvenais plus.

Il se remet à découper son steak par petits bouts, place un morceau dans sa bouche et entreprend de le mastiquer avec lenteur.

Je l'étudie durant quelques secondes.

— Mais s'il revenait, Amir ?

Dans ses yeux, la lueur craintive réapparaît.

— S'il... revenait ?

— Oui, cet homme qui nous a fait du mal, s'il était de retour ?

Il lâche sa fourchette, décontenancé. Sa main se pose sur la mienne.

— Tu t'occupes bien de Sam, n'est-ce pas ?

— Oui.

— Il n'est pas malheureux, lui ?

— Non. Ne t'inquiète pas.

— Je le savais. Tu t'es toujours bien occupé de notre famille. Je t'aime comme mon propre fils, tu sais ?

Sa main s'agrippe à mes doigts.

— Mon propre fils, répète-t-il.

Il me sourit, mais son regard paraît perdu.

Ma gorge se noue. Mes yeux se brouillent. Je suis incapable de retenir une larme.

— Alors je n'ai aucune raison de m'inquiéter, Christian. Je sais que si cet homme revient, tu t'en occuperas aussi. Comme pour tout le reste. Tu feras ce qu'il faut.

Puis il lâche ma main et se remet à manger.

Amir est un homme bienveillant. À l'époque de la boucherie, un vieillard passait demander des déchets pour son chien tous les jours. Amir lui en donnait. Un jour, on a demandé où était le chien parce qu'on ne l'avait jamais vu. Amir nous a répondu que le vieillard n'en avait pas.

Voilà le père de Djeen, il était ainsi.

On termine notre repas, puis on se promène tous les deux, après quoi je le ramène à la maison de retraite. Il habite au quatrième étage. Avec cette chaleur qui nous est tombée dessus, son appartement doit demeurer les volets clos. L'endroit est très chic, tranquille, mais ça reste un mouroir. Je range quelques-unes de ses affaires, je l'installe dans son fauteuil, je regarde des photos sur sa commode. Je les connais par cœur. En partant, j'appelle l'infirmière et lui explique de ne pas le faire boire avec excès. Les vieux ne transpirent pas. Contrairement à ce qu'on nous assène à la télévision, si on les hydrate trop énergiquement, ils n'urinent pas assez vite, leurs poumons se remplissent d'eau et ils finissent par se noyer en produisant de l'œdème pulmonaire. Mieux vaut les rafraîchir avec un brumisateur et un léger courant d'air. L'infirmière hoche la tête d'un air pincé et m'indique la sortie. J'embrasse Amir et lui promets que tout ira bien.

Sur ce dernier point, naturellement, je mens.

23

Comment les choses pourraient-elles aller bien ?

Un taré vient de m'envoyer une oreille dans du papier bulle. Il a menacé ma famille. Comment suis-je censé me comporter après ça ?

Je passe le restant de la journée à traîner dans les rues de ma banlieue sous le soleil de plomb. Je ne croise personne à part trois petits Blacks qui chassent vaillamment des Pokémons, leur téléphone à la main, sac au dos et casquette sur la tête. Le soir, je me retrouve au vieux moulin en haut de la colline. C'était le point de ralliement quand nous étions gosses.

Je regarde la vue sur Paris et les tours de la Défense. Ces lumières nous faisaient rêver. Comme dans le refrain de Téléphone, on chantait *Un jour j'irai là-bas*. Sauf qu'on ne parlait pas de New York. Nos rêves n'allaient pas aussi loin.

Une voiture se gare, ou plutôt un monstre : un 4 × 4 Hummer, mais pas le modèle bidon que l'on propose aux touristes, le vrai, couleur terre, qui ressemble à une tarentule géante.

Un type saute de la cabine.

– Salut, Chris.

– Salut, Youri.

Il est égal à lui-même. Costaud, frimeur. Mais il ne se vante plus d'être un fils de riche. L'entreprise de son père a fait faillite à la fin du lycée. Il s'est alors retrouvé sans un sou, et il a dû apprendre à s'en sortir différemment. La lueur féroce dans son regard, en revanche, n'a jamais faibli.

Aujourd'hui, Youri Chamchourine n'est plus l'adversaire que j'affrontais le dimanche sur un parking. Officiellement, il occupe un emploi tranquille à la RATP.

Officieusement, il est ce qu'il convient d'appeler un gangster.

— Alors, dit-il, ça va, l'apprenti délinquant ?

Nous avons des choses en commun, lui et moi. Pour commencer, nous sommes copains d'enfance. Puis Djeen nous a séparés. Il est d'abord sorti avec elle. Mais c'est moi qu'elle a suivi. Notre rivalité est inévitable, bien sûr. D'autant qu'il est devenu père dans l'intervalle, et que – je suis bien forcé de l'admettre – ça me rend bêtement jaloux. Cependant, nous sommes malgré tout restés en contact.

Il sort un chiffon de sa veste et le pose entre nous. Il contient un objet, mais je n'y touche pas pour le moment.

— Ça va te coûter une blinde, dit-il. Mais vu que t'as de la thune…

J'écarte les pans du chiffon.

— D'où il vient ?

— Il est clean. Le numéro de série a été limé. De toute façon, personne ne tracera sa provenance : arrivage direct des Balkans. Sauf si tu fais l'idiot et que tu laisses tes grosses empreintes de toubib dessus.

— Je ne suis pas stupide.

Il me regarde par en dessous.

— Je peux te poser une question ?

— Vas-y.

— Tu comptes tuer quelqu'un avec ce pistolet ?

— Si c'était le cas, tu crois que je te le dirais ?

— OK. Alors une autre. Ça fait quoi, de manier une arme mortelle, quand on a voué sa vie à sauver celle des autres ?

Youri le philosophe.

– Je ne sais pas. Je vais y réfléchir. Tu as d'autres problèmes métaphysiques auxquels tu souhaiterais que je réponde ?

Il hausse les épaules.

– C'était juste pour causer. Moi, du moment que tu casques, je suis entièrement à ton service. Et je peux t'obtenir n'importe quoi, je n'ai que de bons articles. *Jak ruski czolg.*

C'est du polonais. Je le parle un peu, Youri couramment. Ça veut dire « comme un char russe », l'expression s'applique à une machine ou à un appareil qui marche d'une façon bruyante, lourde, pas pratique, mais qui est également très résistante, quasi incassable.

Il m'annonce le prix et, comme je m'y attendais, c'est très cher. D'un autre côté, il faut reconnaître que je n'ai guère d'expérience dans l'achat d'armes de contrebande.

– C'est d'accord, dis-je.

– Tu sais t'en servir ?

– J'ai déjà tiré.

– Je connais un stand.

– Merci, Youri. C'est bon.

Je range le pistolet dans ma poche. Il me tend une boîte.

– Et il te faudrait les munitions, peut-être.

– Bien sûr.

– Tu es certain que ça ira ?

– Oui.

– Tu ne veux pas que je te rajoute une grenade ou deux ? dit-il sur un ton sarcastique.

En voyant mon expression, il lève les mains, paumes vers le ciel.

– Holà, je disais ça pour rire ! Tu n'auras qu'à me payer quand tu voudras. Prends ton temps.

Il remonte dans son Hummer.

– Au fait, tu passeras le bonjour à Sam de ma part. Dis-lui que je ne conduis plus de moto. Maintenant, j'ai ce truc.

Il désigne le véhicule du pouce. Son visage se fend d'un sourire sinistre.

– Qu'il essaye de mettre des pétards en dessous, pour voir.

Et il disparaît.

Youri a rarement croisé Sam depuis le lycée, et sans lui adresser la parole. Il a la rancune tenace. Faire affaire avec lui, c'est comme vouloir entrer dans la cage d'un tigre pour taper la discussion, il y a intérêt à bien connaître l'animal.

Je soupèse l'arme dans ma poche.

Faire des choix. Renoncer. Agir. Subir. Toujours le même dilemme. Et maintenant ?

Le fait de me procurer illégalement une arme à feu est plus qu'un coup de canif dans mon contrat de citoyen modèle. Si on m'attrape avec ça, je peux me retrouver avec un casier judiciaire et du coup perdre le droit d'exercer la médecine, autrement dit anéantir tout ce que j'ai construit. Que penseraient mes proches s'ils me voyaient à cet instant ?

Ils seraient horrifiés, bien sûr. Ils auraient l'impression que j'ai perdu la boule. Seulement je ne déraille pas : je suis moi, avec mes bons et mes mauvais côtés. J'ai vu beaucoup de patients au cours de mon existence et j'ai acquis une certitude : personne ne change. On n'échappe pas à celui ou celle que l'on est au plus profond de soi. Notre personnalité est semblable à une pierre, on peut tenter d'en atténuer les arêtes, la polir comme un galet, au bout du compte, elle conservera toujours la capacité de s'effriter, ou l'incroyable dureté qu'elle possédait au début.

Cette semaine, on m'a menacé. Cette personne est la même que celle qui menaçait Djeen, j'en suis convaincu. Les flics ne font rien ou presque. Depuis le début, leur enquête patine, et je devrais rester planté là, les bras croisés ? Pas question.

Avec Djeen, nous faisions face. Nous nous sommes toujours débrouillés, quelles que soient les difficultés, quoi qu'il arrive. Jusqu'au jour où je n'ai pas écouté sa plainte. Elle s'est confiée à moi, elle avait peur, et je n'ai pas su la défendre.

Cela n'arrivera plus.

Amir me l'a dit, je dois m'occuper de ma famille. Alors je fais le choix d'agir, et tant pis pour les conséquences. Car depuis ce matin, j'ai une idée très précise de la menace.

La voix robotisée dont le timbre devient tantôt masculin, tantôt féminin, à l'évidence, il s'agit d'une astuce pour qu'on ne puisse pas la reconnaître. Mais moi, je n'ai aucun doute. Je sais qui c'est.

Audrey m'a téléphoné ce matin pour m'apprendre quelque chose de crucial.

Voici comment s'est déroulée notre conversation.

*

Il est dix heures du matin. Mon portable vibre. J'ai la gueule de bois.

Après la visite des flics, j'ai bu de l'alcool et avalé trop d'antalgiques, une fois de plus. La nuit a été un long cauchemar entrecoupé d'allers-retours aux toilettes dans un état d'hébétude plus ou moins totale. Mais ce n'est pas grave, j'ai connu pire. Un passage sous la douche et il n'y paraît plus.

Cette histoire d'oreille tranchée m'a flanqué la trouille, mais j'ai surtout eu peur pour Sam. Je suis heureux qu'il ait accepté de s'éloigner sans faire d'histoire.

Ma télé est restée allumée toute la nuit. Ce matin William Leymergie parle du beau temps, de la météo des plages et, brièvement – n'affolons pas le spectateur –, des foyers de violence qui s'allument à Paris tels de petits incendies sporadiques.

Le portable vibre encore. Il avance sur ma commode comme un insecte, il va finir par tomber par terre.

J'ai prévu d'aller rendre visite à Amir. On ira déjeuner à la cafétéria près de sa maison de retraite. Après quoi j'irai traîner dans les rues en attendant que les flics daignent me convoquer. Batista m'a dit que ça ne devrait pas tarder. Qu'est-ce qu'il lui faut de plus pour rouvrir l'enquête ?

Troisième sonnerie.

Je me décide à tendre la main et rattrape le portable au dernier moment.

— Christian, je suis heureuse de vous entendre, dit Audrey. Je n'arrivais pas à vous joindre.

— Nuit difficile.

— Il faut qu'on se parle.

Le ton de sa voix me dégrise instantanément.

— Qu'est-ce qu'il y a ? dis-je. Un problème ?

— J'ai enquêté sur Carter Clay comme vous me l'avez demandé.

— Et ?

— J'ai trouvé quelque chose.

Elle hésite, confuse.

— Il y a eu une terrible erreur.

— Laquelle ?

— C'est grave. Un employé de la justice aurait dû vous avertir. Normalement, il existe des procédures d'alerte dans ce genre de cas. On aurait dû vous mettre au courant et...

— Audrey, je n'y comprends rien. M'avertir de quoi ?

— Le tueur de votre femme, il a disparu des radars, il s'est évadé de l'hôpital psychiatrique. Ça fait une semaine que Carter Clay est dans la nature.

24

Armando Batista patiente dans la bibliothèque de l'institut médico-légal de Paris. L'endroit est feutré : boiseries, fenêtres en arcades, fauteuils. Ce temple de la mort, érigé en briques rouges face à la Seine, est presque aussi accueillant qu'un club. Une mezzanine fait le tour de la pièce. On y accède par un escalier raide, quasiment une échelle, avant de circuler sur une étroite passerelle de métal qui parcourt les hauteurs où sont rangés des milliers de livres. Au niveau du sol, une dizaine d'armoires vitrées exposent leur contenu morbide : crânes, fœtus repliés sur eux-mêmes, instruments crochus, cadavres momifiés, organes préservés dans des bocaux. Pour un peu, Batista se croirait dans le cabinet d'Indiana Jones.

Il fait quelques pas. Derrière les fenêtres passe le métro aérien dans un grondement sourd. Il connaît bien les autres pièces : l'amphithéâtre ancien dont les gradins surplombent la grande table à disséquer, les salles d'autopsie modernes dans lesquelles on pénètre en passant sa main devant les contacteurs, le hall d'accueil des familles, avec ses bustes en pierre qui vous toisent d'un air solennel.

Partout ça respire l'odeur du propre. On brique, on désinfecte. Presque de façon excessive.

Cependant, il préfère patienter ici.

Dans les séries télévisées, les flics assistent à des séances de charcutage pendant que le médecin triture le cadavre d'une main et mange un sandwich de l'autre. La réalité est plus nuancée. Personnellement, Batista se passe sans problème de la séquence gore.

Il se souvient des autopsies précédentes, des liquides s'écoulant dans l'évier, des containers jaunes par terre et du tableau Velleda sur lequel on écrit, de haut en bas : « Cœur », « Pm D » pour poumon droit, « Pm G » pour poumon gauche, puis « Foie », « Encéphale », « RD » et « RG » pour rein droit et gauche, « U » pour utérus et finalement « CA » pour cavité abdominale. Une grosse éponge permet ensuite d'effacer le tout, comme on efface les reliefs d'un repas indigeste.

Plus jeune, il a assisté à une séance particulièrement difficile à l'Hôtel-Dieu. Au sixième étage de cet hôpital, le plus ancien de Paris, sur l'île de la Cité, il existe un secteur pénitentiaire discret, une prison inconnue du grand public. On n'en trouve la description dans aucun dépliant, ni aucun panneau mentionnant son existence sur place. Pourtant elle est là, derrière une porte en fer d'apparence anodine. Cette fois-ci, au-delà du sas jaune pisseux – couleur partagée par le reste du service –, un détenu avait trouvé la mort dans sa cellule. Batista avait observé le médecin légiste chausser ses lunettes couvrantes pour éviter les projections, puis découper sa cage thoracique à la scie circulaire, écarter violemment les côtes, prélever les organes un à un et les jeter dans un bac en fer. L'autopsie avait révélé la présence de préservatifs remplis de cocaïne dans son estomac. Le suc gastrique les ayant détériorés, la drogue avait fuité en provoquant une overdose fatale – une erreur classique. Ce qui avait choqué Batista, à l'époque, c'était l'absence des rituels et de la minutie tels qu'on les observe dans les blocs opératoires. Pas de chichi en médecine légale : on y va franco, on retrousse ses manches, on arrache, on découpe, on soupèse, puis on remet les organes en vrac dans le corps de la victime et on recoud grossièrement l'ensemble, avant de rendre le paquet aux pompes funèbres dès que le juge délivre le permis d'inhumer.

Batista, tout vieux de la vieille qu'il est, a toujours eu du mal avec cette procédure.

Il est catholique, non pratiquant certes, mais il porte encore le médaillon de saint Antoine que lui a offert sa mère, et il n'aime pas que l'on maltraite les morts. Les vivants, on peut les secouer si besoin. Avec les morts, il faut être délicat. Les blessures que vous infligez à leur corps, ils ont peu de chances de s'en remettre.

Il fait quelques pas de plus et regarde sa montre. Le légiste devrait avoir bientôt fini. Ou bien il fait exprès de le faire attendre. Celui qui bosse aujourd'hui n'aime pas trop les flics, il se fait un malin plaisir de rappeler lequel des deux a fait dix ans d'études.

Du temps où elles se pratiquaient à l'hôpital, les autopsies révélaient que, dans un tiers des cas, la cause du décès n'était pas celle indiquée par le médecin. Aujourd'hui ces examens ont pratiquement disparu. Les diagnostics sont plus sûrs, l'imagerie médicale post-mortem a progressé. Seuls les cas douteux, les décès brusques, les crimes font l'objet d'une analyse méticuleuse, et alors ils atterrissent entre ces murs.

L'institut médico-légal traite trois mille dossiers par an, essentiellement des morts violentes d'adultes jeunes. L'objectif du médecin légiste est de réunir les éléments de preuve pour, notamment, mettre un tiers en cause lors d'un procès d'assises. En cour d'assises, c'est immuable, le médecin légiste doit déposer son rapport, expliquer aux jurés comment cela s'est passé, s'il y a eu selon lui un acte criminel et sur quels arguments. Après l'étape de la dissection, celle de la réflexion, puis les examens complémentaires, et les prélèvements. Comme aujourd'hui.

La porte s'ouvre et un homme entre. Blouse blanche, cheveux gris, cravate rouge. La cravate est assortie à l'écusson sur la blouse, note Batista. Certains aiment scier des crânes avec élégance.

Le légiste l'examine d'un air pincé.

– C'est idiot, commandant. Vous nous faites perdre notre temps à tous les deux.

– Je vous demande pardon ?

– Vos subordonnés ont déterré le mauvais cercueil.

Le flic fronce les sourcils.

– Qu'est-ce que vous racontez ?

– Ce n'est pas celui de Djeen Kovak.

– Bien sûr que si.

D'une pichenette, le légiste dégage une poussière invisible sur sa blouse comme s'il s'agissait de Batista lui-même.

– En êtes-vous certain ? demande-t-il en soupirant.

– Évidemment.

– Dans ce cas, je suis désolé mais ce nouvel examen ne va pas être possible.

– Et pourquoi donc ?

Le légiste le considère par-dessus ses lunettes rondes comme s'il s'adressait à un individu de six ans d'âge mental.

– Parce que, commandant, pour procéder à une autopsie, jusqu'à preuve du contraire, il faut un corps. Et dans le cas de Djeen Kovak, il n'y a rien. Si vous voulez mon avis, l'ancien cercueil a été remplacé par un neuf. Celui-ci est tout propre. Il n'a jamais contenu le moindre cadavre.

25

Il est deux heures du matin quand le Chien s'introduit clandestinement dans le métro.

Il a opté pour une station désaffectée du 18e arrondissement. Celle-ci ne comporte aucune caméra de surveillance à l'extérieur, ce qui rend sa tâche plus facile. Cagoule sur la tête, il descend l'escalier, s'approche du volet roulant, ouvre le coffrage vertical fixé le long du mur droit, s'accroupit devant le boîtier noir et y glisse le double de la clé RATP qu'il possède.

Le volet remonte. Il entre. Nouveau tour de clé. Le volet redescend. Simple comme bonjour.

Le Chien sourit. Il est de meilleure humeur que tout à l'heure. Le sac à dos pèse un peu lourd sur ses épaules, avec tous ces bocaux en verre qui s'entrechoquent à l'intérieur, mais il a l'habitude de faire des efforts. D'un doigt, il actionne sa lampe frontale. Le faisceau balaye les murs de la station abandonnée. Il pousse les portes et descend les marches tandis que les ombres s'allongent sur le carrelage. Pour une raison qu'il ignore, les tourniquets en métal ont été démolis, tordus dans tous les sens. Idem pour les guichets, plus une vitre intacte. Ses chaussures crissent lorsqu'il piétine les bris de verre. Il emprunte l'escalier suivant et se retrouve sur le quai.

Odeurs d'urine, de poubelles. Un rat qui détale. Ça fait du bien d'être chez soi.

La lumière de sa lampe passe sur les affiches défraîchies. La plupart sont en lambeaux et recouvertes de tags, mais on devine encore les publicités d'origine. Il cache un premier bocal dans un endroit stratégique. Puis il se rend en tête de station, descend les marches contre le mur et s'engage à l'intérieur du tunnel.

Un frisson lui parcourt l'échine dès que ses pieds rencontrent les cailloux sur la voie. Retrouver sa liberté de mouvement est agréable. Sous terre, tout est simple, vrai, pur. Le Chien peut redevenir lui-même. Il retire sa cagoule, ôte ses gants et, poings sur les hanches, il bascule la tête en arrière :

– EEEEEEHHHHOOOOOOOOO !

Son cri se répercute à travers le tunnel. Il tend l'oreille. Aucun bruit. Il est seul.

Le maître absolu des souterrains, aussi libre que Cabard et Miquelon l'étaient dans leurs caves.

Mmm. Il adore cette histoire. Il se la raconte souvent à lui-même, imaginant les scènes et une multitude de variantes. Au xve siècle, rue des Marmousets, Barnabé Cabard le barbier et son complice Pierre Miquelon le pâtissier travaillaient de concert. Le premier se chargeait de trancher la gorge de ses clients, de les démembrer et de leur ôter la peau, puis il faisait glisser les quartiers de viande dans la cave du second qui en travaillait longuement les meilleurs morceaux afin de confectionner ses célèbres pâtés en croûte. Le roi Charles VI, dit-on, s'en serait régalé plus d'une fois à son insu. Des virtuoses, tout comme lui.

Il remet ses gants et reprend la route car il a du travail. Dans son dos les bocaux cliquettent de plus belle. De temps en temps, il s'arrête pour en cacher un, puis il continue.

La journée n'a pas été bonne. Lorsque le Chien a appris la nouvelle, il a eu l'impression de recevoir une décharge.

Le cercueil de Djeen Kovak est vide. Il n'y a jamais eu de cadavre dedans.

L'information lui a été communiquée par son contact chez les flics. N'empêche, il s'est senti secoué. La rage l'a envahi, à tel point qu'il a été obligé de foncer aux toilettes boire un verre d'eau et se forcer à respirer lentement durant plusieurs minutes.

Bon, d'accord, il s'attendait à quelque chose de ce genre. La vidéo sur Megascope annonçait la couleur. Le message était clair, en gros : je ne suis pas morte, et je connais les coupables. Mais comment Djeen a-t-elle pu échapper à son accident ?

Où s'est-elle planquée durant les trois années écoulées ? Pourquoi revenir maintenant, avec ce genre de menaces ?

Et le pire : comment lui, le Chien, a-t-il pu se tromper à ce point ?

Il aurait mieux fait de la liquider d'une balle dans la tête. À vouloir élaborer des stratagèmes complexes et plaider la folie ensuite, voilà le résultat.

Il soupire. Il va devoir la retrouver. Se montrer plus malin. Mais il a confiance, Dieu lui montrera la voie, comme toujours.

Vingt minutes plus tard, il atteint le local technique. Celui-là est l'un de ses favoris : il faut d'abord se glisser dans un boyau horizontal à côté des câbles à haute tension. Derrière on émerge dans une pièce minuscule recouverte d'armoires électriques. Plafond bas, néons crus. On monte une volée de marches, d'énormes tuyaux courent sur la paroi. En haut, un écriteau sur une porte prévient le visiteur :

Cette issue doit être fermée pour assurer la ventilation.

Et en dessous :

Attention : DANGER DE MORT !

Quelle bonne blague ! Et qui d'autre à part lui circule dans le secteur ?

Pour le danger en revanche, c'est tout à fait juste.

Le Chien pousse la porte et se retrouve dans une pièce poussiéreuse ornée de grosses armoires grises alignées les unes à côté des autres. Le plafond est couvert de gaines et de rails. Lorsqu'elle fonctionnait encore, il s'agissait d'une mini-centrale électrique alimentant tout un secteur du métro parisien. À présent, c'est son antre.

Un mouvement au fond. Le Chien sourit. L'homme enchaîné ici est en mauvais état. Très mauvais, même.

Lorsqu'il entre, l'autre tire sur sa chaîne et tente de se jeter sur lui dans le but de, heu, quoi en fait ? se demande le Chien. L'agresser ? C'est une blague ?

Il s'écarte d'un pas et lui file une claque sur la tête.

— Tu veux que je sorte mes accessoires ?

Cette simple menace provoque l'effroi chez son prisonnier, qui se rétracte au fond de son cachot. Comme une vilaine araignée, songe le Chien. Une vilaine araignée que je ferais mieux d'écraser tout de suite. Dommage que j'aie encore besoin de toi.

— Là, on se détend, susurre-t-il d'une voix réservée aux animaux domestiques. Regarde, je t'ai apporté de la bouffe.

Il dépose son sac à dos avec précaution et en sort les derniers bocaux qu'il contient.

À l'intérieur, des formes flottent dans du liquide.

— Le goût est spécial, je te préviens. Dans ce premier récipient, ce sont des doigts. Leur propriétaire s'appelait Gary Molas. Il tenait une concession automobile. Sache qu'il s'agissait d'une mauvaise personne. En ce qui me concerne, il a parfaitement mérité ce qui lui arrive.

Le corps de l'homme tressaille.

— Ça va, ne fais pas cette tête. Bien sûr qu'il va falloir les manger. C'est ta nourriture. C'est ça ou tu crèves.

Il se penche dans sa direction.

– J'obéis à Notre-Dame des Douleurs. C'est elle qui commande. Moi, je ne fais qu'exécuter les ordres.

Un rictus découvre ses lèvres.

– Je suis juste… un bon Chien.

Le temps qu'il achève ses différentes tâches, l'aube pointe dans le ciel.

À présent il est satisfait. Il s'est débarrassé de tous les bocaux contenant les restes identifiables de Gary. Les doigts pour les empreintes digitales, les dents pour les empreintes dentaires, la peau en raison des quelques tatouages qu'il portait sur le corps, et bien entendu, le visage et les yeux. Tout y est passé.

Il émerge du réseau souterrain par une bouche de métro ordinaire et pénètre dans un café. Dans la rue, les camionnettes vertes arrosent le trottoir. Il commande un crème et s'assoit parmi les clients. Il n'a pas spécialement envie de boire : simplement de savourer le plaisir d'être là, parmi eux, sans que personne ne se doute de rien. Cela lui procure un sentiment de puissance incroyable.

Au bout d'un moment, il se lève et ressort dans la rue. Un air de Leonard Cohen lui revient en mémoire.

I was not caught
Though many tried
I live among you
Well disguised[1].

Le Chien sifflote quelques mesures, puis s'arrête devant un clochard. Le portefeuille de Gary contient encore quelques billets. Bien entendu, il s'est débarrassé du reste. Il le jette aux pieds du pauvre type.

---

1. « On ne m'a pas attrapé, beaucoup ont essayé, je vis parmi vous, bien déguisé. »

Le clochard s'empare de la liasse et lève les yeux, sidéré.

– C'est… c'est beaucoup trop !

– T'inquiète. La rue, je connais.

– Comment tu t'appelles ?

Le Chien le dévisage.

Il se sent d'humeur joueuse.

Après tout, pourquoi pas ?

– Tu peux m'appeler… Carter Clay.

Deuxième partie

LES NUITS DU JUGE

26

Deux jours plus tôt, Audrey a passé l'après-midi avec Christian. Elle s'est promenée avec lui aux Halles, puis sur les quais de Seine. Il lui a fait part de son désarroi à propos de cette affaire criminelle qui le frappe. Il s'est longuement confié à elle. De son côté, Audrey lui a promis de se renseigner sur le meurtrier de sa femme. Et c'est d'ailleurs ce qu'elle compte faire. Mais la vraie question est : pourquoi ? Pourquoi s'engagerait-elle dans cette histoire ? Qu'a-t-elle à y gagner ?

Elle prend le métro pour rentrer. Dans la rame, les voyageurs affichent des mines un peu moins tristes et mornes que d'habitude. L'été, Paris se vide, c'est le moment de l'année qu'elle préfère. Un Black franchit les portes en tirant un petit ampli sanglé sur un chariot rouge. Tandis que le wagon s'ébranle, il entonne un air de reggae en secouant son chapeau orné de plumes des îles, puis il joue un second morceau, et termine en faisant la manche. Sa voix est chaude, suave. Son rire édenté engendre la bonne humeur. Dans l'enthousiasme, Audrey dépose deux euros dans son escarcelle avant de sortir de la rame d'un pas joyeux.

Elle se sent bizarre. Fébrile comme une gamine, ou comme si elle avait attrapé un virus. Sauf qu'elle n'est pas malade.

À la station Vavin, de l'autre côté de la rue, le restaurant Le Dôme lui fait des clins d'œil. Elle y déjeunait souvent en compagnie de son mari avant leur divorce. Leur mille-feuille parfumé au rhum et à la vanille est à tomber. Elle s'engage sur le boulevard Raspail, traîne dans une librairie, ressort, s'arrête finalement dans une épicerie pour y acheter une bouteille de vin, et se décide enfin à rentrer chez elle.

Audrey habite un appartement rue Léopold-Robert, au troisième étage, qui donne sur une jolie cour intérieure. En ce moment elle laisse toutes les fenêtres ouvertes.

Elle se sert un verre de vin et allume une cigarette. Déclic du briquet. Longue aspiration.

Dehors, tout est calme. On entend les oiseaux et pratiquement pas le bruit des voitures.

Audrey retient la fumée quelques instants à l'intérieur de ses poumons, puis la relâche en faisant tourner le vin dans le verre au creux de sa main.

Ses pensées reviennent à Christian. Cet état qu'elle ressent, cette sensation de flotter à dix centimètres du sol, la chaleur mêlée à l'excitation, c'est à cause de lui, bien entendu. Au moment de le quitter, elle n'a pas pu s'empêcher de l'embrasser sur la joue. Un geste spontané et un peu maladroit. D'un autre côté, elle ne s'en veut pas. Elle en avait envie. D'ailleurs, il n'a marqué aucun mouvement de recul, n'est-ce pas ?

À cette seule évocation, la chaleur augmente au creux de son ventre. Elle boit une gorgée de vin et laisse la sensation se répandre. Une fois de plus, elle ne sait quoi penser.

C'est vrai qu'elle a accompli le premier pas en lui téléphonant le lendemain de l'agression – une démarche un peu osée, quand elle y songe – mais sur le moment, elle ne pensait qu'à le remercier, rien d'autre. Enfin presque. Elle l'avait observé en photo, d'accord, elle mentirait en prétendant qu'elle aurait agi de même avec un vieillard bedonnant et chauve. Bien. Et ensuite ? Qu'attend-elle de lui, au juste ? Non, rectification : qu'est-ce que *lui* attend d'elle ? Les hommes sont étranges. Parfois on pense qu'ils vont se montrer entreprenants. Et l'on découvre que c'est tout l'inverse.

Christian a demandé son avis en tant que professionnelle, soit. Mais au-delà, il existe une attirance, non ? Cette façon qu'il a de l'observer, de s'attarder sur ses jambes ou sur d'autres parties de son corps – pendant une seconde, Audrey imagine ses mains et réprime un frisson – est-ce qu'elle l'a rêvé ?

Elle se mordille la lèvre inférieure. En fait, elle n'en est pas sûre.

Oui.

Non.

Peut-être.

Ça fait longtemps. Ses sens sont émoussés, elle n'a plus l'habitude.

Elle boit une autre gorgée de vin, soudain envahie par le doute. Et si... Christian n'attendait rien ?

Après tout, il ne lui a fait aucune proposition. En dehors de l'aide qu'il a sollicitée – en usant de sa séduction, bien sûr –, il n'a jamais parlé de rendez-vous galant. Il est charmant, poli, certes, mais les hommes sont experts dans ce genre de manipulation, cela ne veut rien dire.

Elle joue avec sa cigarette, la faisant tourner dans sa main, et tâche d'observer la situation sous un autre angle. Et si c'était elle qui ne voulait pas aller plus loin ? Après tout, elle ne lui a guère envoyé de signaux explicites. Et elle n'en a pas forcément envie. Elle a peut-être seulement besoin de paroles gentilles, de compliments, un beau miroir dans lequel se regarder, un dîner et un flirt pour se rassurer sur sa féminité qui somnole depuis trop longtemps, puis retour à la maison et dodo sous sa couette.

Mmm, non. C'est faux.

Elle le sait. Se poser la question, c'est déjà y répondre.

Audrey éprouve de l'attirance pour Christian. C'est une évidence.

Plus que ça : le simple fait qu'il la touche la met dans tous ses états.

Pourquoi ?

Eh bien, pour commencer, parce qu'il possède un charme, un magnétisme indéniable qui fonctionne sur elle.

Ensuite, et c'est idiot, elle le sait, parce qu'il semble insensible aux efforts qu'elle déploie. A-t-il seulement remarqué ses vêtements ? Sa coiffure ? Le parfum qu'elle portait lorsqu'ils se sont retrouvés à Paris ?

Il est courtois. Galant. Correct. Ça oui. Mais il est également froid, distant, impassible. Il sourit peu. Il parle de lui, bien sûr, comme tous les hommes, il est capable de se montrer ému, dévasté par ce qui est arrivé à sa femme, angoissé par cette affaire criminelle qui prend une tournure étrange, par ce Carter Clay qui a l'air franchement inquiétant. Mais au-delà, Audrey ne ressent rien. C'est comme si Christian avait érigé une muraille de dix mètres d'épaisseur autour de lui pour se protéger du reste du monde. Et lorsqu'elle y pense, le doute s'insinue en elle encore plus profondément.

Que faut-il attendre d'un homme pareil ?

Il a déjà un travail qui l'accapare, quant aux femmes, la seule dont il parle, c'est un fantôme dont il ne parvient pas à se défaire. Tout cela devrait clignoter telle une gigantesque alarme, non ? « Attention : homme à problèmes, ne pas s'approcher ! »

Pourtant Audrey en a envie. Est-ce parce qu'elle est seule et que, il faut bien l'admettre, nous sommes des mammifères et nous avons besoin de chaleur ? Parce que cette histoire de meurtre dans laquelle il est impliqué excite sa curiosité ? Ou bien parce qu'elle le devine malheureux, sombre, violent, secret. Parce qu'il a vu des choses sinistres et traversé des épreuves. Parce qu'il provoque en elle d'étonnants échos. Parce que, au-delà de cette façade tourmentée, Audrey a l'impression que Christian lui ressemble.

Elle pose son verre, écrase sa cigarette sur le rebord de la fenêtre et s'assoit devant son ordinateur. Elle a besoin d'en savoir plus.

Elle a déjà effectué quelques recherches sur lui, bien entendu, mais sans aller très loin. Juste le temps de vérifier qu'il était réellement médecin (sur le site du conseil de l'Ordre) et qu'elle n'avait pas affaire à un dragueur invétéré (elle n'a pas trouvé de compte Facebook à son nom rempli de photos féminines, bon point pour lui). Elle décide de retourner sur le site de l'Ordre, puis de son hôpital, pour mieux étudier ses références.

Première surprise : Kovak est bardé de diplômes. Médecine d'urgence, médecine des catastrophes, expertise médicale, réanimation... Son intelligence ne fait aucun doute. Cela confine même à l'obstination. Pourquoi a-t-il besoin de tout ça ? Il s'est décrit comme un modeste attaché des urgences dans un hôpital public. Il n'est pas chef de service, donc pas carriériste. Pour quelle raison empiler les titres ? Était-ce pour se prouver quelque chose ? Impressionner quelqu'un ? Djeen ?

Elle entre son nom dans un moteur de recherche et épluche les faits divers. En remontant sur plusieurs années, elle trouve divers articles mentionnant Christian. Elle le découvre même photographié – poursuivi, devrait-on dire – par les paparazzi dans la rue. Dans un autre reportage, il frappe le journaliste d'une feuille à scandales. Plus loin, c'est un magazine d'investigation qui le mentionne lors d'une enquête menée par les assurances. Le titre la stupéfie : « Kovak, l'héritier multimillionnaire ».

Multimillionnaire ? Audrey n'en revient pas.

Elle fait défiler le texte avec son curseur. Apparemment, la mort de son épouse lui aurait rapporté une petite fortune. Sans compter le remboursement des prêts et le bonus des assurances vie. Plus loin, il est précisé que le docteur Kovak en aurait reversé une partie à plusieurs fondations et ONG, ainsi qu'à des associations pour enfants au sein de son hôpital.

Donc Christian est riche. Beaucoup plus qu'il ne le laisse paraître.

Elle poursuit ses recherches en tentant de déterminer l'endroit où il habite. Ce n'est pas bien difficile. Son nom ne figure pas dans l'annuaire, en revanche elle a noté celui de Shahid dans l'un des articles, et il existe justement un « D. Shahid » dans son département. D comme Djeen. Elle note l'adresse, l'entre dans *Google Earth* et zoome sur la zone en question. Audrey découvre une vaste propriété avec villa, piscine, courts de tennis, un parc arboré, plusieurs voitures… Poussée par la curiosité, elle recherche des photos de Djeen et tombe sur une soirée de gala dans le site *Pure People*. Les clichés ont été pris lors du photocall organisé pour la première d'un film très connu. Djeen est en robe de soirée, d'une élégance stupéfiante. Christian lui donne la main. Lui-même est rayonnant. Beau comme un dieu.

En les regardant, Audrey ne peut s'empêcher d'être jalouse, ce qui est parfaitement ridicule. Elle recule sa chaise, éteint son ordinateur, se lève et se ressert un verre de vin avant de faire quelques pas dans la pièce. Elle en a vu suffisamment pour ce soir.

Elle ne s'attendait pas à ça. Les infirmières doivent toutes être à ses pieds. Qu'est-ce qu'elle raconte, les infirmières… toutes les femmes, oui !

Elle le croyait aux abois. Elle le découvre riche, surdiplômé, au bras d'une femme incroyable.

Elle avale plusieurs gorgées.

Christian n'a pas besoin d'elle. En vérité, il n'a besoin de personne. Un moment, elle l'a cru fragile. Elle pensait qu'ils possédaient une sorte de faille en commun. Mais si cet homme est seul, c'est uniquement par choix. Il n'a aucune faille, pas de sentiment naissant, rien du tout. Audrey est simplement là pour jouer son rôle de conseillère, Mme le juge Valenti, exactement comme il le lui a demandé. Pourquoi s'intéresserait-il à elle, de toute façon ?

Elle se sent triste.

Triste et terne.

Elle essuie ses yeux. Son maquillage a coulé. Elle n'a pas pleuré. Ce n'est pas son genre. Elle a un peu trop bu, voilà tout.

Audrey se dirige vers son lit, où ses draps l'accueillent à bras ouverts.

Demain elle se rendra au tribunal de grande instance pour enquêter sur Carter Clay le psychopathe, comme elle l'a prévu. C'est sa promesse et elle la tiendra.

Elle plonge dans le sommeil.

Sa nuit est agitée par des rêves. Certains sont terriblement érotiques. D'autres beaucoup plus terrifiants.

Elle n'en conserve aucun souvenir.

27

Audrey salue les fonctionnaires de police à l'entrée du parking du tribunal de grande instance. Aujourd'hui ils sont plusieurs, fusil d'assaut en bandoulière, plan Vigipirate oblige.

– Bonjour, madame le Juge, dit l'un d'eux. Alors vous êtes de retour ?

– Presque.

– Bon courage. Prenez soin de vous.

Il lui adresse un hochement de tête, puis fait tournoyer son index dans les airs pour signifier à ses collègues de lever la barrière. Audrey se gare sur le parking et pénètre dans le bâtiment. Au cours de sa carrière, elle a fréquenté plusieurs tribunaux aux ambiances et aux formes architecturales variées. Il y a ceux de style bourgeois xixᵉ siècle, avec parquet à l'ancienne et moulures au plafond, comme à Amiens ou Châlons-en-Champagne. Il y a les blockhaus façon Allemagne de l'Est dont les fenêtres laissent passer les courants d'air et où rien ne doit être punaisé au mur par crainte de l'amiante. Et puis il y a les endroits modernes, comme celui-ci.

Audrey parcourt le long couloir flanqué de sièges en métal faisant office de salle d'attente. De part et d'autre s'ouvrent plusieurs bureaux attribués aux différents juges, ainsi que d'autres réservés au greffe. Les visiteurs ne le savent pas, mais les sièges en métal ont leur raison d'être : ils sont là pour éviter de transmettre la gale. Les revêtements en tissu, exposés au contact de la population précarisée, sont trop difficiles à traiter.

Elle pénètre dans son bureau. Depuis son congé maladie, tout est demeuré en place. L'endroit est propre, dépouillé, impersonnel : un ordinateur, un téléphone, des piles de dossiers partout. Sa plante verte n'est même pas morte. C'est Marthe, sa greffière, qui a dû l'entretenir. Elle effleure le bureau du doigt.

Audrey est partie d'un coup. Brusquement. Crise cardiaque. Syndrome du cœur brisé. C'est le diagnostic officiel, elle a menti à sa mère, même si Rosa Valenti le sait. Le syndrome du cœur brisé est une cardiopathie qui frappe plus particulièrement les femmes soumises à un stress émotionnel puissant. Dans sa phase aiguë, ses symptômes sont similaires à ceux d'un infarctus du myocarde. Mais Audrey n'avait pas envie de le reconnaître, le chagrin ne tue pas les gens, c'est impossible. Et de toute façon, il n'est pas question de se montrer faible.

Elle va revenir. Elle se sent presque prête. Chaque jour elle prend ses bêtabloquants, accomplit les longues marches qu'on lui a prescrites, et raconte des bobards en guise d'excuses. À Christian par exemple. Elle lui a dit qu'elle adorait visiter tous les lieux culturels de la capitale. La vérité est qu'elle n'a pas le choix. Elle doit marcher pour renforcer son cœur, c'est une question de survie.

Et aussi se garder de la cigarette. De l'alcool. Et des émotions fortes.

Mais comme on dit dans *Certains l'aiment chaud*, ce vieux film en noir et blanc qu'elle adore : *nobody's perfect*, n'est-ce pas ?

Elle s'assoit et pianote sur son ordinateur. Elle ouvre APPI[1], son logiciel de travail quotidien. Surprise : ses codes ne fonctionnent plus. Ils ont été transitoirement désactivés.

---

1. Application des peines, probation et insertion : logiciel relié en permanence à l'administration pénitentiaire, sous le contrôle du ministère de la Justice. Tout y est consigné en temps réel : rapports, bracelets électroniques, violations, mandats d'arrêt, etc.

– Zut, dit-elle en se levant de son fauteuil.

C'est une déconvenue, évidemment.

S'agit-il de l'œuvre d'un supérieur un peu trop zélé ? Ou bien d'un nouveau coup bas de son ex-mari qui fait partie de sa hiérarchie ?

Audrey penche plutôt pour la seconde solution.

Du coup, elle téléphonerait bien à Machiavel (depuis leur divorce, c'est son surnom) pour lui dire ce qu'elle en pense, et lui suggérer au passage deux ou trois façons d'aller se faire voir chez les Grecs. Malheureusement, elle n'a pas le temps pour ces enfantillages, il faut qu'elle avance.

Elle compose donc un autre numéro.

– Marthe, vous êtes là ?

– Madame le Juge !

– Ne bougez pas. J'arrive.

Audrey sort du tribunal, passe en coup de vent à la boulangerie qui fait l'angle, puis déboule dans le bureau de sa greffière en déposant sur son bureau un assortiment de ses pâtisseries préférées.

– Surprise !

– Vous m'avez tellement manqué, s'exclame Marthe en ouvrant les bras.

– Vous parlez aux gâteaux ou à moi ?

Elles s'embrassent et discutent un peu. Le bureau de Marthe n'a pas changé non plus. Il est encombré de dossiers, plus encore que le sien : bleu pour les suivis en milieu ouvert, vert pour les détenus en maison d'arrêt, orange pour les libertés conditionnelles, violet pour les cas sensibles et les délinquants sexuels, et ainsi de suite. S'y ajoutent des piles de courriers de toutes sortes débordants de hamacs à rangement trop peu nombreux, et les accessoires indispensables ; la cafetière et les mugs, plusieurs plantes vertes (les greffières adorent les plantes vertes, Audrey ne sait pas pourquoi), les téléphones multitouches, et le plus important : l'ordinateur à fond d'écran paradisiaque.

– Marthe, j'ai besoin d'un service.

– Concernant l'un de vos dossiers ?

– Non.

– Aïe.

– Je sais. Mais ce n'est vraiment pas grand-chose, il s'agit d'un type en hôpital psychiatrique. J'ai juste besoin de savoir où il en est de son suivi. Quel juge d'application des peines s'occupe des dossiers A à F ?

Chaque JAP possède un portefeuille prédéfini de condamnés allant d'une lettre de l'alphabet à l'autre. Marthe lui donne le nom du juge concerné.

– Il est présent dans les murs ? demande Audrey.

– Oui.

– Vous croyez que si je lui demande l'autorisation...

– Hum, non. C'est un très bon collègue de votre ex.

– Ah, mince.

Marthe réfléchit, puis ajoute :

– D'un autre côté, si ce n'est vraiment que ça... je n'ai plus de café. Je devrais peut-être aller en acheter quelques paquets. Vous pourriez surveiller mon bureau pendant ce temps ?

Audrey sourit.

– Marthe, vous êtes un ange !

Dès qu'elle est sortie, Audrey soulève le clavier d'ordinateur où sa greffière a l'habitude de scotcher ses codes confidentiels et les recopie dans le logiciel APPI. Elle ouvre la fenêtre de recherche. Entre les données.

Nom : Clay.

Prénom : Carter.

Ce qu'elle apprend durant la minute suivante la fait pâlir. À tel point qu'elle est obligée de s'asseoir. Elle relit, note un numéro sur un Post-it, le fourre dans sa poche, puis se déconnecte.

Marthe revient au même instant.

— Merci, dit Audrey. Je dois filer. À bientôt !

Elle sort du tribunal, le souffle court.

Comment un tel dysfonctionnement a-t-il pu se produire ?

Elle s'éloigne d'une rue puis, dès qu'elle estime être à l'abri des oreilles indiscrètes, ressort le Post-it et compose le numéro. Elle se racle la gorge pour affermir sa voix.

— Bonjour. Vous êtes bien le conseiller de probation de Carter Clay ?

— Peut-être, dit une voix ensommeillée à l'autre bout. Qui le demande ?

— Ça commence mal, répond-elle. Il est bientôt dix heures du matin. Vous voulez que je vous envoie un escadron de gendarmes pour vous aider à ouvrir les yeux ?

— Tout de suite les grands mots. Vous êtes qui, d'abord ?

— Juge Audrey Valenti.

Bruit sourd à l'autre bout, comme si son interlocuteur se levait brusquement en faisant tomber quelque chose.

— Pardon, madame le Juge. Excusez-moi.

— Qu'est-ce qui se passe avec Carter Clay ?

— Heu... le directeur de l'hôpital psychiatrique m'a téléphoné.

— Il y a quatre jours.

— Oui. Clay n'est pas rentré après sa permission.

— Parce qu'il a des permissions ?

— Depuis un an.

— Pourquoi ?

— Réinsertion par le travail en milieu ouvert.

— Vous plaisantez ?

— Son comportement est irréprochable. Il prend son traitement. Le psychiatre de l'établissement a donné un avis positif. On ne va pas le laisser moisir le restant de sa vie dans une chambre...

— C'est vrai, le pauvre. Après tout, il n'a jamais fait que pousser quelques jeunes femmes sous le métro.

– Ce n'est pas moi qui édicte les règles.

– Vous dites qu'il n'est pas rentré.

– Ben, je l'ai signalé. Normalement le directeur de l'établissement a prévenu le Parquet par fax. Vous ne l'avez pas reçu ? Peut-être que le fax est en panne, ou bien qu'il n'y a plus de feuilles dans le bac. Vous avez vérifié ? C'est déjà arrivé, vous savez…

– Bon sang, six jours, vous vous rendez compte ? Entre votre retard et celui du directeur, ça fait pratiquement une semaine que ce type a disparu !

– Je vous présente mes excuses, madame le Juge. Mais je ne vais pas vous raconter d'histoire. Vous savez comment ça se passe. Il y a cinq mille dossiers en cours et on est à peine une cinquantaine pour les prendre en charge. Carter Clay, j'ai eu quinze minutes pour faire son évaluation. Même au FBI, je suis sûr que ça leur arrive de lâcher un peu la bride…

Audrey termine la conversation avant de raccrocher, furieuse. Elle déglutit. Elle n'a pas le choix. Tant pis pour la procédure. Et tant pis pour ses sentiments. Elle doit appeler Christian.

– Il faut qu'on se parle, dit-elle d'entrée de jeu.

Il soupire à l'autre bout du téléphone. Lui aussi semble avoir connu une nuit difficile. Elle meurt d'envie de lui demander pourquoi, mais se retient.

– J'ai enquêté sur Carter Clay comme vous me l'avez demandé, dit-elle d'une voix qu'elle espère assurée.

– Et ?

Elle hésite, confuse.

– Il y a eu une terrible erreur. Un employé de la justice aurait dû vous avertir. Normalement, il existe des procédures d'alerte dans ce genre de cas. On aurait dû vous mettre au courant…

– Audrey, je n'y comprends rien. M'avertir de quoi ?

– Le tueur de votre femme. Il a disparu des écrans radars, il s'est évadé de l'hôpital psychiatrique. Il travaillait à temps partiel, il a profité d'une permission.

– Carter Clay est dans la nature ?

– Depuis une semaine.

Silence.

Les secondes s'éternisent. Audrey voudrait qu'il parle. Elle aimerait tellement qu'ils s'appellent pour d'autres raisons.

– Christian, vous êtes peut-être en danger, vous comprenez ? Il fallait que je vous prévienne.

– Je vous remercie. S'il vous plaît, continuez de fouiller si c'est possible. J'ai vraiment l'impression que beaucoup de choses sont allées de travers. Votre aide m'est très précieuse.

Sa voix vibre de fureur contenue, mais cela n'est pas dirigé contre elle. Il marque une pause, puis :

– Audrey, je peux vous demander une autre faveur ?

– Allez-y.

– Il travaillait où avant de disparaître ?

– Je ne devrais pas vous révéler cette information.

– Il a tué ma femme !

– D'accord, soupire-t-elle. Je suppose que ça ne change pas grand-chose de toute façon. Carter Clay travaillait pour une entreprise de pompes funèbres. Il transportait des corps.

28

Je passe le dimanche entier à tourner en rond chez moi. Ça fait une semaine qu'on m'a tiré dessus dans le métro.

Mon épaule va mieux, mais je dois continuer de prendre des comprimés pour la douleur. Mon travail à l'hôpital me manque. Sam aussi. Et je pense beaucoup à une certaine juge aux jolies jambes.

Lundi matin, je franchis la porte du commissariat rue de l'Évangile. Dans la cour, une cinquantaine de sans-abri sont regroupés derrière des barrières, encadrés par des policiers en tenue antiémeute. Ça beugle, ça lève le poing, des cris fusent. Face à eux, les flics ont sorti les fusils Flash-Ball. J'en vois qui transpirent sous leur casque. Le soleil continue de nous écraser, impitoyable.

J'entre et m'arrête au comptoir. Le fonctionnaire lève les yeux.

– Qu'est-ce que vous voulez ?

– Voir le commandant Batista.

– Vous avez rendez-vous ?

– Non.

– Alors, ça ne va pas être possible.

– J'insiste.

– Ça ne va pas être possible, répète-t-il.

– Je parie que c'est la première phrase qu'on vous apprend à l'école de police.

Il fronce les sourcils.

– Pardon ?

– J'ai appelé le commandant Batista. Il ne répond pas au télé-phone.

– Parce qu'il est occupé. Pas de rendez-vous, pas de visite, c'est comme ça que ça marche. Maintenant, monsieur, je vais vous demander de sortir.

Je ne bouge pas d'un pouce.

– Dites-lui que son meilleur ami est ici.

– Mais bien sûr, fait-il avec dédain. Et vous êtes ?

– Lagerfeld. Karl Lagerfeld.

– Vous vous fichez de moi ?

Je pose une main sur ma poitrine.

– Vous mettez ma parole en doute ?

– Vous savez ce qu'il en coûte de se payer la tête d'un fonc-tionnaire de police ?

Sa tête se tourne vers l'entrée.

– Hé, c'est quoi ce truc ?

Un cameraman vient de se glisser dans le hall pour filmer la scène.

– Vous n'avez pas le droit !

Je lève l'index.

– Il m'accompagne.

– Quoi ? fait le policier en se retournant.

– Je l'ai prévenu. Plusieurs de ses petits copains arrivent. J'ai un succès fou auprès des journalistes.

Le visage du policier s'empourpre.

– Vous, vous allez au-devant de graves problèmes…

– Moi je dirais que c'est vous, plutôt. Je suis venu faire des révélations au commandant Batista à propos d'une affaire crimi-nelle en cours. Une affaire de meurtre. Mais comme il ne veut manifestement pas me recevoir, je vais communiquer ces révéla-tions à la presse. Qu'est-ce que vous en dites ?

Je me tourne vers le cameraman. Un micro se tend dans ma direction.

Le flic me regarde. Regarde le journaliste. Revient vers le téléphone, puis vers moi de nouveau.

— Le torticolis vous guette, fais-je, imperturbable. Vous devriez vous décider.

Il attrape son téléphone, rageur, et écrase un bouton.

Trente secondes plus tard, une jeune femme vient à ma rencontre. Je reconnais l'adjointe qui m'a déjà reçu une première fois en compagnie du commandant.

— Kovak, qu'est-ce que vous voulez ?

— Rencontrer votre chef.

Elle agite la main pour signifier au fonctionnaire de dégager les journalistes, puis m'entraîne par le bras dans un couloir.

— Vous êtes cinglé ? dit-elle. C'est quoi ce cirque, vous ne pouvez pas prendre rendez-vous comme tout le monde ?

Je lis son nom sur son uniforme.

Lieutenant Louise Luz.

— Désolé, lieutenant Luz. Mais le commandant est injoignable.

— Vous n'avez pas l'impression qu'on est un peu occupés, là ?

Elle me pousse dans un bureau.

Je m'assois.

Elle s'assoit en face.

— Vous parlez des SDF dans la cour ? dis-je. Ils ont l'air drôlement excités.

Elle souffle du coin de la bouche.

— Ils pètent un câble, oui ! Ils sortent du métro complètement énervés. Je ne sais pas si c'est la chaleur ou quoi, on en a récupéré une cinquantaine. Tout le monde atterrit ici. Les migrants, les délinquants, les SDF. C'est la jungle de Calais là-dehors.

Je suis surpris par sa liberté de ton.

— Voilà qui n'est pas très humaniste, lieutenant Luz.

Elle hausse les sourcils et me toise.

– Ce matin, j'ai vu un Érythréen qui prétendait avoir traversé la Méditerranée avec ses deux gosses. Après enquête, j'ai découvert que ce n'était pas les siens. Il les a achetés à leur père, un autre migrant, et les prostituait dans une tente de leur campement provisoire. J'ai passé la matinée à les recaser ailleurs. Ça vous va, pour l'humanisme ?

Je hoche la tête.

– Bon, dit-elle, venons-en à la raison de votre présence.

– Vous connaissez mon dossier ?

– C'est moi qui ai récupéré la vidéo sur Megascope. Je sais tout ce qu'il y a à savoir.

– Y compris sur Carter Clay ?

Elle se laisse aller en arrière et croise les jambes.

– Je sais qu'il est en fuite. Introuvable depuis plusieurs jours, si c'est ce que vous voulez dire.

Mes yeux s'écarquillent.

– Quoi ? Vous êtes au courant ?

– Depuis peu.

– Et vous n'avez rien fait ?

– Qui vous dit que nous n'avons rien fait ?

– Ce type est une menace pour moi et ma famille, vous en avez conscience ?

– Bien sûr. Et nous vous surveillons.

– Je n'ai rien vu.

– C'est le propre d'une surveillance.

– Et l'oreille tranchée ? Vous vous rendez compte que c'est probablement son œuvre ?

Elle hoche la tête.

– Probablement, comme vous dites.

Je me redresse, de plus en plus stupéfait.

– Je ne comprends pas, lieutenant. À quel jeu jouez-vous ?

Louise Luz ne me répond pas. Au lieu de ça, elle s'empare d'un trombone sur son bureau et entreprend de le déplier méthodiquement, une branche après l'autre. Quand elle a terminé, elle l'examine comme s'il s'agissait d'une œuvre d'art.

– Et vous ? dit-elle sans me regarder.

– Quoi, moi ?

Elle pointe le trombone déplié dans ma direction.

– Oui, vous, docteur Kovak. À quel jeu jouez-vous ?

– À quoi faites-vous allusion ?

– Une vidéo déboule sur Internet. Quelques jours plus tard, vous nous demandez de faire exhumer votre femme pour prouver qu'elle est bien morte. La demande est étrange, mais bon, pourquoi pas. Personnellement je n'y aurais pas accédé. Mais le commandant l'a validée et un juge aussi. Donc on exhume. Et là, surprise ! Il n'y a aucun cadavre dans le cercueil. Personne. Pfuit, envolé !

J'écarquille les yeux.

– Vous n'étiez pas au courant pour le cercueil vide ? dit-elle.

– Non.

– Et ?

– Je ne sais pas. C'est dingue. Incompréhensible. Totalement délirant. Vous êtes certaine que ce n'est pas une erreur ?

Elle tient le trombone entre ses doigts, parfaitement immobile, étudiant ma réaction.

– Non, dit-elle, ce n'est pas une erreur.

– Qu'est-ce que ça signifie ?

– Eh bien, c'est très simple : que le corps a été déplacé. Et il n'y a qu'une raison possible : celui qui l'a fait ne voulait pas qu'on l'examine. L'explication la plus probable étant que le corps en question n'était pas celui de Djeen Kovak.

– Vous n'êtes pas sérieuse ?

– Bien au contraire. Nous commençons à envisager que votre femme ne soit pas morte, docteur.

– Je... Vous avez un verre d'eau ?

Elle m'étudie encore. J'ai l'impression d'être une bactérie sous un microscope. Elle se décide à sortir une bouteille d'eau d'un réfrigérateur et la pousse devant moi. Je dévisse le bouchon et bois une gorgée d'eau fraîche.

— Vous n'allez pas tourner de l'œil ? On peut continuer ?

— Allez-y.

— Bien. Imaginons que votre femme soit toujours vivante.

— C'est impossible !

Elle lève la main.

— Juste, imaginons. Cela nous offre toutes sortes de nouvelles hypothèses. Par exemple, celle-ci : et si le décès de Djeen Kovak était une arnaque mise au point par vous deux, mari et femme, pour toucher le jackpot ?

— QUOI ?

— Vous prenez une fille qui lui ressemble. Vous mettez la carte d'identité de votre épouse dans sa poche. Vous confirmez sa mort lors de l'identification du cadavre. Les choses étant ce qu'elles sont, il n'y a pas de recherche d'ADN. Donc vous héritez tranquille, tandis que la vraie Djeen se planque. Il n'y a plus qu'à vous partager le pactole. C'est aussi simple que ça. J'ai fait le calcul. Assurances vie, remboursement instantané de tous les prêts immobiliers qui, comme par hasard, étaient souscrits sur sa seule tête... Ça fait une sacrée fortune, docteur Kovak.

— Je n'aime pas beaucoup vos insinuations, dis-je d'un ton sec.

Elle se glisse vers moi tel un serpent.

— Ah bon ? Et si je rajoute des détails ? Dans votre dossier, il est mentionné que vous avez eu quelques problèmes avec la consommation de stupéfiants, si je ne m'abuse.

— Cela n'a rien à voir. C'est du passé.

— Il se trouve que j'ai appelé la surveillante générale de votre service.

— Greta Van Grenn ?

— C'est ça. Mme Van Grenn m'a confirmé que vous avez hérité d'un blâme, est-ce exact ?

J'ai l'impression de recevoir une gifle.

— Oui.

— Vous pouvez m'en dire la raison ?

— Je suppose que vous la savez.

— En fait, oui. Mais j'aimerais l'entendre de votre bouche.

Je repose la bouteille d'eau.

— J'ai besoin d'un avocat ? Je suis accusé de quelque chose ?

— Du tout. Simple conversation informelle.

— Alors permettez-moi de ne pas répondre.

— Ce n'est pas grave. Je vais le faire à votre place. Vous avez reçu un blâme parce que des ampoules de morphine ont disparu de votre service pendant votre garde.

— C'était il y a des années.

— Toxico un jour...

— Je ne suis pas toxico !

— Que vous dites, fait-elle en secouant le doigt. Mais on pourrait facilement imaginer un petit scénario. Et même plusieurs.

Le lieutenant Luz tapote sur le bureau avec son trombone comme s'il s'agissait d'une règle.

— Il y a trois ans, vous devez une certaine somme à votre dealer. Soit pour payer votre consommation personnelle, soit parce qu'il vous fait chanter et menace de révéler votre toxicomanie. Ce qui vous ferait tout perdre, votre métier, votre diplôme. Donc il vous faut du cash. Vous simulez la mort de votre femme : bingo ! Plein d'argent frais. Ou alors vous avouez tout à votre épouse, et c'est elle qui pète un câble et menace de tout révéler. Vous décidez alors de la faire taire. Re-bingo, deux problèmes résolus. Quant au message « Je sais ce que vous avez fait », eh bien, peut-être que votre histoire s'est ébruitée par la suite et que l'on essaye maintenant de vous faire du chantage.

Je tape de la main sur la table.

– Arrêtez ça ! Vous êtes dingue ou quoi ? Vous êtes en train de suggérer que j'ai engagé Carter Clay pour tuer ma femme et toucher l'argent de l'assurance ?

– C'est un mobile tout à fait plausible.

– Ça ne tient pas la route ! Et les menaces que j'ai reçues ? Et l'agression contre Sam ? Et ma présence ici ? Si j'étais complice, pourquoi serais-je en train de vous parler, à essayer de vous convaincre d'agir ? Et pourquoi faire exhumer le corps ?

Cette fois, Luz demeure silencieuse.

Je serre les poings.

– Vous voulez du concret ? Je vais vous en donner. Carter Clay travaillait pour une entreprise de pompes funèbres. Or, un corbillard était garé sur le parking le jour où j'ai trouvé l'oreille. De même, un corbillard stationnait en bas de chez moi auparavant, c'est Sam qui me l'a dit. Alors, si vous téléphoniez à la société pour vérifier qu'il ne leur en manque pas un ? Mieux : et si vous lanciez un putain d'avis de recherche pour retrouver ce taré ? Encore mieux : et si vous m'aviez écouté dès le début, lorsque je disais que Carter Clay n'était pas fou et qu'il s'agissait d'un simulateur ? Ma femme se sentait menacée. Et si Clay avait planifié son meurtre ? Le voilà, mon putain d'avis ! Je l'ai dit et répété au procès, mais votre commandant n'a rien voulu entendre !

Nos regards s'affrontent.

Une flamme s'allume dans les pupilles de Louise Luz. Elle a l'air d'une valkyrie.

Puis la lueur s'éteint comme elle est apparue.

– Nous savions déjà tout ça.

– Quoi ?

– Il y a bien un corbillard manquant. Carter Clay est recherché. Vous n'êtes pas sur la liste des suspects du meurtre de votre femme. J'ai menti. Je voulais juste étudier vos réactions.

Je me frotte les joues.

– Vous êtes...

– Cruelle ? Cinglée ? Soit. Si ça vous fait plaisir. Pour vous, ce n'était qu'un mauvais moment à passer dans mon bureau. Pour moi, c'est une journée habituelle de travail. Ce que vous en pensez, je m'en contrefiche. Le commandant Batista ne vous a pas reçu parce qu'il est occupé par une autre enquête, c'est la vérité, point barre. La sécurité du réseau des transports ne tourne pas autour de votre petite personne. Nous avons d'autres chats à fouetter. Et vous ne m'avez rien appris que je ne sache déjà.

– Et Clay ?

– On s'en occupe. On va l'attraper. Il n'est pas si malin. Laissez-nous agir, restez à votre place. Quant aux journalistes que vous avez convoqués devant le commissariat, ne vous avisez plus de nous refaire ce genre de coup. Pour cette fois, je passe l'éponge. Mais je ne serai plus aussi clémente.

Elle se lève.

Je reste assis, les dents serrées.

Elle vient clairement de me congédier, mais je n'ai pas envie de partir.

– Vous savez autre chose, dis-je. Qu'est-ce que vous ne me racontez pas ? Pourquoi donnez-vous l'impression de ralentir constamment cette enquête ?

Elle pousse un soupir.

– Vous ne lâchez jamais, hein ?

Je me contente de la fixer et d'attendre.

Elle finit par déposer son trombone sur le bureau.

– D'accord. Voilà ce que je peux vous dire. On ne ralentit pas. On est juste... extrêmement prudents. D'autres personnes sont impliquées. Ces personnes ont travaillé avec votre épouse et elles ont reçu la même vidéo, le même message accusateur. Elles nous ont contactés pour nous faire part de leur inquiétude.

– De qui parlez-vous ?

– De gens haut placés. De gens qui s'estiment victimes de dif-
famation, voire de chantage. Quand on reçoit un e-mail annonçant
« Je sais ce que vous avez fait » alors qu'on parle de meurtre,
avouez que ce n'est pas spécialement bienveillant. Donc, arrêtez
de vous agiter tout seul dans votre bocal et cessez d'ameuter la
presse. C'est une affaire délicate. Enquêter, c'est notre boulot.

Elle secoue la main.

– Et maintenant oust ! Du balai !

Je sors du commissariat sonné, une fois encore.

C'est en train de devenir une habitude.

Dehors, le groupe de SDF beugle toujours, parqué comme du
bétail et cerné par les flics. Les clochards sont très excités, viru-
lents, étonnamment agressifs. Les journalistes que j'ai convoqués
sont restés sur place, rejoints par plusieurs de leurs confrères. J'ai
l'impression que la violence dans notre belle capitale chauffée à
blanc va encore faire la une.

Alors que j'observe la scène, l'un des reporters attire mon
attention. Il porte une casquette grise. Mais pas de caméra, ni
d'appareil photo. Il est juste planté là, parmi les autres, à me
dévisager. Je me retourne pour voir s'il y a quelque chose derrière
moi. Non, c'est bien moi qu'il scrute.

Je le cherche de nouveau du regard, mais Casquette grise a
disparu.

29

Une fois encore, l'homme en blanc se tient au sommet de sa tour dans le quartier de la Défense. Il lui semble qu'il passe de moins en moins de temps au niveau du sol, parmi les humains. Il faut que cela cesse.

De là où il se trouve, la vue est fantastique. Il se promène sur le toit du building que l'on nomme la tour D2. Il appelle cet endroit son jardin des nuages. À cent soixante-dix mètres de hauteur, on y trouve des pins, des roches, de la pelouse, des arbres, des bosquets... Un jardin privé à ciel ouvert situé au trente-septième étage, mais dont les odeurs et les essences rappellent celles du mont Ventoux. En guise de toiture, des arches argentées s'élèvent, majestueuses, et fusionnent au-dessus de sa tête tel un œuf géant. L'ensemble forme une capsule ouverte sur le monde et livrée aux caprices de la météo. Seules des vitres de deux mètres de hauteur protègent le jardin et l'empêchent d'être balayé par les bourrasques.

L'homme en blanc ferme les yeux. Le soleil caresse son épiderme. L'air est frais. Il a ôté ses chaussures pour marcher pieds nus sur le sol d'ardoise. Il s'avance dans l'herbe et y enfonce ses orteils, respirant à fond. Ses poumons s'emplissent de l'odeur des pins et des érables. Il écoute le bruit de l'eau. Au bout d'un moment il ouvre les paupières et contemple son empire.

Cette tour lui appartient. Celle d'à côté aussi. Son pouvoir s'étend à travers le monde. Mais cela ne suffit pas. Après tout ce temps passé à accumuler la puissance et les richesses, le jeu n'est plus drôle. La conquête débutée jadis par son grand-père a aujourd'hui atteint son but. Il possède tout ce dont un être vivant peut rêver. Le moment est venu d'entamer un nouveau cycle. Comme lui répétait son ancêtre : « Quand tu as beaucoup reçu, il faut beaucoup donner. »

Il a envie de donner. Il doit redescendre de sa tour et rejoindre les hommes.

Il n'a pas d'enfant. Il va offrir ses compétences à son pays. Ce sera son offrande.

Les élections régionales approchent. Si les choses se passent comme prévu, il deviendra le prochain président de région. Présider l'Île-de-France, c'est être le maître d'un gouvernement en soi. Ses concitoyens n'en perçoivent pas toujours l'importance, pourtant elle est cruciale. Ce territoire représente à lui seul le tiers du PIB du pays. Le plus grand bassin d'emploi de toute l'Europe. Être à sa tête, c'est contrôler son développement économique, les ports, les aéroports, l'ensemble de ses réseaux, l'enseignement, la culture… C'est proposer une vision au reste du monde.

Sa vision.

Et elle est ambitieuse. Lui seul est capable de faire bouger les lignes. Il a confiance en son destin. Sa puissance, son empire, il va les mettre au service des autres. Il a fait tout ce qu'il fallait pour ça. Et après cette victoire, il y aura d'autres sommets à gravir. D'autres trônes encore plus hauts, d'où il pourra faire le bien et aider ses compatriotes. Dieu sait où son avenir politique le conduira. Il écarte les bras et contemple le ciel, comme s'il implorait quelque entité supérieure.

Ses erreurs passées ont été gommées depuis longtemps. Terminés, les comptes offshore, les optimisations propres aux grands groupes internationaux. Quand l'affaire des « Panama Papers » a éclaté, révélant les noms de milliers d'hommes politiques, de milliardaires, de sportifs de haut niveau ou de célébrités pratiquant l'évasion fiscale, son nom n'a même pas été cité. Tout était régularisé depuis des lustres.

Il ramène ses mains dans son dos. Il n'y a que cet incident qui le préoccupe.

Djeen Kovak.

Une femme exceptionnelle. Un esprit éblouissant. Sa mort aura été regrettable. Mais si son mari continue à s'agiter ainsi, les ennuis pleuvront.

Adieu, la vision. Finis, les rêves.

Si l'on associe son meurtre à sa carrière, pas besoin de preuves : le mal sera fait.

Les médias sont avides de ce genre d'histoire. Surtout en été, lorsqu'ils n'ont rien à se mettre sous la dent. La petite immigrée qui échappe à la barbarie, qui surmonte son handicap, qui grandit, s'intègre, et devient une créatrice de génie dans son pays d'accueil, en plus d'être une femme au physique de rêve, voilà un personnage. Plus qu'un personnage : un symbole. Si sa mort se termine par un index pointé dans sa direction à lui, c'est la fin. Les chaînes d'infos en feront des gorges chaudes, elles se jetteront sur le moindre détail, la moindre rumeur, sans vérifier quoi que ce soit. Photos, débats, reportages, flashs toutes les trente minutes. Pour les médias, peu importe la vérité, seule l'audience compte. Le soupçon fait vendre. L'innocence beaucoup moins. Sa réputation sera entachée, irrémédiablement salie. Les électeurs n'hésiteront pas à le sanctionner, s'il est plongé en plein scandale.

L'homme en blanc soupire.

Que doit-il faire ?

Un mouvement attire son œil. Il se retourne.

Sa femme vient de sortir de l'ascenseur et pénètre à son tour dans le jardin. Le vent agite les bords de son élégant chapeau.

— Je vais à une soirée, annonce-t-elle. Tu viendras ?

— Non.

— Tu as des ennuis ?

— C'est compliqué.

— Tes ambitions politiques risquent-elles d'en souffrir ?

— C'est possible.

— Alors tant mieux.

L'homme en blanc la fixe avec dureté.

— Tu es cruelle, Wanda.

— Et toi tu es fou.

— Tu n'as jamais rien compris. On ne peut pas prendre sans cesse. Il vient un moment où il faut savoir redistribuer aux autres.

— Une phrase admirable. Fais-moi penser à la noter pour le prochain discours des actionnaires.

— Dommage que je ne puisse pas divorcer.

— Dommage en effet, dit Wanda en tournant les talons. En pleine campagne, ce serait malvenu. Mais ne t'inquiète pas, je vivrai avec.

30

Louise Luz traverse la station de métro abandonnée et rejoint le commandant Batista.

Il se tient derrière un cordon jaune tendu entre deux piquets. Des techniciens de la police scientifique sont en train de travailler un peu plus loin, vêtus de combinaisons NBC blanches. Ils ressemblent à des cosmonautes.

Batista se tourne vers son adjointe.

– Alors, ça s'est bien passé avec Kovak ?

– Ça va.

– Vous pensez qu'il est honnête ?

– Oui, répond Luz. Pas vous ?

– Je n'en sais rien. Je l'ai bien observé quand j'étais dans sa maison. Il a quelque chose d'étrange. Je ne crois pas qu'il nous mente, mais il ne dit pas toute la vérité.

Louise opine du chef.

– Compris. Je vais le garder à l'œil.

Armando Batista aime bien le lieutenant Luz. Elle a grimpé les échelons à l'ancienne, elle n'a pas essayé de lui faire du gringue, elle fait du bon boulot. Les tâches qu'il lui confie sont exécutées en temps et en heure. Elle pige vite et retient tout. En outre, elle ne le bassine pas avec ses opinions politiques, ni religieuses, ni féministes. Elle ne se sent pas obligée de rouler des mécaniques

comme un garçon manqué pour s'intégrer à la population poli-
cière masculine, comme tant de ses collègues. C'est le parfait
petit soldat.

Armando soupire intérieurement. Ça ne va pas durer, bien
entendu. Ce genre de nana ne fera pas de vieux os dans son service. La DGSI[1] va vite la récupérer. À moins qu'elle ne prenne
tout simplement sa place. Ce qui ne serait pas forcément une
mauvaise chose, d'ailleurs, car il commence à fatiguer.

Batista anticipe déjà le moment où il va devoir téléphoner à sa
femme et lui expliquer que finalement non, il ne la rejoindra pas
dans leur appartement à Porto, parce qu'il croule sous le travail.
Cette idée lui donne des aigreurs d'estomac. Il sent sa tension qui
grimpe, aussi sûrement que si son médecin traitant venait de lui
annoncer les chiffres en secouant la tête de son air réprobateur.

Camila – c'est sa femme – lui demandera pourquoi ils l'ont
acheté, cet appartement, puisqu'il n'y vient jamais avec elle. Elle
lui dira qu'elle angoisse de le savoir seul à Paris, avec tous ces
attentats et son métier dangereux. Elle lui avouera qu'elle s'em-
piffre de *pastéis de nata* parce qu'elle est morte de trouille. Et
qu'elle s'en fiche. Elle aimerait tant qu'il soit là pour en déguster
avec elle, sur le vieux port, comme quand ils étaient jeunes. Elle
regrettera de l'avoir enquiquiné avec cette histoire de régime,
c'est vrai, on ne vit qu'une fois, à quoi ça sert, si ce n'est pas
pour partager du bon temps avec l'homme qu'elle aime ? Elle lui
parlera ensuite de ses enfants qui jouent sur la plage tout seuls
comme des misérables (Batista est certain que c'est bidon : ils
ont toujours eu des copains, les enfants, en plus, du moment
qu'ils passent la journée dans l'eau, ils s'amusent). Mais Camila
insistera quand même en disant qu'ils sont malheureux comme

---

1. Direction générale de la Sécurité intérieure : les services de renseignements
du ministère de l'Intérieur depuis 2014, issus de la fusion et du remplacement
des anciennes DST, RG et DCRI.

les pierres et qu'ils réclament leur père toutes les cinq minutes. Le but étant de le faire culpabiliser.

Et il culpabilisera, bien entendu, mais il n'en montrera rien. Batista est un homme. Si un homme commence à révéler ses faiblesses, où va-t-on ?

– Non, Louise. Inutile de coller au train du docteur Kovak. Concentrez vos efforts sur Clay. C'est lui la priorité. Dès que vous rentrez au commissariat, réunissez les troupes et répartissez les tâches. Envoyez une équipe aux pompes funèbres, et une autre à l'hôpital psychiatrique. Je veux tout savoir : son emploi du temps, à qui il a parlé, s'il a mentionné un possible point de chute. Il s'est évadé, mais il devra bien loger quelque part. Tâchez de localiser son ancienne famille, interrogez la communauté des gens du voyage et voyez s'il n'a pas repris contact avec eux. Et faites rechercher son véhicule, bien sûr.

– Une partie de ces actions sont déjà en cours.

– Bien. Appelez aussi son conseiller de probation. Vérifiez si le retard pour signaler sa disparition est seulement dû au laxisme. S'il y a autre chose, je veux être au courant. Pour le reste, lancez les avis de recherche habituels, mais avec discrétion. Je ne veux pas avoir les médias dans les pattes.

– D'accord.

Batista réfléchit.

– Une dernière chose. Les collègues de Pontoise m'ont appris qu'un voisin du docteur Kovak avait disparu.

– Ah bon ?

– Le gars s'appelle Gary Molas. Sa femme a signalé qu'il était sorti, un soir de la semaine dernière, et qu'il n'était jamais rentré chez lui. Cela n'a peut-être rien à voir. Mais creusez quand même. Envoyez un technicien au domicile de ce Molas récupérer son ADN sur sa brosse à dents ou ce que vous voudrez. Je veux une comparaison préliminaire avec celui de l'oreille qu'on a retrouvée dans l'enveloppe.

– Pourquoi dites-vous ça ? dit Louise en souriant. Vous pensez que Kovak a chipé l'oreille de son voisin ?

– Je n'en sais rien. C'est juste une idée.

Batista a reçu un appel du préfet. Il a les coudées franches pour enquêter, à condition de ne pas faire de vagues. Les élections approchent. En haut lieu, ce sera bientôt le grand chambardement. Plus vite ces différentes affaires seront résolues, mieux ce sera.

Et puis… il le sent.

C'est comme un parfum discret. Une odeur sournoise, que son flair de limier détecte. Ce n'est pas encore bien défini. Mais il est en train de se passer quelque chose.

L'été, en France, tout est mort. Il n'y a jamais eu d'exception. Le pays fonctionne au ralenti quoi qu'il arrive. Le pire des drames ne résiste pas plus de quelques semaines aux vacances de ses concitoyens. C'est leur force, ou leur faiblesse, mais l'art de vivre à la française finit toujours par avoir le dessus. La plage, l'apéritif, l'amour et le farniente auront toujours le dernier mot. C'est ainsi.

Sauf que cette fois c'est différent. Les émeutes dans la rue. Les SDF qui deviennent dingues. L'affaire Kovak.

Et maintenant ça.

– Au fait, sur quoi travaillent-ils ? demande Louise en désignant les techniciens scientifiques.

– Vous avez pris votre petit déjeuner ?

– Oui.

– Je vous préviens, ça secoue.

– Je ne suis plus une petite fille.

– D'accord. Je vais vous montrer.

Batista et elle se rapprochent. Des lumières bleues et des lasers quadrillent la scène pour la délimiter en zones distinctes. Les hommes en combinaisons sont en train de pulvériser du luminol à la recherche de la moindre tache de sang. Il y a très peu de monde, l'endroit a été sécurisé d'une façon exceptionnelle pour qu'aucune information ne filtre à l'extérieur.

— Parmi les gens que nous sommes en train de trier à Évangile, un clodo nous a parlé d'un truc bizarre...

Batista se dirige vers une glacière posée sur le sol.

— Il dit qu'un type a déposé un bocal en verre dans cette station désaffectée. Il l'a vu de loin. Il a attendu que le type soit parti, puis il est allé observer ça de plus près. Après quoi il a pris ses jambes à son cou.

Batista ouvre la glacière. Louise examine le contenu.

— C'est ce bocal ?

— Oui.

— Il y a quelque chose qui flotte à l'intérieur. On dirait une feuille rose.

Elle se penche pour regarder et heurte la glacière par inadvertance. La feuille dans le liquide se déplace et tourne lentement sur elle-même.

— Ce n'est pas une feuille, dit Batista. C'est de la chair. D'après les premières analyses, elle flotte dans du formol mélangé à un curarisant.

— Qu'est-ce que c'est ?

— Un curarisant est un anesthésique qui permet le relâchement musculaire complet sans provoquer l'inconscience. En clair : vous êtes paralysée, mais vous ressentez tout. On a trouvé plusieurs ampoules abandonnées à côté du bocal.

Batista oriente le récipient pour mieux voir le contenu.

— La victime a été soigneusement découpée. Écorchée vive. Puis le résultat placé à l'intérieur. Tout cela pendant qu'elle était consciente. Elle a même pu voir ce que nous sommes en train de regarder.

— C'est...

— Oui, dit-il. Son propre visage.

31

Je dois retrouver Carter Clay.

C'est une idée fixe.

Je ne crois pas que les flics vont y parvenir. J'ai bien écouté le lieutenant Luz et j'en suis arrivé à la conclusion suivante : elle n'y comprend rien. Elle n'a pas vu le démon derrière l'homme, ni croisé son regard en sortant du tribunal. Elle n'a pas entendu sa voix déformée ricaner au téléphone. Quand elle m'a dit : « Il n'est pas si malin », j'ai eu envie de mourir de rire.

Ce type est le Mal incarné. C'est un pervers, un psychopathe. Il n'a pas seulement poussé Djeen sous un train, il a adoré ça. Et ce genre de gars recommencera sans cesse, avec plus d'efficacité et de sournoiserie à chaque tentative.

Quand vous êtes doué dans un domaine, pourquoi arrêter ? Vous avez déjà vu un trader au sommet de son art, un politicien au gouvernement, une star de télé face aux caméras, un religieux exalté devant ses brebis ?

Rien ne les arrête.

Les tueurs ne font pas exception à la règle.

Les gens efficaces ne prennent pas leur retraite. Ils ne parviennent jamais à décrocher du job. Ils reviennent constamment à leur passion primitive. Leur besoin est dévorant. Le reste ne compte plus.

Nous sommes construits ainsi, ce sont les neurosciences qui nous l'apprennent. Au centre de notre cerveau, les zones du système de récompense sont à la base du comportement humain. Aire tegmentale ventrale, noyau accumbens, pallidum, hypothalamus, cortex préfrontal. Vous croyez que vous êtes libre ? C'est une illusion. La prison est à l'intérieur de votre crâne. Chaque fois que vous agissez d'une certaine façon, c'est parce que la dopamine vous motive à le faire. Et vous recommencez parce que les opioïdes et les cannabinoïdes renforcent votre attachement au même acte. Les neuromédiateurs vous commandent. Vous devenez dépendant. Donnez les outils à un rat, plantez-lui une électrode au bon endroit du cerveau et une pédale pour déclencher une excitation électrique, et il passera son temps à s'autostimuler. Il éprouvera une sensation de plaisir proche de l'orgasme et continuera indéfiniment, quitte à mourir, à bout de forces. C'est inscrit dans notre ADN de mammifère. Le succès est une drogue. Et comme toutes les drogues, on a envie de recommencer. Croyez-moi sur parole. J'en connais un rayon.

Carter Clay ne s'arrêtera pas. Il poussera d'autres Djeen sur les rails, il martyrisera d'autres gens. Seule une circonstance extérieure peut interrompre son cycle.

Il faut l'intervention de quelqu'un.

*

Mon moral est au plus bas. Ma mine s'allonge en même temps que mon ombre sur le sol. Je marche sur le trottoir en mode zombie, croyant voir le spectre de Djeen à chaque coin de rue. Je pense à Clay, et aussi à ce type mystérieux qui m'observait ce matin, Casquette grise. Je crois que je suis en train de virer parano.

Autour de moi les gens circulent, indifférents à mon désarroi. C'est l'été, ils déjeunent en terrasse, ça plaisante, ça rigole, ils sont heureux. Comme je les déteste.

Je secoue la tête. Il faut absolument que je parvienne à me changer les idées.

Je décide de marcher au hasard dans Paris. C'est ce que je fais lorsque je déprime. Dans ces moments-là, pas question d'emprunter le métro et encore moins un Vélib'. Je préfère déambuler nez au vent, en touriste. Se perdre dans les rues est le meilleur moyen de se vider la tête en débusquant les coins originaux de la capitale. C'est comme ça que j'ai découvert les arènes de Lutèce, par exemple. Vous marchez dans la rue Monge, vous tournez à droite sous un porche anodin, et soudain la ville disparaît. Plus un bruit. Pas d'immeubles. Juste la poussière. Vous voilà transporté dans le film *Gladiator*.

Bon, j'exagère, ce n'est pas le Colisée non plus. Mais il y a quand même des gradins avec un espace immense et des grilles d'où l'on imagine volontiers jaillir les fauves. Et elles sont aussi vieilles que Jésus, ces arènes : bâties au Ier siècle. De quoi faire travailler son imaginaire et laisser respirer les neurones.

Aujourd'hui, ce n'est pas là que mes pas me portent. Je suis passé en mode automatique, alors mon corps, tel un bon chien, m'a naturellement ramené chez moi.

À la porte de mon hôpital.

Je contemple l'entrée des urgences, presque surpris de m'y retrouver.

– OK, mon petit Christian. Maintenant qu'on est là, on y va ?

J'entre.

Dans la salle d'attente c'est « le bordel du lundi ». Autrement dit le chaos habituel, mais en pire. Le lundi aux urgences, tout le monde vient régler ses problèmes du week-end, et de la semaine précédente tant qu'à faire. De préférence avant d'aller au boulot, et en tapant du pied pour que ça aille plus vite. C'est la tradition.

Je vois justement un bobo (short tendance, iPhone clipé sur le bras, application sportive pour partager ses exploits avec le monde entier) en train d'insulter l'infirmière de tri. Il s'est cogné le petit orteil. Deux heures qu'il attend, ça commence à bien faire. Derrière lui, une jeune femme tombée de vélo patiente sans rien dire, un chiffon ensanglanté sur la figure. Je jette un œil à la scène. L'infirmière ne va pas tarder à craquer.

Je tapote l'épaule de Bobo le sportif.

– Regardez.

Je désigne son orteil.

– Ceci n'est pas une urgence.

J'ôte le chiffon de la jeune femme. Son crâne est scalpé sur un tiers de la surface. Le chiffon peine à maintenir la peau. Dessous, on voit l'os pariétal.

– Ça oui, en revanche.

Bobo pâlit, manque de tourner de l'œil et va s'asseoir en titubant. C'est toujours ainsi. Ceux qui font du bruit sont les moins urgents. En revanche, méfiez-vous des silencieux.

L'infirmière m'adresse un sourire.

– Salut, Chris ! T'es de retour ?

J'examine la salle. Après tout pourquoi pas ?

Je file au vestiaire enfiler une blouse. Odeur d'antiseptique. Un brancard fonce. Un scope qui sonne. Je suis chez moi. Je pose un stéthoscope sur mes épaules, m'empare d'une pile de dossiers et commence à parcourir les box. Mon nouveau jeu s'appelle « vide la salle plus vite qu'elle ne se remplit ». Il est trop cool, on peut y passer l'existence entière.

À un moment, je crois apercevoir l'homme à la casquette grise. Il est là, dans la salle d'attente. Le temps que je sorte vérifier, il a de nouveau disparu. Je cligne des yeux comme si j'étais en proie à une sorte de fièvre – ce qui est probablement le cas.

Quelqu'un s'approche dans mon dos.

– On peut se parler ?

Je me retourne. C'est Greta.

32

Greta Van Grenn est la surveillante générale des urgences, je vous en ai déjà touché un mot. Sur le papier, elle gère uniquement le personnel infirmier. Dans les faits, nous les médecins lui appartenons corps et âme, y compris les grands professeurs. Quiconque voudrait s'affranchir de cette règle tacite aurait de bonnes chances de se retrouver mystérieusement de garde aux dates les plus moches, dans les conditions de travail les plus horribles, et sans jamais trouver la moindre blouse à sa taille. Et c'est comme ça depuis trois générations.

Nous marchons tous les deux dans l'hôpital.

– Avant de reprendre votre poste, vous étiez censé venir me voir, dit-elle.

– Désolé.

– Comment vous sentez-vous ?

– Mon épaule va bien.

– Je ne parle pas de votre épaule.

J'évite son regard.

– Vous avez discuté avec le lieutenant Luz, fais-je.

– Oui.

– Vous lui avez raconté pour la morphine.

Elle a balancé mon passé sans vergogne. J'aimerais bien la culpabiliser un peu.

— Il y a quelques années vous avez commis une erreur, Chris. Ce n'est pas en vous défilant que vous allez la surmonter !

Raté.

— Cela étant, poursuit-elle, une erreur n'est pas la fin du monde.

— Je souffrais d'une hernie discale.

— Trop d'antalgiques. Vous êtes devenu accro.

— J'ai été opéré.

— Oui.

— Donc je n'ai plus mal.

— Tant mieux.

— Je ne volerai plus de morphine.

— Je l'espère bien.

— Alors pourquoi l'avoir dit aux flics ?

— Parce que c'est la vérité. Vous avez été toxicomane. Et votre épaule pourrait bien vous faire replonger, n'est-ce pas ? (Elle lève la main.) Ne dites rien. Vous avez écopé d'un blâme. Si vous recommencez, vous perdrez votre droit d'exercice.

— Je sais. Mais vous me surveillez.

— Pour votre bien. Nous apprécions ce que vous faites pour cet hôpital. Les dons. Les associations pour les enfants. Votre argent leur apporte beaucoup. Vous faites le bonheur des gens, de façon indirecte.

— Et de façon directe ?

Elle lève les yeux au ciel.

— Aussi ! Vous êtes un bon médecin. On dirait un gamin en quête de louanges !

Je hausse les épaules.

— Pardon, Greta. Ma femme était tellement brillante que j'ai toujours l'impression de ne pas être à la hauteur. Elle ne supportait pas de me voir souffrir, ni lorsque je me gavais de pilules.

— Eh bien, elle est morte. Il faut passer à autre chose.

Je me tourne vers elle.

— Ce n'est pas un peu cash ?

– Vous avez besoin de l'entendre. Chris, vous êtes un brave type, et joli garçon, avec ça. Les gens ont envie d'être gentils avec vous. Personne n'ose vous secouer...

Ce n'est pas exactement l'impression que j'ai ces derniers temps, mais je la laisse poursuivre.

– Ce qu'il vous faut, c'est un bon coup de pied aux fesses pour remonter la pente. Et une nouvelle petite amie.

– Mon cœur est à vous, vous le savez bien.

Elle secoue la tête.

– Et lèche-cul, en plus.

Elle soupire.

– Bon, dit Greta, allez-y. Vous êtes revenu travailler, mais à vous voir, je suis sûre que vous avez une idée derrière la tête. Vous avez besoin que je vous rende un service ?

– Je ne vous ai encore rien demandé.

– Mon œil.

– Vous me connaissez à ce point ?

– Votre mère vous connaît mieux. Mais j'arrive juste après elle.

J'écarte les bras.

– OK. Je capitule. J'aimerais obtenir des renseignements à propos d'un patient. Il a été hospitalisé en psychiatrie.

– Vous pouvez accéder au registre de l'hôpital, comme tout le monde.

– C'est plus compliqué. Je parle d'un dossier remontant à plusieurs années. Et il n'a jamais séjourné ici. Il est passé dans d'autres hôpitaux de l'Assistance publique, mais je ne sais pas lesquels. L'homme s'appelle Carter Clay. Je sais que vous pouvez avoir accès à son dossier médical informatisé grâce à vos droits d'administrateur. Vous êtes au plus haut niveau.

– C'est vrai.

– Je voudrais en apprendre plus sur son compte.

Je réfléchis.

– En fait non, dis-je. Je voudrais juste savoir s'il avait une adresse à l'époque, un point de chute quelconque. Officiellement il était SDF. Mais on ne sait jamais.

– Cette démarche ne me semble pas très honnête.

– Ni malhonnête non plus.

– Pourquoi voulez-vous savoir ça ?

– C'est mon problème.

– Et je gagne quoi en échange ?

– Je peux vous embrasser, si vous voulez.

– Chris.

– D'accord. Je pourrais faire un don au service, alors.

– L'argent ne m'intéresse pas.

Je hausse les épaules en grommelant.

– Vous ne voulez pas d'argent, vous ne voulez pas mon corps. Qu'est-ce que je peux faire pour vous corrompre…

Elle se tient le menton.

– J'ai une idée. Venez.

Elle m'entraîne dans un secteur de l'hôpital réservé aux consultations externes. À l'approche du bâtiment, elle prend des airs de conspirateur.

– C'est ici.

– Quoi donc ?

– La consultation privée. Vous voyez la file d'attente, là-dehors ?

– Je ne vois que de pauvres gens.

– Ce sont des migrants. Ils vont tous chez le même professeur.

Elle me révèle un nom.

– Que vont-ils y faire ? je demande.

– Il leur délivre des certificats médicaux contre de l'argent. Ces certificats permettent l'obtention d'un titre de séjour pour raison de santé. Les versements se font en espèces.

– Il en a le droit ?

— De délivrer des certificats ? Bien sûr, s'ils sont justifiés. En revanche, pas de se faire rémunérer ainsi. Ces gens bénéficient tous d'une aide médicale accordée par l'État. Leurs soins devraient être gratuits. Sauf que personne ne veut s'en occuper. Cela prend trop de temps, les médecins sont débordés et ça ne rapporte rien. Alors des filières illégales se créent. Tout le monde est au courant mais personne n'en parle. Comme pour ce professeur. Les migrants se cotisent et il les reçoit. Jusqu'à trois cents euros par tête de pipe.

— Vous attendez de moi que je dénonce un confrère ?

— Non. Il n'est pas discret, son petit système finira par lui exploser à la figure. Je veux juste que vous lui fassiez concurrence. Je vous attribue un bureau aux urgences. Vous faites le même job, mais gratuitement. Et moi, je me débrouille pour détourner vers vous cette file d'attente.

— Ça va me prendre des heures !

— J'ai vu son carnet de rendez-vous électronique. À raison d'un patient toutes les vingt minutes, je dirais que vous en avez pour deux jours. Sans manger, ni dormir… Mais vous avez l'habitude.

— Quand j'aurai terminé ce wagon, il en arrivera un autre. C'est une goutte d'eau dans l'océan !

— Et dans chaque goutte d'eau se trouve l'océan tout entier, récite-t-elle en levant un index. Ce n'est pas moi qui le dis, c'est Bouddha. Alors, vous voulez votre info, oui ou non ?

Naturellement, je m'y mets. Les heures défilent. Je vois de tout. Des éclopés. Des aveugles. Des gens atteints de pathologies dont je n'ai jamais entendu parler sauf dans les livres. La plupart baragouinent un peu de français, un peu d'anglais, un peu de n'importe quoi. On finit par se comprendre. À la fin de la journée, Greta m'apporte une pile de sandwichs et me souhaite bonne chance pendant que l'équipe de garde prend la relève aux urgences.

Je continue mon travail seul dans mon bureau.

La nuit tombe. La file d'attente est toujours aussi longue. On dirait qu'ils ont ramené des copains.

Mon téléphone sonne.

– J'aimerais vous parler, dit Audrey.

– Ça fait du bien d'entendre votre voix.

– Vous êtes occupé ?

– Oui.

Je lui explique ma situation.

– Pardon, dit-elle. Je ne vais pas vous déranger plus longtemps.

– Je peux faire une pause.

– Votre vie est très remplie. Je comprends. Ne vous en faites pas.

Cette phrase a été prononcée sur un ton abrupt. Et aussi très triste.

– Désolé, Audrey. Je ne suis guère sociable. Ni reconnaissant pour ce que vous faites.

– À ce propos, j'ai d'autres informations. Des photos récentes de Carter Clay, ça vous intéresse ? Il n'est plus le bonhomme hirsute qu'on a interné il y a trois ans. Son dossier pénitentiaire a été remis à jour...

– Je serais ravi de voir ça.

Je marque une pause.

J'en profite pour étudier mes émotions cinq secondes, comme si j'examinais un jeu de cartes posé devant moi. Puis je me lance.

– Retrouvons-nous demain soir. Je vous invite à dîner ?

33

Audrey n'est plus une adolescente. Alors pourquoi se sent-elle dans cet état ?

Elle n'a pas dormi de la nuit. Et aujourd'hui elle n'arrive pas à se concentrer sur ses tâches quotidiennes. Ce matin, elle a même failli oublier de prendre son traitement médical. Les phases de surexcitation (quand elle pense à Christian) succèdent à celles d'abattement (quand elle revoit Djeen dans sa robe époustouflante à cette soirée people). Cela la contrarie. Sa vie est plutôt bien réglée, elle déteste se sentir déstabilisée à ce point. Sur les conseils d'une amie, elle a décidé d'aller au spa pour tenter de calmer ses nerfs.

Encore pire.

Elle n'a pas supporté l'atmosphère feutrée, les sticks d'encens, le chant exotique des oiseaux en fond sonore, le ton mielleux de la masseuse. Elle est partie en claquant la porte, laissant les autres clientes stupéfaites. À la place, elle s'est rendue au club de tir de la police nationale avenue Foch pour faire quelques cartons.

Des collègues l'ont observée tirer d'un air appréciateur. Quand elle a ramené la cible, c'était un véritable carnage. Tout le monde lui a fichu une paix royale.

Elle a pris un bain en rentrant chez elle. Longuement contemplé les gouttelettes stagner sur sa peau, tandis que cette journée menaçait de ne jamais finir.

Le soleil s'est décidé à redescendre. Elle a mis son gloss et son poudrier dans sa pochette. Puis elle est allée retrouver Christian.

*

– Vous connaissez l'expression : « C'est au diable vauvert » ? demande-t-il.

Christian Kovak est vêtu de noir. Très élégant, comme d'habitude. Et il sent toujours aussi bon. Hormis ses cernes relativement discrets, on ne dirait pas qu'il vient de passer une nuit blanche à l'hôpital.

– Oui, dit Audrey. On l'emploie pour désigner un endroit situé loin de tout.

– Eh bien, non. Le diable vauvert n'est pas loin de tout. C'est très précisément ici.

Ils sont dans un restaurant chic, La Closerie des lilas.

Audrey, pour une fois, a pris sa voiture, au cas où la soirée l'entraînerait plus tard – et plus loin – que prévu. Elle s'est garée à proximité de l'hôpital et elle a retrouvé Christian à la sortie des urgences. Ils ont remonté à pied la rue du Faubourg-Saint-Jacques, pris à gauche sur le boulevard de Port-Royal, et ils sont arrivés. Cela leur a pris à peine quelques minutes.

– D'après la légende, dit-il, cet endroit s'élève à l'emplacement du château de Robert le Pieux, bâti en l'an mille. Il était situé dans une vallée de verdure, un « val vert », qui se trouvait à l'époque à l'extérieur des murs de Paris. Au début du XIIIᵉ siècle, le château est abandonné. Il devient un repaire de brigands et de malfaiteurs. Ils avaient l'habitude d'enlever les voyageurs sur les routes, puis de les détrousser en faisant disparaître les corps.

Le soir ils se répartissaient ensuite le butin dans les restes de la bâtisse, à la lueur des flammes. Entre ces feux étranges et ces disparitions, les gens ont cru que les ruines du château étaient hantées par le diable. D'où l'expression : le diable de val-vert. Ou aller au diable vauvert.

Il sourit, fier de lui.

– Qu'en pensez-vous, Audrey ? C'est une anecdote originale, n'est-ce pas ?

Elle lui rend son sourire.

– En tout cas, vous aimez raconter les histoires.

– Plus encore que vous ne l'imaginez. Venez, j'ai réservé une table dans la véranda.

Le restaurant est plein, mais les conversations sont feutrées et l'ambiance très agréable : confortables fauteuils de cuir rouge, belles nappes blanches, parquet ancien, et une forêt de roseaux pour assurer l'intimité des clients, souvent célèbres.

Audrey connaît La Closerie de réputation. Le restaurant fait partie de ces endroits fameux, comme Le Dôme, où les écrivains, les artistes et leurs éditeurs aiment à se retrouver depuis toujours. Zola, Verlaine, Aragon, Sartre, tous en ont été des habitués. C'est à cette terrasse que Scott Fitzgerald a fait lire à Hemingway le manuscrit de *Gatsby le Magnifique*.

Ce soir, il y a même un orchestre, piano, contrebasse, percussions, Audrey peut entendre les balais glisser avec élégance sur la caisse claire.

– Je reviens dans une minute, dit-elle.

Elle se rend aux toilettes. Vérifie qu'elle est seule. Pose ses mains de part et d'autre du lavabo et se contemple dans la glace.

Elle prend une inspiration.

– Audrey, qu'est-ce que tu es en train de faire ?

La femme qui lui renvoie son regard est morte de trouille.

Morte de trouille et en même temps heureuse.

Elle tâte son pouls : un peu rapide. Tant pis. Les bêtabloquants calmeront le jeu. Il faut bien que ses médicaments lui servent à quelque chose. Une dernière pensée pour sa mère (elle lui a téléphoné, elle n'a pas pu s'en empêcher, Rosa Valenti a résumé sa situation d'une phrase : « On ne vit qu'une fois, ma fille, fonce », et pour la première fois de sa vie, Audrey a eu envie de lui sauter au cou). Elle retourne dans le restaurant.

Au fond de la salle, le pianiste entame un nouveau morceau. Christian a les yeux rivés sur elle. Une bouffée de chaleur l'envahit, elle s'assoit face à lui et leur dîner commence.

*

La soirée se déroule comme dans un rêve.

Ils boivent du vin, goûtent des plats délicieux, plaisantent, discutent de choses légères. De temps en temps, Audrey observe Christian. Ou plutôt, elle a l'impression d'observer toute la scène, de loin, comme si elle flottait dans les airs. C'est un peu irréel. Il est gentil, attentionné, parfois il lui tient la main, il l'écoute en hochant la tête. Constamment, elle peut sentir son désir, ses yeux se déplacer sur son corps. Et les sensations de picotement redoubler dans le sien.

Sous cette lumière, là, ce soir, Christian Kovak est beau à tomber à la renverse. Son pouvoir d'attraction sur elle fait des ravages. Elle peut sentir sa propre émotion, c'est fou. Elle avait complètement oublié à quel point on peut perdre la tête.

À un moment, elle tente de reprendre le contrôle d'elle-même. Elle s'imagine au travail, très sérieuse, le juge Valenti récitant ses textes de loi. Mission impossible.

Audrey finit par réaliser qu'elle est un peu pompette.

À la fin du repas, Christian se lève à son tour.

– Je vais commander le dessert, dit-il, je reviens.

Pendant son absence, et d'une façon tout à fait inopportune, l'image de Djeen s'impose soudain dans son esprit. Elle revoit la grande blonde magnifique, et ressent une bouffée d'angoisse. Comment rivaliser ? Audrey a tellement peur de décevoir Christian, ou d'être elle-même déçue. Elle essaie de se détendre, sans réellement y parvenir. Elle a l'impression d'être faible. Elle n'aurait pas dû boire tout ce vin.

— Ça va, mademoiselle ?

C'est le pianiste qui s'adresse à elle. Les musiciens font une pause et il en a profité pour s'approcher. Il est charmant, lui aussi. Tout est un peu trop beau dans cet endroit. Trop brillant.

— Ça va, répond-elle.

— C'est la première fois depuis longtemps que Christian revient, dit le pianiste en lui souriant avec douceur. Il a l'air heureux. Ça fait plaisir de le voir comme ça.

Elle lève la tête, surprise.

— Vous vous connaissez ?

— Oui, excusez-moi, je ne me suis pas présenté. C'est un vieil ami. Même promo à la fac.

Il lui serre la main.

— Arshid Azarine. C'est mon groupe. (Il désigne les musiciens du pouce.) Le Azarine Trio. Et je suis radiologue, en fait.

— Ah ?

— Oui, les musiciens, Christian, on est tous docteurs, ici. C'est une secte !

Il rit. Audrey se détend un peu.

— Et il venait souvent... avec sa femme ? demande-t-elle du bout des lèvres.

— Djeen ? Non, on ne la voyait pas beaucoup. Nous déjeunions surtout entre confrères. Djeen était un peu spéciale, vous savez. Il vous en a parlé ?

— Je sais qu'elle était très belle. Et très brillante.

– C'est vrai. Mais tout aussi inaccessible. Elle vivait dans son monde, si les conversations alentour étaient trop animées, par exemple, elle le supportait mal. Un soir, il lui est même arrivé de partir avant la fin du repas. Le temps que je me retourne...

Il rassemble ses doigts devant sa bouche, souffle dessus, et ouvre sa main.

– ... Pfftt. Disparue.

Christian revient à table, les deux hommes échangent quelques mots chaleureux, puis le pianiste s'éloigne. Un serveur apporte un gâteau. Christian l'a commandé exprès. C'est une attention charmante. Un peu trop. Comme le reste. Audrey le déguste néanmoins.

– Et si nous allions marcher ? suggère-t-elle ensuite.

– Pourquoi ? Vous n'êtes pas bien ?

– J'en ai simplement envie.

Christian lève la main pour obtenir l'addition. Quelques instants plus tard, ils sont dehors.

Leurs bras se frôlent sans se toucher.

Audrey sort son portable.

– Je ne vous ai même pas montré les photos de Carter Clay.

– Ça peut attendre.

– Les voilà.

Elle fait défiler les images de son album. Elle a photographié directement l'écran de l'ordinateur au tribunal. Ce sont les archives informatisées de son dossier judiciaire. Christian les observe en fronçant les sourcils.

– Effectivement. Il n'a plus les cheveux longs, ni la barbe, ce n'est plus le « Jésus du métro » qu'on a jugé en cour d'assises. Je ne l'aurais pas reconnu facilement. Vous pouvez m'envoyer ça sur mon téléphone ?

Audrey sélectionne les photos, touche l'icône bleue représentant une flèche au bas de son écran, et valide l'envoi. On entend un son de glissement semblable à du papier qui s'envole.

— C'est fait.

Elle range son portable, et ils marchent encore un peu.

— Quelque chose ne va pas ? demande Christian. Vous n'avez pas apprécié le repas ? Je vous ai vexée ?

— Non. Je suis juste un peu fatiguée, c'est tout.

Ils s'arrêtent près de l'hôpital.

— C'était une très belle soirée, dit-elle. Je vous remercie.

Il se penche soudain vers elle et l'embrasse.

Comme ça. Sans prévenir.

Audrey résiste un peu. Il insiste. La main de Christian se glisse dans le creux de son dos. Leurs langues se mêlent. Il la mordille. Ses doigts remontent lentement jusqu'à sa nuque et plongent dans ses cheveux. Un frisson de désir la parcourt, mais elle le repousse.

— S'il vous plaît. Pas encore.

— Pourquoi ?

— Je vous rappelle… Promis !

Elle s'en va, le plantant quasiment au milieu de la rue, courant presque.

Audrey ralentit en retrouvant sa voiture, à bout de souffle.

Elle est garée dans une ruelle. Elle s'appuie un instant contre la portière. Elle cherche ses clés. Ouvre. S'assoit à l'intérieur, attrape son poignet et compte ses pulsations : moins de cinquante par minute. C'est trop lent, surtout pour quelqu'un qui vient de courir. L'effet de son traitement a dû être amplifié par l'absorption d'alcool, d'où la fatigue anormale qu'elle éprouve depuis tout à l'heure…

Elle a envie d'une cigarette. Il faut qu'elle fume. Elle doit parvenir à se calmer.

On toque à sa portière et une ombre se penche vers le pare-brise.

— Madame, pourriez-vous m'aider ?

Audrey distingue mal l'individu qui s'adresse à elle. Il se tient à contre-jour de la lueur d'un réverbère. On dirait qu'il le fait exprès. D'autant que sa tête, trop haute, reste au-dessus de la voiture et en dehors de son champ de vision.

– S'il vous plaît, madame, répète la voix.

Le ton est suppliant. Et la voix bizarre.

On dirait celle d'une petite fille.

– S'il vous plaît, abaissez votre vitre, dit le Chien.

34

Je fixe l'écran de mon téléphone, déçu. Audrey ne répond pas.

C'est le troisième message que je lui laisse. Je tourne dans mon lit dans la chambre de garde. Je n'ai pas pris la peine de rentrer chez moi. Elle m'a abandonné devant l'hôpital, alors autant y dormir. Mes doigts tapotent sur le matelas. Impossible de fermer l'œil. Je peux entendre le son des bipeurs, les portes qui s'ouvrent et qui se ferment dans les chambres attenantes. Les internes vont et viennent sans cesse entre une heure et six heures du matin, pendant que les chefs se reposent. À moins d'un réel problème, ces derniers ne sont pas réveillés. Mais si cela arrive, il vaut mieux être réactif : c'est que ça chauffe.

Je tapote un ultime SMS dans le noir.

DSL si je me suis montré trop direct. J'espère que non.
Je vous appelle demain.
Dormez bien.
C.

Puis j'éteins.

Elle fait exprès de ne pas répondre, c'est évident. Tout est de ma faute. J'ai voulu l'impressionner et je me suis planté. J'aurais dû rester simple, un endroit normal, la raccompagner ensuite, et attendre qu'elle me rappelle, comme n'importe qui.

Christian, espèce de crétin ! Qu'est-ce qui t'a pris de lui sauter dessus ?

Je me filerais des claques.

Mais j'avais très envie d'elle. Ce soir, Audrey était sublime. J'ai l'impression qu'elle ne s'en rendait même pas compte. Elle n'a pas dit grand-chose, elle m'a souri, s'est contentée de me laisser faire la conversation en m'observant de son air mystérieux.

Je reprends mon téléphone. Toujours rien.

Je pousse un grognement. Tant pis, il faut que je dorme.

J'ai passé une soirée merveilleuse. Pour la première fois depuis longtemps, j'ai eu la sensation d'être vivant. Et pour la première fois aussi, je m'endors sans être accompagné par des spectres.

Pas de Djeen.

Ni de Clay.

Ni d'ombres qui m'entourent.

*

Le bruit me réveille en sursaut. On tambourine à ma porte.

– Chris !

– Mmm ?

– Magne ! On a besoin de toi !

J'entends les pas qui s'éloignent en courant. Des cris, plus loin. Qu'est-ce qui se passe ?

Ma montre indique six heures du matin. Je ne suis même pas de garde de façon officielle. Juste là pour filer un coup de main à l'équipe. Mon Dieu, j'espère qu'il ne s'agit pas d'un nouvel attentat terroriste. J'enfile un pyjama de bloc et je fonce.

Les cris proviennent du rez-de-chaussée. Je saute les dernières marches, pousse la porte battante et déboule dans le couloir réservé au personnel. Un type s'agite à terre. Ils sont sept à tenter de le maintenir, et ils n'y arrivent pas. Le gars bave, hurle, gesticule, fort comme un bœuf, agitant un manche à perfusion comme s'il s'agissait d'une matraque. Plus loin, un brancardier gît recroquevillé contre le mur. Il saigne du crâne, inerte.

– Aide-nous ! crie le senior de garde.

Je saute à mon tour sur le type, qui tord le cou pour essayer de me mordre. Je m'écarte à la dernière seconde. Sa force est absolument phénoménale.

– Attention aux morsures ! hurle une infirmière.

Sa main à elle est déjà en sang. Les traces de dents sont apparentes, creusant profondément sa chair. Nos regards se croisent : nous savons, elle et moi, qu'elle est bonne pour une intervention chirurgicale immédiate afin de nettoyer sa plaie et réparer ses tendons. Les morsures humaines sont les pires, plus graves que celles des chats ou des chiens, en raison du très grand nombre de bactéries présentes dans notre bouche. Sans compter les trois mois de trithérapie derrière, avec toutes les sérologies, hépatites, HIV, ce ne sont pas les complications qui manquent. La vérité est que le type au sol peut parfaitement tuer à retardement cette infirmière, quelques mois ou quelques années plus tard. Cela s'appelle un accident d'exposition au sang. Les risques du métier, comme on dit.

Tout d'un coup le forcené se libère. Il se redresse, jaillissant tel un ressort, et se remet à pousser des hurlements.

Je lui envoie mon poing dans la tronche.

– Ta gueule.

*

Greta Van Grenn me dévisage d'un air sévère. Elle m'a convoqué dans son bureau.

– Vous n'avez pas le droit de frapper les patients.

– Ce n'était pas un patient. C'était un zombie.

– Arrêtez de faire l'idiot.

– Vous avez vu comme il mordait ?

– Ça ne change rien.

– Collez-moi un blâme. Vous avez l'habitude.

– Et s'il porte plainte ?

– Les caméras de sécurité ont filmé toute la scène. Nous étions en état de légitime défense et vous le savez. Il aurait pu tuer n'importe lequel d'entre nous. Comment va le brancardier ?

– Traumatisme crânien. Ça ira.

– L'infirmière ?

– Elle va passer au bloc pour qu'on l'opère.

– L'homme était un SDF, n'est-ce pas ?

Greta acquiesce d'un hochement de tête.

– Il vivait dans le métro, dit-elle. Les pompiers l'ont récupéré dans un tunnel.

Je repense aux sans-abri surexcités dans la cour du commissariat rue de l'Évangile. Leur comportement était bizarre, à eux aussi. L'alcool et la canicule les perturbent, certes, mais normalement, c'est censé plutôt les assommer. Je me souviens des paroles de Luz : « Ils sortent du métro complètement énervés ».

– Vous avez reçu beaucoup de cas d'agitation similaires ?

– Cette semaine, oui.

– J'ai lu un truc dans le journal. Les terroristes, les dealers venus de l'étranger, et même les touristes, chaque groupe est susceptible d'importer avec lui son lot de nouvelles drogues. Certaines ne sont pas chères du tout à la consommation. Je me demande s'il n'y en a pas une qui traîne parmi les SDF du métro.

– Vous avez une idée ?

– Juste une intuition. Pupilles dilatées, crispation des mâchoires, narines pincées. Ça pourrait être une amphétamine.

– On va lui faire une recherche de toxiques, dit Greta.

Je consulte de nouveau mon téléphone. Toujours pas de nouvelle d'Audrey. Rien. Pas même un SMS. Je ne comprends pas.

Greta dépose un papier devant moi sur la table.

– Au fait, merci pour votre travail. Voici ce que vous m'avez demandé.

– Qu'est-ce que c'est ?

– L'adresse de Carter Clay.

35

Je rentre chez moi. J'ai besoin de me préparer, de réunir quelques accessoires et de me reposer un peu.

Je dors. J'appelle brièvement Sam (il est toujours dans le Sud, il va bien). Je dors. J'appelle Audrey (ça bascule sur répondeur). Je dors.

Au réveil le lendemain, je plonge directement dans ma piscine pour me rafraîchir, puis je m'envoie un solide petit déjeuner, je récupère ma sacoche et me rends à l'adresse indiquée par Greta.

L'endroit est un ancien bâtiment ayant appartenu à la RATP. Il a été racheté par une association et transformé en refuge. Il est à présent exclusivement réservé aux SDF. D'après les chiffres, les sans-abri du métro sont environ trois cents dans l'agglomération parisienne. Mais d'autres estimations prétendent qu'ils sont plus d'un millier à se terrer dans l'ensemble des sous-sols, formant une société disparate et anarchique qui vit là, juste au-dessous de nos semelles.

Je regarde l'immeuble. La façade est gaie et colorée, ornée de drapeaux de tous les pays. Je franchis l'entrée et m'arrête devant un bureau. Un genre de biker est assis de l'autre côté, la soixantaine, vêtu d'un gilet en jean d'où émergent deux bras puissants et couverts de tatouages. Il porte des boucles d'oreilles à tête de mort. Chacun de ses doigts est orné d'une énorme bagouse. Derrière lui, des photos de Che Guevara et des slogans sont punaisés au mur : « Libertad », « Élections, pièges à cons », « Fermons la télé, ouvrons les yeux », « Faites l'amour, pas la guerre », « La beauté est dans la rue », ou encore « Il est interdit d'interdire ».

— Bonjour, dis-je. Je suis psychiatre, je travaille aux urgences de l'hôpital.

Je lui présente ma carte professionnelle. Ma spécialité médicale n'est pas inscrite dessus, je peux donc tout à fait me faire passer pour un psychiatre. En outre, j'ai pris la précaution d'emporter dans ma sacoche des ordonnances pré-imprimées à l'en-tête du service.

— Nous avons reçu un patient très instable, je poursuis. Il s'appelle Carter Clay. Malheureusement il s'est enfui avant la fin de la consultation. Il vit dans le métro. Sa dernière adresse connue est ici.

Le concierge-biker-révolutionnaire lève ses yeux vers moi. Je n'y lis aucune agressivité, mais aucune sympathie non plus.

— C'est un refuge, ici, camarade.

— Eh bien ?

— Les gens veulent avoir la paix. Ils ont envie qu'on les laisse tranquilles.

— Je comprends. Je ne veux aucun ennui à Carter, au contraire.

J'ouvre ma sacoche et sors des boîtes de médicaments.

— Il est parti sans son traitement. S'il ne prend pas ses comprimés, il va se mettre à avoir des hallucinations. Il est schizophrène. Quand il décompense, ça met un sacré bazar. Son humeur peut évoluer de façon explosive, il est capable de s'en prendre à n'importe qui.

Pas de réaction en face. Je tente un dernier coup de bluff.

— Bon, je comprends votre réticence. Je vais vous laisser les boîtes. Si vous le voyez, vous n'aurez qu'à les lui donner. S'il tente d'étrangler d'autres occupants ou qu'il se met à tout casser dans le refuge, mettez-vous à l'abri et appelez-moi d'urgence à l'hôpital.

Je fais mine de tourner les talons.

– Attendez, fait le biker. Comment vous dites que c'est, son nom de famille ?

– Clay.

Il vérifie dans son registre.

– Je n'ai personne à ce nom-là.

– Il en a peut-être donné un autre. J'ai des photos.

Je sors mon portable et lui montre les clichés transmis par Audrey, ainsi que d'autres, plus anciens, datant de l'époque du procès, quand Clay était encore un monstre chevelu.

Il secoue la tête.

– Désolé. Il ne loge pas ici.

– Il est pourtant venu il y a trois ans. C'est dans son dossier médical.

Le gars hésite.

– Écoutez, toubib, il n'y a pas que des chambres dans notre refuge. Nous accueillons aussi des gens de passage pour la journée. Ils ne dorment pas sur place, mais ils traînent dans la cour, là-derrière. Peut-être que votre patient n'est pas inscrit en tant que pensionnaire mais qu'il vient quand même. Je ne l'ai pas forcément remarqué, nous sommes plusieurs. S'il est aussi dangereux que vous le dites, je n'ai pas envie qu'il s'en prenne aux autres.

Il désigne un couloir derrière lui.

– Allez faire un tour à l'intérieur. Vous pouvez poser des questions, sans casser les pieds à personne, je compte sur vous.

Je le remercie et m'engage dans le couloir.

Comme dans beaucoup d'immeubles parisiens, il s'agit en réalité d'un passage débouchant sur une cour intérieure en petits pavés (ceux-là mêmes, me dis-je, que le biker a dû déterrer pour les balancer sur les CRS en mai 68). La cour est particulièrement vaste et occupée par de nombreuses tentes. Des gens vont et viennent dans les allées. Certains jouent au baby-foot. D'autres sont assis sur des bancs et assistent à un cours de cuisine. Des bénévoles servent à manger, proposent des vêtements, des livres. Au fond, j'aperçois des douches. Ça sent la soupe de légumes, et aussi une odeur que l'on connaît bien aux urgences, mélange de crasse, d'alcool et de cigarettes.

Je me promène avec mes photos et demande si quelqu'un reconnaît Clay. Réponse négative chaque fois. Je m'acharne, questionnant au moins une vingtaine de personnes. En vain.

Qu'est-ce que j'imaginais ? Qu'il allait revenir ici et sagement m'attendre ?

Je déambule, déçu.

Mes jambes cognent dans un obstacle.

– Hé ! Dégage de là ! gueule l'obstacle en question.

Oups ! Il s'agit d'un vieillard. Je ne l'avais pas vu parce qu'il est particulièrement petit : c'est un cul-de-jatte. Son tronc est posé sur un skateboard. Ses mains sont glissées dans des chaussures de sport, c'est comme ça qu'il se déplace.

– Excusez-moi, dis-je. Je suis vraiment désolé.

– Ta gueule.

– Ça fait longtemps que vous habitez ici ?

– Avant que ta mère te conçoive.

– Je cherche quelqu'un.

– Fous-moi le camp.

– S'il vous plaît, aidez-moi.

Je sors une poignée de billets et lui montre les photos.

Il les regarde.

– Qu'est-ce que tu veux ?

– Le retrouver. Il s'appelle Carter.

Son regard fait l'aller-retour entre les photos et l'argent. Il me dévisage avec méfiance.

– L'est pas ici.

Mon cœur s'accélère.

– N'importe quel renseignement m'intéresse, fais-je.

– Je veux cent billets.

– Vingt. Et vingt de plus si ça vaut le coup.

Il décolle de son skateboard avec une habileté surprenante et m'arrache l'argent.

– Suis-moi.

Il fonce en s'aidant de ses mains glissées dans les baskets. Son skateboard roule. Il se fraye un chemin à travers les allées en hurlant :

– Dégagez ! Dégagez !

Je le suis. Il s'arrête devant une porte à l'autre bout de la cour, sort une clé de sa poche, se hausse jusqu'à la serrure et l'ouvre, avant de pousser le battant d'un coup de tête.

– Carter a dormi au refuge. C'était il y a trois ou quatre ans. Y s'est jamais repointé depuis.

Je regarde dans la pièce. Il y a des bacs à vêtements, chacun portant un numéro. Le cul-de-jatte tend sa main, ouvre la paume, et je lui lâche vingt euros de plus.

– Bac numéro 17. Il a laissé des affaires. Tu peux en faire ce que tu veux, j'en ai rien à foutre.

J'avance jusqu'au bac et je fouille. Pas grand-chose : des vêtements élimés, des chaussures, quelques couverts en plastique, une vieille bouteille thermos. Je remets tout ça en place, il n'y a absolument rien d'intéressant.

Si ça se trouve, ces objets n'appartiennent même pas à Carter Clay. Mon impression se confirme lorsque je remarque que les étiquettes des vêtements portent des initiales différentes. Je retourne voir le cul-de-jatte, mais il a filé. Je sors du refuge et fais le tour du quartier, furieux. Je le retrouve devant un Monoprix en train de faire la manche. Je l'attrape par le col.

— Dites donc, espèce de voleur...

— Lâche-moi, connard ! Au secours ! crie-t-il.

Maintenant tout le monde nous regarde, mais je ne le relâche pas pour autant.

— Vous vous fichez de moi ? Vous m'avez montré un bac à vêtements au hasard, juste pour me soutirer du fric. Vous n'êtes qu'un arnaqueur !

— Et alors ? T'es à quarante euros près, peut-être ? Tu veux qu'on échange nos places ?

Je hoche la tête.

— OK.

Je le repose par terre et il se calme un peu.

— Bon, finit-il par dire. Je t'ai carotté, d'accord. Mais je le connais quand même, ton gus. C'est un gros enculé, t'es au courant ?

Il n'y a pas à dire, le cul-de-jatte a du vocabulaire.

— Carter cherchait des poux à tout le monde. Même à moi. Il vient, des fois, mais jamais plus de quelques heures. C'est un cadavreux.

— Un quoi ?

— Un suce-les-os. Une goule. Un type qui passe son temps à rôder dans les Catacombes.

— Les Catacombes ?

— Ouais.

Je connais l'endroit de réputation, comme tout le monde. C'est l'un des lieux les plus célèbres de Paris, mais je n'y suis jamais descendu. Il y a les Catacombes officielles, celles que l'on visite à Denfert-Rochereau, avec leurs piles impressionnantes de crânes. Et puis les interdites, les anciennes carrières de Paris, dont les accès sont soigneusement scellés et qui renferment leur lot de mythes et de légendes.

Quand j'étais à la fac, un petit groupe d'étudiants s'y rendait par une entrée secrète, de temps à autre. Une fois, ils se sont perdus dans ce labyrinthe de trois cents kilomètres. Leur lampe a lâché et ils ont erré durant deux jours, perdus dans le noir. Une équipe spécialisée a dû descendre pour leur porter secours. On les a retrouvés à demi morts de faim, de déshydratation et de terreur. Ça ne m'a pas donné envie de tenter l'expérience.

– Alors Clay vit là-dessous ? je demande.

– Non. Il s'y balade, juste. Mais ça lui a salement amoché le ciboulot. Il discute avec les morts, c'est un foutraque.

Le cul-de-jatte se balance d'avant en arrière sur son skate.

– Il a un autre endroit. Je ne sais pas s'il y va encore, mais à l'époque il y créchait de temps en temps. C'est un squat dans un tunnel ferroviaire de la Petite Ceinture. Il l'a choisi parce qu'il y a un accès aux Catacombes dans le même secteur. C'est pas loin.

Il m'indique l'emplacement. Je le connais car il se trouve à proximité de l'hôpital Broussais où j'ai effectué mes stages d'externe.

– Vous avez vu Carter récemment ?

– Non. Mais il est passé cette année. De ce que j'sais, on l'a enfermé chez les dingues. Ce qui est une putain de bonne idée, si tu veux mon avis. Sauf qu'apparemment, on lui refile des permissions. Alors il rôde.

En réalité cette situation n'est pas rare. On essaye toujours de traiter les troubles mentaux et de réinsérer les personnes, plutôt que de les enfermer à vie. Cependant, dans ce cas particulier, j'aurais préféré que Clay ne ressorte pas aussi tôt.

– Merci, dis-je.

– Fais gaffe, mon pote, ajoute le cul-de-jatte. Le squat dans le tunnel, c'est chez les Roumains. Carter était plus ou moins de leur communauté, alors ils doivent le laisser tranquille. Mais pour toi, c'est un coupe-gorge. Les flics eux-mêmes n'osent pas s'y rendre.

Je lui file quelques billets supplémentaires. Dix minutes plus tard, je suis près de l'endroit en question. J'escalade le parapet, saute par-dessus la grille et me laisse glisser en contrebas sur le talus.

36

Le Chien est en train de rêver. Il est debout sur un champ de bataille.

L'époque est celle de l'Empire perse des légendes.

Le Chien porte une cuirasse de soldat et il est armé d'un glaive. Devant lui s'étend le désert. Au loin les minarets de la puissante cité de Persépolis se dressent vers le ciel. On prétend que la ville est imprenable, remplie de pièges et de chausse-trappes. Des guerrières blondes aux yeux bleus en défendent les portes. C'est la capitale de la sorcière Djinn, reine des ruses et des mystifications.

Le Chien frissonne.

L'affrontement qui l'attend est titanesque, mais il a confiance. Il ne peut pas échouer. Dieu est avec lui.

Le Chien se tourne vers sa maîtresse.

À sa vue, la foi et la crainte emplissent son cœur. La Dame des Sept Douleurs est là, vêtue de sa cuirasse flamboyante hérissée de sept pointes sur lesquelles sont plantés des crânes. Derrière elle, les oriflammes de ses légions claquent au vent.

Ceci est une guerre.

L'Occident contre l'Orient.

L'Ordre contre le Chaos.

– Tu es le héros de la Lumière, dit la Dame des Douleurs. Tu ne peux pas laisser cette sorcière détruire ce que nous avons bâti. Tu dois lui faire comprendre quel est notre pouvoir.

La Dame brandit une lance.

– Je t'ordonne de prodiguer des forces à notre armée !

Alors le Chien prend un sac contenant des graines et il en place une dans la bouche de chaque soldat.

– Je t'ordonne de marcher sur Persépolis !

Le Chien se met en marche. Et le grondement des pas des guerriers l'accompagne, frappant le sable en même temps que résonne le cliquètement des boucliers et des armes.

– Va ! Écrase la sorcière Djinn !

Le Chien retient son souffle et se jette dans la bataille.

– Écrase-la ! répète la Dame. Pour la Douleur ! Fais-le !

– POUR LA DOULEUR ! FAIS-LE ! répète l'armée d'une seule voix.

Et le Chien l'avait écrasée...

*

Il se réveille en sueur. Il déteste ce genre de rêve. C'est trop réel. Totalement déstabilisant. Après de tels épisodes, il a toujours l'impression d'être un peu dingue. Le Chien n'aime pas perdre le contrôle. Il avale une goulée d'eau fraîche, puis il se frotte les yeux. Son T-shirt sent mauvais, il ferait bien d'en changer. Bah, tant pis. Le travail l'attend.

Il range la bouteille dans son sac, prend le temps de croquer une pomme, puis vérifie que les sachets de comprimés jaunes sont toujours là, à l'intérieur de ses poches, bien en place. Après quoi, il enfile ses bottes d'égoutier et se remet en route.

Les bottes sont nécessaires pour parcourir les Catacombes car certaines parties sont immergées par l'eau de la nappe phréatique qui peut monter jusqu'à mi-cuisse. Parfois il doit courber la tête, et même s'accroupir pour avancer dans les tunnels étroits.

À cette heure, c'est calme. Le soir et le week-end, il lui arrive de croiser des visiteurs par petits groupes, surtout dans le GRS, le Grand Réseau Sud. Mais maintenant rien. Que dalle. Il est le roi du monde souterrain.

Il connaît les cachettes du métro par cœur, mais pour se déplacer de façon discrète rien ne vaut les Catacombes. Les flics du site Évangile le font bien rire avec tous leurs gadgets. Rien à branler des caméras et des systèmes de surveillance. Pour bouger, il n'y a pas mieux que le bon vieux commando à l'ancienne. Les étages sont quadrillés par les forces de police ? Qu'importe ! Il suffit de passer en dessous. Depuis le réseau le plus profond de Paris, il peut atteindre n'importe quel point de la capitale, peinard.

Rien ne stoppera son avancée.

Le Chien se glisse dans une chatière – ce qui lui arrache un sourire, car dans son cas, l'expression a quelque chose d'irrésistiblement comique, non ? Au bout de l'étroit tunnel, une plaque en fer bloque la sortie. Un tour de sa clé spéciale, et le voilà dans le réseau des galeries de la RATP. Désormais, il se déplace de tunnel en tunnel, allant d'un couloir d'entretien à l'autre. Parfois, il enjambe des corps qui ronflent. Ce n'est pas un hasard : aujourd'hui, le Chien s'attache à parcourir les endroits où dorment les SDF du métro. Chaque fois qu'il rencontre un groupe, il prend soin d'abandonner sur place quelques-uns de ses comprimés jaunes, tel un empoisonneur de rats.

Sauf qu'il ne les empoisonne pas : il les nourrit.

Le Chien sourit dans le noir.

Il lâche ses bombinettes. Les SDF les trouvent, les consomment, et leur excitation fait le reste. Ils remontent à la surface, ils s'énervent, ils tapent sur tout ce qui bouge. Ils sont ses légions souterraines. Et leur nombre est infini. En cette époque de crise économique, lorsqu'un sans-abri tombe, dix autres le remplacent. Le plan du Chien fonctionne à la perfection.

Il gagne un autre point d'accès, franchit une plaque de la même façon que tout à l'heure et se retrouve de nouveau seul dans les Catacombes.

Il marche.

Sa lampe frontale balaye les tags laissés sur les murs par des générations d'étudiants. De temps en temps, le plafond (le « ciel », comme disent les cataphiles) est déformé par d'innombrables stalactites. C'est la pollution atmosphérique de Paris et son taux de gaz carbonique qui en sont responsables. À cause des pots d'échappement, les eaux de pluie deviennent acides, elles traversent le sol, dissolvent le calcaire et terminent ici, goutte à goutte, parfois au point de former une pluie fine qui tombe sur ses épaules.

Soudain un grondement monte. Le Chien s'arrête. Il pose une main contre le mur. Le son s'amplifie et la galerie entière se met à vibrer, comme s'il se produisait un tremblement de terre. C'est le métro qui passe. Il grogne de satisfaction et se remet en route. Il adore cet univers. Peu de gens s'en rendent compte, mais Paris n'est que le couvercle d'une autre ville aussi vaste. Entre les réseaux des égouts, du métro, du téléphone, les galeries électriques, les parkings, les innombrables caves, les abris datant de la Deuxième Guerre mondiale et les Catas, ce sont des milliers et des milliers de kilomètres qui grignotent le sous-sol.

Catacombes n'est pas le terme exact, d'ailleurs, puisqu'il s'agit des anciennes carrières de Paris. Le Chien a lu quelque part que si elles existaient, c'était parce que l'homme les avait exploitées durant deux mille ans : gypse, calcaire pour les églises (comme Notre-Dame), craie, argile pour les tuiles (qui a donné le nom des « Tuileries »), à ciel ouvert d'abord, enterrées par la suite. Elles sont devenues les Catacombes seulement au XVIIIe siècle, lorsque les cimetières surchargés de Paris vomissaient littéralement leurs morts à la figure des habitants.

À l'époque, les gaz de décomposition étaient tels qu'ils filtraient à travers les murs et éteignaient les chandelles de suif. Les parois des caves cédaient en déversant des tonnes de cadavres. Les autorités décidèrent de transférer les corps, ou plutôt leurs restes, dans les carrières inactives.

Ainsi naquirent les Catacombes. Un empire de ténèbres à l'odeur fade d'humidité, au sol parsemé de trous et de crevasses à la température constante, été comme hiver, ni trop chaude, ni trop fraîche. Une cité des morts, vingt mètres sous les vivants, totalement coupée du monde des télécommunications.

Le territoire du Chien.

Il lâche un petit rire qui se répercute à travers les couloirs. Ici, les sons et les odeurs portent. Ses bottes d'égoutier crissent sur un tapis d'ossements tandis qu'il avance. Pour le plaisir il se glisse dans un conduit latéral. L'endroit est situé à la verticale du cimetière Montparnasse. Un couloir étroit et long, dans lequel s'empilent des milliers de squelettes desarticulés. La plupart des crânes ont disparu, dérobés par les visiteurs, mais il en reste encore, comme dans cette pièce. Des colonnes d'os s'élèvent de loin en loin, arrangées de façon artistique. Sur l'une d'entre elles, le Chien a disposé une tête coiffée d'une casquette et d'une paire de lunettes de soleil.

Il est mort de rire.

L'ensemble appartenait à l'une de ses victimes.

Il adore ce genre de blagues.

Personne ne s'en rend compte, mais parmi les ossements anciens se trouvent ceux de cadavres récents qu'il a lui-même dépecés dans les sous-sols. Des SDF. Des touristes. Des personnes qui ont commis l'erreur de se trouver sur son chemin. Inquisiteur est un travail sérieux. On ne le devient pas en cinq minutes.

Chaque année, trois mille personnes disparaissent en région parisienne. La plupart sont retrouvées ensuite, mais pas toutes. Il faut bien qu'il s'entraîne.

Le Chien a ses habitudes. Pour la chair et les organes, il procède comme pour Gary Molas : il sépare les parties une à une (créant au passage d'intenses moments de complicité avec sa victime) et s'en débarrasse ensuite de façons diverses. Pour les os, c'est plus compliqué. Il doit les recueillir, les préparer, les faire vieillir via différents procédés chimiques, là-bas, dans sa tanière du métro, jusqu'à ce qu'ils changent de teinte et prennent un aspect ancien. Après quoi il les répartit dans les galeries au milieu des autres.

Des os cachés parmi les os. Quelle idée amusante !

Mais assez perdu de temps. Il est l'heure de reprendre sa route. Il doit encore aller nourrir son prisonnier enfermé dans sa geôle. Celui-là, il n'arrête pas de bouffer. Un vrai goinfre ! Cette fois, le Chien a opté pour une alimentation plus saine : hamburgers périmés (trouvés dans les poubelles d'un fast-food) et animaux morts. C'est moins marrant que de lui faire manger des doigts, mais il n'a plus le temps pour les pitreries. Il faut le garder en vie. Ça aussi, ça fait partie du plan.

Le Chien vérifie l'heure à sa montre et accélère le rythme.

Le problème qui le préoccupe est ailleurs. Il fourre une main dans sa poche et en ressort la carte qui s'y trouve depuis la veille au soir. Cette dernière possède les mêmes dimensions qu'une carte d'identité plastifiée, nouveau modèle. Le nom et la qualité de la personne y sont mentionnés sur un fond blanc, orné d'une Marianne en son centre, le tout barré recto verso d'une bande tricolore.

– VALENTI ! AUDREY ! JUGE ! lit le Chien d'une voix sépulcrale, volontairement dramatique. HO-HO-HO !

Bon, il rigole, mais il n'aime pas ça.

Hier soir, il espionnait Christian Kovak comme d'habitude, quand il s'est rendu compte que le docteur avait une nouvelle petite amie. L'occasion lui a paru trop belle. Son beau-frère s'étant barré à perpette, il ne pouvait plus s'en servir comme moyen de pression. Une nana, en revanche, en voilà une victime !

À un détail près, le Chien n'imaginait pas une seconde tomber sur un juge. Sur ce coup, il est allé trop vite. Il aurait mieux fait de se renseigner avant. Il remet la carte dans sa poche.

Cette bêtise va être difficile à corriger. La mort d'un juge, c'est sûr, c'est plutôt mal vu. Pas question de la découper en rondelles et de l'éparpiller partout, c'est un coup à rameuter toutes les polices de France et de Navarre, à se créer des ennuis pour de bon. Le Chien n'a pas besoin de ça. Donc, maintenant, il est obligé de la faire disparaître.

Petit manuel de l'inquisiteur, règle Numéro Un : la disparition est toujours le meilleur moyen. Pas de corps, pas de meurtre, pas d'enquête. Et puis le temps que les flics réagissent, son plan sera achevé. Il a couvert ses arrières. Il ne se fera jamais prendre.

Que pourrait-il se passer d'autre ?

Rien. Il est génial. Une fois de plus, tout est parfait. Bravo, le Chien.

Cependant, quelque chose le dérange. Il se gratte. Réfléchit encore.

À moins que... quelqu'un n'arrive à retrouver la magistrate où il l'a laissée. Bien sûr. Dans ce cas, évidemment, ça poserait problème. Et cela entrerait en conflit avec la règle Numéro Deux : ne jamais rien laisser au hasard.

Il vaudrait donc mieux être prudent. Déplacer le corps dans une meilleure cachette, par exemple. Et en profiter au passage pour effacer toute trace du Carter Clay d'avant.

Bon. C'est décidé. Il va faire ça. Au prochain carrefour dans les Catacombes, il change de cap. Direction : le squat du tunnel ferroviaire, sur la Petite Ceinture.

37

J'avance sur l'ancienne voie de chemin de fer de la Petite Ceinture. J'ai l'impression de plonger dans une coulée verte. C'est extraordinaire.

Cette ligne abandonnée fait le tour de Paris à l'intérieur des boulevards des Maréchaux. Fermée depuis 1934, elle est par endroits en cours de réhabilitation et demeure un célèbre site d'exploration urbaine. Je n'y étais encore jamais allé.

Le dénivelé est suffisamment important pour que, d'en bas, on ne perçoive plus les bruits de la ville. Des arbres débordent au sommet de part et d'autre, tandis que de longues grappes de verdure dégoulinent le long des murs. La mousse en recouvre pratiquement les parois, et le soleil ne parvient pas à se glisser dans cette tranchée qui demeure à l'ombre. On se croirait au milieu de ruines perdues dans la jungle.

Je franchis un premier tunnel ferroviaire d'une cinquantaine de mètres. À sa sortie, mon enthousiasme retombe un peu. Les murs sont maintenant moins hauts et la verdure a disparu, remplacée par des graffitis. C'est comme si je marchais dans des douves décorées par des gangs de graffeurs.

Je continue de progresser.

Un autre tunnel, au loin, semble cette fois beaucoup plus long. Je n'aperçois même pas la lumière à l'autre bout. Il doit mesurer plusieurs centaines de mètres. Je vois que l'entrée est occultée par des baraquements de fortune. Est-ce le squat dont on m'a parlé ? Probablement. Pourtant je ne remarque personne. L'endroit paraît désert.

Je me rapproche, moyennement rassuré. Les cabanes sont collées les unes aux autres de part et d'autre de la voie, ménageant une sorte de rue centrale pour circuler. C'est un véritable bidonville. S'il est occupé, il doit abriter plus d'une centaine de personnes.

J'atteins les premières maisonnettes. Les portes sont closes, la plupart fermées par des cadenas. Mes pas crissent sur les cailloux. Pas d'autre son. Je vois pourtant du linge qui sèche sur un fil. Un vélo en bon état couché contre un mur. Il y a aussi des tables bancales installées dehors, des chaises posées sur des planches en guise de terrasse, des jouets qui traînent...

À présent des visages furtifs commencent à apparaître aux fenêtres (si on peut appeler ces trous des fenêtres), se cachant derrière des rideaux dès que je les regarde.

Une pile de matelas.

Des sacs d'ordures.

Plusieurs bonbonnes d'eau potable.

Un branchement électrique sauvage remontant vers la ville.

J'arrive enfin à l'entrée du tunnel. Au-delà, l'intérieur est aussi noir que le fond d'un puits. Les habitations de fortune s'y enfoncent pourtant, éclairées au moyen de petites loupiotes. Par une ouverture, j'aperçois une vieille femme en train de surveiller ce qui ressemble à un ragoût, sauf que le plat mijote dans un énorme pneu de camion sous lequel chauffe la braise.

J'ai l'habitude des populations précaires. Je viens moi-même d'une cité difficile. Mais là, j'ai carrément l'impression d'avoir accompli un bond de deux siècles en arrière. Dans quoi me suis-je engagé ?

Je tiens fermement ma sacoche de médecin et m'enfonce dans le tunnel. Au fur et à mesure de ma progression, de plus en plus de gens s'intéressent à ma présence.

Mon téléphone sonne. Je sursaute…

… et décroche aussitôt, espérant un appel d'Audrey.

– Allô, docteur Kovak ?

La voix lui ressemble, mais ce n'est pas la sienne. Elle provient d'une personne plus âgée.

– Je suis Rosa Valenti. La maman d'Audrey. Excusez-moi si je vous dérange. Je cherche ma fille depuis deux jours…

– Pardon ?

– Je dois avoir l'air ridicule, dit la dame sur un ton gênée. Je suppose qu'elle est avec vous.

– Non.

– Non ?

– Je n'ai aucune nouvelle moi non plus.

– Vous deviez dîner ensemble. Elle me l'a dit.

– Nous sommes rentrés séparément.

Je change mon téléphone d'oreille. Devant moi des gens émergent du squat tandis que je discute.

Cette situation possède quelque chose de surréaliste.

– Madame Valenti, comment avez-vous obtenu mon numéro ?

– Je… je suis chez Audrey, bredouille la vieille dame. L'appartement est vide. Son lit n'est même pas défait. Votre numéro est le premier sur la liste d'appels de son téléphone fixe. Je n'ai eu qu'à appuyer sur la touche de recomposition.

Il n'y a pas de doute : Valenti mère a de la suite dans les idées. Mais cette situation ne me rassure guère. Deux jours, c'est long.

– Je suis inquiète, continue Rosa. Son portable est éteint. Cela n'arrive jamais, à cause de son travail. Elle est censée être toujours joignable parce qu'elle est juge, c'est une fille brillante, vous savez, je tiens à elle, je ne lui dis pas assez souvent, et…

L'angoisse dans sa voix est carrément palpable.

– Madame Valenti, je vous rappelle plus tard.

Les habitants du squat ont quitté leurs habitations. Maintenant ils se rapprochent de moi.

Je me retourne. Ils sont derrière aussi.

38

Greta Van Grenn contemple la feuille d'examens qu'elle tient entre les mains.

– Ce sont les résultats du SDF ?

– Oui, répond le biologiste de l'hôpital.

– Donc il était sous influence.

– Exact. Kovak avait raison. Le type qui a tout cassé aux urgences avait pris une bonne quantité d'amphétamines. On peut même dire qu'il était chargé ras la gueule.

– Fénéthylline ? Qu'est-ce que c'est ?

– On l'appelle aussi Captagon. Certains terroristes en consomment avant de commettre leurs attentats, du coup on l'a surnommée « drogue des djihadistes ». Sa production a explosé depuis le conflit en Syrie en 2011, mais elle n'est pas récente. C'est une drogue ancienne revenue à la mode.

Greta repose la feuille sur son bureau.

– À quoi ça ressemble ?

– Des petits comprimés gris. Ou jaunes. Ça s'avale. Généralement, les comprimés sont conditionnés dans des sacs en plastique. Plusieurs centaines de comprimés par sac.

– On en trouve en France ?

Le biologiste hausse les épaules.

– En principe non. Mais le Captagon circule en Europe de l'Est et dans tout le Proche-Orient. Fabrication artisanale, pas cher à produire, ça ne doit pas être bien difficile d'en commander sur Internet.

– Quels sont les effets ? demande Greta.

– Un sentiment de puissance. Résistance à la fatigue, vigilance accrue, perte de jugement. Et agressivité, aussi, si on en consomme en trop grande quantité. On a l'impression d'être le roi du monde. À la base il s'agit d'une drogue récréative, les footballeurs en prenaient régulièrement dans les années 80, tout le milieu artistique y a goûté.

Greta croise les bras.

– Je ne comprends pas. Comment un SDF, un pauvre bougre qui traîne sur la voie publique et qui n'a manifestement pas mis les pieds hors de la capitale depuis des années, pourrait-il y avoir accès ?

Le biologiste se frotte le menton.

– Eh bien, comme je vous l'ai dit, ce n'est pas cher. Peut-être qu'il en a acheté ?

Greta plisse un coin de sa bouche telle une maîtresse d'école écoutant les âneries d'un élève.

– Allons bon. Un gars qui n'a pas un kopek ? Vous ne croyez pas qu'il préférerait plutôt se payer un McDo ou une bouteille de rouge ?

Elle reprend la feuille. Quelque chose ne colle pas. Le biologiste soupire, se doutant de ce qui va suivre.

– Ce n'est pas le premier cas d'agitation chez nous cette semaine, n'est-ce pas ? demande la surveillante.

– Non.

– Vous avez mené les mêmes analyses auparavant ?

– Non.

– Vous devriez reprendre tous les dossiers.

– Ça va être compliqué, pour les prélèvements biologiques.

– Demandez de l'aide.

– Je ne suis pas sous votre autorité, madame.

– Quelle est votre fonction dans cet hôpital, déjà ?

– Docteur en biologie

Haussement de sourcil de Greta.

L'autre soupire de plus belle.

– C'est bon, je m'y colle...

39

Les hommes s'avancent vers moi, l'air menaçant.

Plutôt que d'attendre la confrontation, je vais à leur rencontre. Je pose une main sur ma poitrine.

– Je suis docteur.

Ils échangent des paroles entre eux. Aucun ne semble parler le français, mais peut-être saisiront-ils quelques mots ?

– Ici pour soigner, dis-je en désignant ma sacoche.

Ils hochent la tête. Ils semblent avoir compris et me prennent à présent pour un médecin humanitaire venu leur filer un coup de main. Je respire et sors toutes les boîtes de médicaments dont j'avais pris la précaution de me munir. Elles sont pour eux, je les ai apportées exprès. Antibiotiques, antalgiques, vitamines pour les enfants. Je leur donne aussi l'adresse d'un dispensaire où l'on pourra leur proposer des cartons de lait en poudre, des couches, des couvertures de survie et plein d'autres choses utiles. Dans chaque goutte d'eau se trouve l'océan tout entier, a dit Greta. C'est une phrase qu'aurait pu prononcer Djeen.

Je finis par leur montrer ce pour quoi je suis venu : les photos de Clay sur mon portable. Plusieurs personnes reculent. Une femme trace un signe de croix sur sa poitrine. Cette fois j'ai fait mouche, je suis au bon endroit. Un homme m'attrape doucement par le bras et m'entraîne sans dire un mot.

Tandis que nous nous enfonçons plus loin, les voix s'estompent derrière nous, les baraquements s'espacent et la lumière s'amenuise. L'homme s'arrête bientôt et pointe son index. Je plisse les yeux, scrutant la pénombre. Au plus profond du tunnel ferroviaire, à l'écart des autres habitations, deux cabanons se dressent. Ils sont hauts, collés l'un à l'autre contre la paroi, telle une tumeur proliférant dans un intestin. L'homme s'en va et me laisse seul.

Je m'approche, la lampe torche de mon portable allumée.

Devant la porte d'entrée, sous une espèce de porche, des ossements pendent au bout de cordelettes, livrés aux courants d'air. Crânes de petits animaux. Carcasses de poulets. De chats, de chiens. Sur les murs, de grandes croix ont été tracées à la peinture, et les deux toits supportent une collection de Vierges en plastique. L'ambiance est malsaine. Répulsive. Si le but était d'éloigner les autres sans-domicile, c'est réussi. Je toque à la porte.

Pas de réponse. J'hésite. La disparition d'Audrey m'inquiète, bien sûr, il faudrait probablement la signaler à la police. Mais la curiosité est trop forte. Maintenant que je suis parvenu jusqu'ici, pas question de rebrousser chemin.

Je pousse la porte d'un coup de pied. Elle s'ouvre sans résistance et je pénètre dans la maison du criminel qui a assassiné ma femme.

40

En pénétrant dans cette habitation de fortune, j'ai deux certitudes immédiates. La première : les flics ne sont jamais venus ici, sinon je serais au courant, l'existence de cet endroit aurait été consignée dans le dossier. Je suis donc le premier à l'avoir découvert.

La seconde : il s'agit bien du lieu où a vécu Carter Clay. Un certain nombre d'indices me le démontrent. L'abondance des symboles religieux, d'abord. Des croix sont tracées partout dans la pièce et des centaines d'illustrations pieuses, arrachées à des bibles ou à des magazines, sont collées sur les murs et les fenêtres. Les scènes représentent divers supplices infligés aux martyrs chrétiens : arrachage de dents, de langues, amputation de mains, décollement des visages... Je note la présence de nombreuses pages tirées d'un même livre, dont le titre est *Les Châtiments que Dieu va infliger à la France et à l'Europe coupables, moyen indiqué par Notre-Dame des Sept Douleurs pour s'en préserver, par l'abbé Olive, Édition de 1890.* Quel est ce charabia ? Tout cela témoigne de son délire mystique. Mais surtout, j'aperçois des souvenirs de la vie de Clay. Des clichés de sa famille. Ses frères et sa sœur, Francky, Brayton et Devlin que j'ai vus au tribunal. Et pour finir, au cas où subsisterait le moindre doute : une vingtaine de photos d'identité punaisées sur le mur montrent son visage.

Carter est là.

Un coup sérieux. Un coup souriant. Tantôt il louche. Tantôt il grogne, tel un animal sauvage, tirant la langue, le visage collé contre l'objectif. Vingt Photomaton idiots comme on peut en réaliser dans n'importe quelle cabine. On dirait qu'il se fiche de moi.

La colère et la haine m'envahissent.

Je m'approche pour mieux les observer. Les clichés sont vieux. La lumière de mon portable balaye sa tête de monstre chevelu, avec tous ses crucifix qui pendouillent.

Pourquoi a-t-il pris ces Photomaton ? Envisageait-il de se faire fabriquer de nouveaux papiers d'identité ? De s'inscrire au concours de Miss Monde ?

– Putain, Carter ! fais-je en ricanant. T'as vraiment une sale gueule ! T'es passé où, hein ? T'es chez toi ?

Évidemment, je n'obtiens aucune réponse. L'endroit semble abandonné depuis des lustres. J'examine le reste de sa cabane. En dehors du fatras pseudo-religieux, il y a peu de meubles. Une grosse armoire branlante, un matelas troué, des ustensiles de cuisine, un poste de radio, des boîtes de conserve vides, beaucoup de toiles d'araignées, c'est à peu près tout. Mais il y a une autre porte, au fond, qui donne accès à la seconde maisonnette. Je me demande ce que je vais y trouver.

Je saisis la poignée et tourne. Verrouillé. Je la secoue en vain. C'est une énorme porte en métal, très solide. Un truc qui n'a rien à faire ici.

L'armoire grince derrière moi.

Je me retourne d'un coup.

Un rat en sort nonchalamment, saute jusqu'au matelas, trottine le long du mur puis se faufile à l'extérieur. Mon cœur bat à tout rompre. Je sors de ma sacoche le pistolet de Youri et reviens à la porte.

– Carter !

Je donne un coup de pied dedans.

– Si tu es là, réponds, salopard !

Les images de Djeen passent devant mes yeux, comme autant d'éclairs brûlant mon cerveau. Son corps splendide percuté par un train. Son corps désarticulé qui s'envole. Son corps recouvert d'un drap. Son corps descendant dans une fosse.

J'ôte la sécurité de mon arme. Le sang martèle mes tempes. Mon esprit logique a disparu. Mes paroles me parviennent de loin, comme si je les prononçais sous l'eau.

– Montre-toi !

La haine m'a propulsé dans un autre monde. Je tremble, une main sur mon arme, brandissant de l'autre la lumière de mon portable. Et...

... il ne se passe absolument rien.

Rien du tout.

Une minute s'écoule. Mon esprit se calme peu à peu. Je relâche mes épaules. Range mon pistolet. Je me suis planté. Il n'y a personne, ici. Carter Clay y a vécu, mais c'était il y a longtemps.

– OK. Va te faire foutre... Voyons plutôt comment ouvrir cette porte.

J'examine la serrure. Pas question de tirer dedans comme un idiot. Ce genre de truc ne marche que dans les films. Dans la réalité, vous avez de bonnes chances de tout bousiller, ou de vous prendre un retour de tir dans la figure. Il y a de meilleurs moyens. Quand j'étais ado, j'ai cambriolé quelques caves. C'est moche, vous avez raison, mais autant que ça me serve aujourd'hui, n'est-ce pas ?

Je cale mon téléphone portable de façon qu'il m'éclaire.

Il s'agit d'une serrure à cylindre radial. Je devrais y parvenir. Je fouille dans ma sacoche de médecin et sélectionne quelques accessoires parmi ceux que je transporte d'habitude, en l'occurrence : un flacon d'eau stérile, une seringue, et une petite lame de scalpel. Puis je cherche un bout de carton dans la pièce. Il y a justement un reste de rouleau de papier toilette. Parfait.

J'ôte le papier et conserve le carton. À présent, au travail. Je découpe le carton pour constituer une longue bande fine d'environ cinq millimètres de large. Je replie l'extrémité de façon à former un crochet, et l'enfonce dans la serrure à l'aide de ma lame de scalpel. J'en laisse dépasser un morceau. Je coupe. Je recommence. Nouvelle bande fine, que j'enfonce à côté de la première. Puis je répète l'opération une troisième fois. Mes trois bandes étant enfoncées, j'introduis l'aiguille de ma seringue dans la serrure et j'injecte de l'eau. Le carton gonfle au contact du liquide. C'est ce qu'on appelle la technique d'auto-impression. Je me suis servi d'une matière molle et expansible pour remplir le cylindre et enfoncer à fond toutes les goupilles. Maintenant je remue délicatement le cylindre avec ma lame. Les goupilles remontent, puis s'arrêtent lorsqu'elles n'ont plus de contrainte car elles sont bien placées.

Clac.

Le cylindre s'ouvre. C'est gagné.

Tout à la joie d'avoir réussi, j'ouvre la porte et pénètre dans le second baraquement.

Pas une seconde je n'aurais pu imaginer la suite.

*

Il s'agit d'une pièce aveugle.

Pas de fenêtre. Pas d'issue. Il n'y a que des murs sur lesquels est peinte une phrase unique, taille géante. Les mots font le tour de la pièce au niveau du plafond. Les lettres possèdent une sinistre teinte brune et quelque chose me dit que, cette fois, ce n'est pas de la peinture. L'œuvre de Carter ? C'est probable.

Combien de fois l'a-t-il lue, prononcée à voix haute ? S'en est-il servi pour aiguiser sa volonté destructrice ? Comme une sorte de mantra ?

« POUR LA DOULEUR : FAIS-LE ! »

*

Je braque ensuite ma lampe vers le sol. Des dizaines de photographies sont éparpillées par terre.

Mon cœur se contracte, au point de me faire mal. J'ai l'impression qu'on me l'arrache, tant la douleur est atroce.

Car elles représentent toutes la même personne. La même femme.

Les clichés montrent un visage aux cheveux blonds. Tous ont été malmenés d'une façon ou d'une autre : rayés au stylo, déchirés au niveau du cou, froissés, percés de trous à la place des yeux… On devine la rage bestiale d'un tueur qui s'est longtemps acharné, avant de passer à l'acte.

Je récupère une photo de Djeen, et sens monter mes larmes.

En cet instant, ma souffrance est sans limite. Mais elle ne m'empêche pas de voir la réalité en face : ces clichés ont été pris à des moments divers, à des dates variées. Je le sais parce que chaque fois, Djeen est habillée d'une façon différente.

Donc ma femme avait raison. Clay la suivait. Sa mort n'a jamais été le geste impulsif d'un pousseur du métro, c'était un assassinat prémédité. Préparé dans cette pièce. Longuement nourri de haine.

Mes mains tremblent. Pourquoi Carter Clay a-t-il choisi de tuer Djeen ? Pourquoi avoir pris son temps pour la repérer, la traquer ? Est-ce que ça faisait partie de son délire mystique ?

Mes yeux glissent d'une image à l'autre. Elles sont anciennes, abîmées, cependant on peut encore voir qu'elles étaient de bonne qualité, cadrées correctement, et apparemment prises au télé-objectif. Je fronce les sourcils.

Pour moi, Clay est un psychopathe, un être plus proche de l'animal que de l'humain. Il n'y a qu'à contempler cet antre de cauchemar au fond d'un tunnel pour s'en convaincre. Ça ne cadre pas avec le travail que j'ai sous les yeux. On dirait des photos prises pas une agence de détectives.

Je fourre un cliché dans ma poche. J'ai désormais la preuve de ce que j'avance depuis toujours. Batista sera bien forcé de m'écouter, à présent.

*

Puis, alors que je relève le faisceau de ma lampe et éclaire le fond de la pièce, je découvre le corps d'Audrey.

41

Les nuits du juge sont difficiles. Voilà la phrase à laquelle pense Audrey Valenti.

Elle ne peut pas s'empêcher d'y songer, de la retourner dans sa tête, encore et encore. L'esprit humain est construit d'une drôle de façon. Elle est là, allongée sur le sol, les mains ligotées, blessée, déshydratée, enchaînant les épisodes de conscience et d'inconscience depuis deux jours (ou plus ? elle délire, alors elle n'est certaine de rien). En tout cas elle va mourir, voilà une certitude absolue. Pourtant, la seule chose à laquelle elle pense, c'est cette phrase stupide :

Les nuits du juge sont difficiles.

Sa mère l'a prononcée la dernière fois qu'elles se sont disputées. Elles se trouvaient aux Galeries Lafayette, l'un des hauts lieux de pèlerinage parisien, pour peu que l'on s'intéresse au shopping. Audrey y avait amené Rosa dans le but de lui dénicher un cadeau pour la fête des Mères.

Une mission délicate. Offrez un cadeau à Rosa et elle se plaint, assurant que tout cela est bien inutile, c'est pour les gogos, faire marcher le commerce, de toute façon elle n'a besoin d'aucune fantaisie. Mais ne lui offrez rien, et elle soupire durant des jours, se traînant tel un animal blessé, ravie de se faire plaindre par ses amies et voisines. « Ma fille a tellement de travail, que voulez-vous, c'est à peine si elle a du temps pour s'occuper d'elle-même, alors moi pensez donc, mais je ne vais pas m'en plaindre à mon âge, tout cela n'a plus d'importance. » Bref, cette fois Audrey a décidé de l'embarquer. Sortie entre filles. Sa mère choisit ce qu'elle veut. Comme ça, c'est simple pour tout le monde.

Les Galeries Lafayette sont un bel endroit. Audrey se croirait dans *Au Bonheur des dames*, ce livre d'Émile Zola qu'elle adore. Le hall principal avec ses arcades dorées et son immense dôme de verre bleu ressemble à un temple dédié à la beauté et au bien-être. Dans cette fourmilière, tout lui fait envie, les vêtements, les parfums, impossible de résister à autant de tentations. Sauf que ça ne rate pas : si Audrey suggère un sac à sa mère, alors il est trop chic (comprenez par là « je sais très bien que tu gagnes de l'argent, inutile de l'étaler »), si ce sont des boucles d'oreilles, alors elles ne vont avec rien (traduction « je ne possède pas de jolie robe assortie, moi »), et si c'est un livre, alors il est trop gros (ce qu'il faut interpréter par « tu es tellement sophistiquée, ma fille ! Tu ne pourrais pas lire des choses simples comme tout le monde ? »).

Alors Audrey sort respirer à l'extérieur, prétextant devoir fumer une cigarette, ce qu'elle fait d'ailleurs, car dans ces moments elle est même prête à s'envoyer tout le paquet d'un coup. Elle aspire de grandes bouffées de tabac sur le trottoir du boulevard Haussmann, les bras croisés, elle regarde les bus de touristes asiatiques, puis elle revient et la promenade continue.

À un moment, Audrey achète un smoothie à la fraise. Sa mère lui fait alors remarquer qu'elle a constamment l'air d'être au régime, d'ailleurs elle est trop maigre, pâlotte, ne ferait-elle pas un peu d'anorexie, cette maladie des mannequins dont on parle dans les magazines ? Et c'est la goutte d'eau qui fait déborder le vase. Audrey finit par lui avouer que cette sortie lui pèse, que l'opinion de sa mère, d'une façon générale, est pesante, au point parfois de l'empêcher de dormir la nuit.

Ah, les nuits du juge sont difficiles, hein ! commente Rosa de son air sarcastique habituel. Sur quoi Audrey dépose son smoothie au milieu du rayon. Puis s'en va en la laissant sur place.

Après cet épisode, elle ne lui adresse plus la parole durant trois semaines – ce qui représente une éternité, en unité de temps mère-fille.

Rosa a été terriblement blessée par l'épisode, Audrey le sait. Mais elles n'en reparleront jamais plus. Ce sera comme une faille entre elles, désormais, dans laquelle chacune évitera de s'engager par peur de l'agrandir.

Audrey Valenti soupire... (Ça n'est qu'une impression : en réalité elle pousse à peine un râle, tant elle est faible et asphyxiée par son bâillon.) Pourquoi pense-t-elle à cela maintenant ? Elle devrait avoir d'autres préoccupations. Les crampes musculaires atroces qu'elle éprouve, par exemple. Ses membres sont solidement ligotés par des liens en plastique. Son ravisseur les a serrés trop fort. Son sang circule à peine.

Pourtant tout cela est loin.

La seule chose qui la préoccupe, qui l'attriste, c'est cet épisode avec sa mère. Elle se dit que Rosa va s'en vouloir toute sa vie quand elle apprendra la mort de sa fille. Elle culpabilisera. Et la vieille femme n'a pas mérité ça. C'est idiot. Audrey aurait tellement voulu résoudre ce malentendu alors qu'elles en avaient encore l'occasion.

Est-ce une larme qui coule sur sa joue ? Peut-être. Peu importe.

Après tout, ce n'est pas si grave. Elle s'est résignée à l'accepter. Ça et le reste. Comme Christian. Il était un rêve. Un amour impossible qui ne se sera jamais concrétisé. Toute la vie d'Audrey n'aura été qu'un rêve idiot.

Elle a lu récemment un ouvrage sur la « marche à la mort » expliquée par la célèbre psychiatre Elisabeth Kübler-Ross. Audrey l'avait emprunté à la bibliothèque pour la préparation d'un procès, et aussi pour sa formation personnelle. Elle n'imaginait pas mettre si tôt ses nouvelles connaissances en pratique. Le livre énumérait les cinq étapes que franchit l'être humain lorsqu'il s'apprête à mourir. S'il existe un au-delà quelque part, Audrey pourra en témoigner auprès des âmes qu'elle y rencontrera : ces cinq étapes sont exactement celles qu'elle a traversées.

Étape Un : le déni

Lorsqu'elle a abaissé la vitre de sa voiture, que son ravisseur l'a empoignée par le cou et étranglée avec un lacet en plastique, son cerveau a refusé d'y croire. Ce n'était pas possible. Ça ne pouvait pas arriver là, en plein Paris, dans une ruelle passante éclairée par un réverbère. Quelqu'un allait forcément la voir et intervenir.

Elle a voulu crier. Peine perdue. Sa trachée ne contenait plus d'air. Elle n'a même pas eu le temps de voir son agresseur. Ni d'avoir peur. Elle n'a ressenti que l'envie de contester cette situation aberrante. Puis elle s'est évanouie.

Étape Deux : la colère

Pourquoi se réveille-t-elle dans ce taudis immonde ? Que fait-elle ligotée sur le sol ?

Elle ne sait pas qui est son ravisseur, mais il va payer ! Elle est juge, magistrate, bon sang ! Il faut être fou pour s'attaquer à elle ! Elle s'agite, jure, gigote sur le sol en terre brute, s'écorchant la peau. Elle est folle de rage. En particulier lorsqu'elle sent un insecte remonter le long de sa jambe ou se promener dans ses cheveux.

À plusieurs reprises, elle se casse des ongles en se tortillant. Chaque fois l'onde de douleur explose dans sa tête telle une flamme rouge. Mais cela ne fait que renforcer sa détermination et sa haine. Au diable la loi et ses serments de magistrate, elle sait se servir d'une arme. Qu'on lui en donne une et le coupable souffrira à son tour. Au centuple.

Étape Trois : le marchandage

Bon, son ravisseur a sûrement ses raisons. Il s'agit sans doute d'une personne qu'elle a envoyée en maison d'arrêt. Elle peut comprendre sa colère.

A-t-il agi pour se venger ? C'est probable. Il compte sûrement réclamer une rançon en échange de sa liberté. Tout va s'arranger. Il suffit d'attendre qu'il revienne.

Courage, Audrey !

Elle a faim. Terriblement soif. Mais elle est forte. Elle a travaillé dur pour accomplir ses études, elle sait maîtriser son cerveau et contraindre son corps à ignorer la souffrance.

Patience.

Étape Quatre : la dépression

Il ne se passe désespérément rien. Son ravisseur n'est pas revenu. Pas un signe. Pas un contact. Au début elle refusait d'y croire, mais elle est bien obligée de se rendre à l'évidence. Et elle sait ce que cela veut dire : c'est fichu. Dans tout enlèvement, les premières vingt-quatre heures sont cruciales. Le délai est largement dépassé. Son ravisseur a dû fuir. Ou bien il est mort. Dans tous les cas le résultat est le même : personne ne sait où elle se trouve.

Le désespoir l'a envahie. Son épuisement est total. Sans eau, sans ses médicaments, ses forces sont à bout. Désormais il n'arrivera plus rien. Elle va mourir, pour de bon. Elle l'a compris au plus profond de sa chair. Alors Audrey pleure, pleure, pleure sur son propre sort. Elle n'imaginait pas posséder autant de larmes.

Et quand elle a terminé, elle pleure encore.

Étape finale : l'acceptation

Plus de tristesse. Aucune douleur. Audrey est là, sereine. Finalement, c'est moins difficile que prévu.

Son esprit erre tel un oiseau sautillant de branche en branche. Elle volette et s'observe de haut. Son corps a triste mine. Sa bouche est totalement sèche, sa langue râpeuse collée à son palais. Ses paupières sont impossibles à soulever, même de quelques millimètres, et elle ne ressent plus ses membres. En fait, elle éprouve à peine les mouvements de son thorax et le passage d'un mince filet d'air à travers ses narines. Elle a l'impression d'être prisonnière d'une carcasse qui ne lui appartient plus.

Bah, ce n'est rien. Mourir n'est pas la fin du monde. L'univers est tellement grand et elle si petite, personne ne s'en rendra compte. Elle aurait seulement aimé accomplir plus de voyages. Cela doit être beau, toutes ces montagnes, ces déserts, ces pays aux coutumes étranges. L'important est qu'elle n'a plus mal. Elle se sent étonnamment... curieuse de la suite.

En revanche, elle est victime d'hallucinations. Tout à l'heure elle a même cru entendre la voix de Christian. Il jurait comme un charretier. On aurait dit qu'il tapait sur la porte. Ça lui a donné envie de rire.

Il était bel homme, tout de même. C'est dommage. La vie n'a aucun but, aucun sens, à part créer de l'amour, et elle ne le réalise qu'à la fin.

Audrey aperçoit l'image de Christian. Cette fois il est là, présent, il se bagarre contre une forme noire. Des coups de feu retentissent. Des flammes les entourent. La maison entière est en train de brûler – ou bien est-ce une dernière hallucination ? La fin ultime imaginée par son esprit ? Audrey s'en moque.

Ainsi s'achèvent les nuits du juge. Désormais elle ne ressent plus rien. Dans sa tête, elle sourit. Elle est prête. Ses muscles se détendent. Son corps se relâche. Ses pupilles se dilatent.

Et son cœur s'arrête.

Troisième partie

L'AUBE DU CROYANT

42

Audrey est allongée sur le sol. Dilatation pupillaire. Pas de pouls carotidien. Elle est en arrêt cardiaque. Cela vient tout juste de se produire, je l'ai vue remuer il y a quelques secondes. Elle a dû vouloir bouger en m'entendant pénétrer dans la pièce. L'effort de trop. Son cœur a lâché.

– Audrey !

Sauf qu'elle ne réagit pas. Bien sûr. Puisqu'elle est morte.

Pas de temps à perdre. J'ôte en vitesse un bâillon qui obstruait sa bouche, je lève ma main droite, referme le poing et l'écrase violemment sur son thorax. Coup de poing sternal.

– Reste avec moi !

Je reprends son pouls. Rien. Merde. Tant pis, on recommence.

Deuxième coup de poing – on ne sait jamais, c'est l'équivalent d'un mini-choc électrique externe, avec un peu de chance le cœur peut repartir. Cette fois l'impact produit un craquement hideux. Putain de bordel, je viens de lui fracturer une côte.

Et ses pulsations qui ne redémarrent toujours pas.

Bouge-toi, mon vieux. Chaque minute sans traitement réduit ses chances de 10 %. Dans trois minutes, son cerveau commencera à souffrir. Dans huit, les séquelles seront irréversibles.

OK. Du calme. On reprend les bases, mon petit Christian, tu sais faire. « ABC », comme au boulot. *Airways, Breathing, Cir-*

culation. Je note l'heure à ma montre. Déjà trente secondes de perdues. Le chrono tourne. C'est parti. D'une main je pose mon portable sur le sol et tape sur la touche que j'ai préprogrammée : le 15, l'appel du Samu. De l'autre, je vérifie que la langue d'Audrey n'obstrue pas le fond de sa gorge. C'est bon, l'air passe.

A : *Airways*. Libération des voies aériennes. C'est fait. On enquille la suite. B : *Breathing*. On assure la ventilation pulmonaire. Et C : *Circulation*. On fait circuler le sang. Je bascule sa tête en arrière et j'insuffle deux fois de l'air dans sa trachée en soufflant profondément. Sa poitrine se soulève, mais uniquement grâce à moi, dès que je m'interromps elle retombe aussitôt.

Je me redresse, pose mes mains à plat sur son torse sans plier les coudes, et j'enfonce le sternum de façon répétée, à une vitesse soutenue. Chaque fois que j'effectue ce geste, j'écrase son cœur et propulse le sang vers le cerveau. C'est comme si je gonflais un matelas pneumatique à la plage. Le problème est de tenir la cadence, environ cent compressions par minute. Si vous le faites bien, c'est très vite l'épuisement total. Et si les secours n'arrivent pas, bientôt c'est vous qu'on sera en train de réanimer.

Une sueur glaciale s'est formée entre mes omoplates, à cause de l'effort, mais aussi de la peur.

– Audrey, reviens bordel !

Une voix dans le téléphone. C'est le Samu qui s'adresse à moi. Je décline mon nom, la situation d'arrêt cardio-respiratoire, et surtout l'endroit où je me trouve, de la façon la plus précise, la plus claire possible. Puis j'explique que je suis seul et que je ne vais pas tenir longtemps.

– Accrochez-vous, on arrive, dit la voix.

L'hôpital est proche. Je sais qu'ils ne vont pas tarder. La voix persiste, ils ne raccrochent pas, ils ne raccrochent jamais. Au contraire, ils m'encouragent, ils me poussent à tenir bon, ils savent que c'est dur, ils comptent avec moi. « Et 1 ! et 2 ! et 3 ! et 4 ! et 5, 6, 7, 8 ! On y va ! On y va ! »

Je continuer de masser comme un forcené. Trente compressions, deux insufflations, trente compressions, et ainsi de suite. Je suis en nage. Mais j'en ai rien à foutre. Je vais sauver Audrey.

Coup d'œil à ma montre : trois minutes.

On est censé changer de sauveteur au bout de deux, pour ne pas s'épuiser et perdre le rythme.

— Audrey Valenti, il n'est pas question que tu partes, tu m'entends ! Tu restes avec moi !

Nouvelle prise de pouls. Je ne ressens toujours rien. Mais ça ne veut pas dire qu'il n'y a pas d'activité cardiaque. Juste que je ne peux pas le percevoir. Je prie pour qu'elle soit en fibrillation, c'est-à-dire en rythme anarchique, inefficace, mais présent. C'est la condition pour pouvoir lui administrer un choc électrique externe.

Dans les séries télé, on voit les médecins utiliser leurs palettes alors que l'électrocardiogramme est plat. C'est bidon. Le choc n'est possible que si une activité existe. C'est un bouton *reset*, une remise à zéro en espérant que le rythme va redevenir régulier. Tout ce que je suis en train de faire consiste à gagner du temps. C'est à Audrey de faire le boulot. Elle doit repartir. Elle doit le vouloir.

C'est un pari.

Notre vie tout entière est un foutu pari. Pour y arriver, il y a une sorte de dimension mystique. On doit y croire.

— Audrey ! Reste ici !

Le désespoir arrive, je peux le sentir s'insinuer dans ma tête. Masser quelqu'un que l'on connaît et que l'on aime est une expérience abominable. Je dois m'arrêter de parler. De penser. Économiser mes forces. Le temps s'étire à l'infini. Mon cerveau est au repos, comme s'il était extérieur à la scène. Tout se joue à un niveau inférieur, musculaire, primal, entre les efforts constants produits par mes bras tels des pistons implacables et le corps d'Audrey.

Mon esprit enregistre alors les choses suivantes :

La pièce sent la moisissure et la mort.

Quelques cafards parcourent le sol.

Des pierres entaillent mes genoux.

Une ombre s'approche par-derrière – c'est la lumière de mon portable qui me la révèle.

L'ombre tient quelque chose à la main.

Je baisse la tête. Pur réflexe.

Et la lame d'un énorme hachoir passe en vrombissant, à deux centimètres de mon cou, avant d'aller se planter dans la paroi devant moi.

43

Le Chien regarde la lame de son hachoir se planter dans le mur, incrédule. C'était son arme préférée. Celle avec laquelle il coupait les membres. Ce n'est pas juste.

Il a parfaitement calculé sa trajectoire. Il est arrivé sur la pointe des pieds. Kovak n'a aucune chance de l'avoir entendu, il est en train de masser sa copine. À cette seconde, le toubib devrait donc se trouver sur le sol, séparé en deux parties bien distinctes : le corps d'un côté, la tête de l'autre. Alors c'est quoi, ce bordel ? Il a un sixième sens ?

D'un coup de pied, le Chien envoie valdinguer le téléphone. La pièce plonge aussitôt dans le noir.

– CARTEEEEER ! se met à beugler Kovak.

Mauvais signe, songe le Chien. Le hurlement est puissant. Sans trace de peur. Ça ressemble plutôt à un cri de rage. Le toubib est furieux. Sûrement parce que le Chien a dézingué sa petite amie.

Ce n'est pas beau d'être rancunier comme ça. Est-ce qu'il est rancunier lui, alors que Kovak a complètement fait foirer son plan ?

Il venait exprès pour déplacer le corps de la juge et faire disparaître les traces de cette ancienne cachette. Et qui retrouve-t-il sur place ? Monsieur en personne. Comment Kovak, par tous les diables, peut-il accomplir de telles prouesses ? Si le Chien n'était pas occupé à le tuer, il s'arrêterait pour lui lancer quelques sifflets d'admiration et lui envoyer des bravos.

Il se met en position de combat et balance un coup de pied retourné qui balaye les ténèbres.

Un choc mou. Kovak grogne.

Le Chien sourit.

Bon, OK, il l'admet : il est un peu rancunier lui aussi.

Deuxième balayage. Deuxième choc.

Cette fois, Kovak hurle.

Le Chien l'a probablement touché à l'épaule, celle qui a été blessée récemment. En plus le toubib doit écumer de rage car il sait qu'il ne peut plus sauver son amie. Il va être obligé de se battre. C'est ainsi, hélas, on ne peut pas régler tous les problèmes en même temps.

Mmh, ça fait plaisir de savoir viser.

Il faut dire que, même dans le noir, le Chien se débrouille très bien. Ça fait des années qu'il pratique ce genre de sport. Il possède un avantage indéniable. D'un rapide jeu de jambes, il se déplace et fait jouer ses poings dans les ténèbres. Secouer ses muscles est un plaisir. Pas besoin de hachoir après tout. Il va se la jouer à l'ancienne. À la main.

Ses gants comportent des renforts métalliques au niveau des phalanges exprès pour ce genre de situation. Le cuir n'est pas facile à laver ensuite, surtout lorsqu'il y a des morceaux de dents ou de tissu cérébral qui s'y incrustent. Mais la sensation est plus brute qu'avec ses instruments habituels.

Voilà ce qu'il a décidé : après avoir laissé Audrey mourir, il va tuer Kovak au corps à corps, en brisant ses os les uns après les autres. Il comptait le garder en vie et s'en servir pour retrouver Djeen. Mais tant pis. Changement de programme. Il faut savoir s'adapter. La mort du toubib ne modifie pas fondamentalement les choses. L'objectif du Chien est quand même de distribuer ses petits comprimés jaunes à toute la planète. Tuer des gens au passage (enfin, les gens qui le méritent) n'est qu'un bonus. Ensuite, il effacera ses traces comme d'habitude. Et personne ne se rendra compte de rien.

– Carter, espèce de fils de pute !

BANG ! BANG ! BANG !

Le Chien en reste comme deux ronds de flan. Bon sang de bonsoir. C'était quoi ? Un flingue ? Chris Kovak a une arme et il est en train de lui tirer dessus ? Combien de fois ce type envisage-t-il de le surprendre ?

Le Chien bondit à l'extérieur et claque la porte métallique derrière lui. Puis il empoigne une barre de fer et la glisse en travers, de façon à bloquer l'ouverture.

À l'intérieur de la maison, les tirs ont cessé. Sans doute Kovak est-il retourné auprès de sa morte. Grand bien lui fasse. Il faut aller vite, le bruit ne va pas tarder à attirer du monde. Le Chien déverse le bidon qu'il a apporté et craque une allumette. La flaque d'essence s'embrase. Les flammes lèchent la baraque. Il fait le tour en vitesse, répartissant le reste sur les murs qui se mettent bientôt à brûler.

Et voilà. Rôtis à point.

– Essaye un peu de te sortir de cette situation, maintenant, monsieur je-sais-tout, dit le Chien.

Il se frotte les mains, ravi. C'est quoi déjà, la phrase dans la Genèse ?

Car tu es poussière, et tu retourneras à la poussière ?

Ouais. Chapitre 3, verset 19. Exactement ça.

Et il disparaît dans le tunnel.

*

Audrey est vivante.

Je ne sais pas comment c'est arrivé, mais voilà. Son visage est coloré, son torse se soulève, elle respire. Son pouls est régulier. Elle a même ouvert brièvement les paupières et prononcé quelques mots. J'ai compris les circonstances horribles de son enlèvement. Puis elle a refermé les yeux et à présent elle se repose.

Je devrais être fou de rage contre Clay, mais je n'en ai plus la force. Je me contente d'être là, allongé à côté d'elle. Je lui tiens la main. J'aimerais la prendre dans mes bras et la réconforter. Lui dire à quel point j'ai eu peur de la perdre. Pour le moment, mieux vaut économiser notre énergie et notre oxygène, et rester allongés pour respirer près du sol en attendant les secours. Les murs sont chauds. La fumée commence à me piquer les yeux. Je tousse. J'ai appelé les pompiers, en plus du Samu, en les pressant de faire vite. Les photos de Djeen qui se trouvent près des parois se racornissent déjà.

Clay nous a eus. Nous sommes piégés.

J'espère que mes balles l'ont atteint. Je n'ai pas eu l'occasion de bien le distinguer dans le noir, mais il était là, c'était lui, je n'ai aucun doute. Nous sommes comme le Yin et le Yang. Ou plutôt comme les deux pôles opposés d'un aimant. Il est mon ennemi juré, selon l'expression consacrée.

Oui, je sais, je délire. Je suis épuisé. J'ai confiance, cependant, les secours vont nous tirer d'affaire. Ou bien les habitants du squat, attirés par les flammes. Par chance, les lieux sont humides et l'incendie ne se propage pas vite. De toute façon si personne n'arrive d'ici à trente secondes, je vais me mettre à hurler aussi fort que je peux, et tant pis si j'avale de la fumée.

La porte s'ouvre... et ce ne sont ni les uns ni les autres, mais un homme seul. Il pénètre dans la pièce, évalue la situation d'un coup d'œil et me fait signe d'attraper Audrey. Sur le moment, je ne reconnais pas son visage. Je m'exécute sans réfléchir. Nous la saisissons, l'un par les pieds, l'autre par le torse, et nous émergeons de la maison en feu. Nous parcourons quelques mètres et la déposons sur le sol du tunnel. Je vérifie aussitôt son cœur et son rythme respiratoire.

– Elle va bien ? demande l'homme, inquiet.

– Oui. Dieu merci. Les secours arrivent, je les ai prévenus.

Des sirènes résonnent dans le lointain. Il frotte son menton comme s'il avait un dilemme à résoudre.

– Et vous, mon vieux ? Vous tenez debout ?

Son ton est plus sec. Curieusement, il a l'air beaucoup moins préoccupé par ma santé que par celle d'Audrey.

– Ça va.

Il remet son couvre-chef. Et je l'identifie alors : c'est l'homme à la casquette grise. Celui que j'avais repéré devant le commissariat rue de l'Évangile, dissimulé parmi les journalistes, et plus tard dans la salle d'attente de mon hôpital.

– Docteur Kovak, dit-il, le moment est malvenu, mais mon employeur a besoin de vous poser des questions. Ça concerne la mort de votre femme et un certain e-mail qui circule avec une vidéo.

– Hein ?

– Il va falloir me suivre.

– Quoi, maintenant ?

– Ça ne peut pas attendre. Les secours arrivent, comme vous dites. On risque de vous interroger. La police, la presse. Mon patron tient absolument à vous parler avant.

Je regarde Audrey. Elle a l'air endormie.

Je croise les bras.

– Désolé, mon pote, je ne bouge pas d'ici.

L'homme secoue la tête.

– Je savais que vous diriez ça.

Puis il sort une arme et me tire dessus.

44

Mon réveil est difficile. Je gis sur le sol et j'ai mal partout.

Casquette grise est toujours là, il patiente assis sur une caisse en bois dans le tunnel, il m'observe tranquillement en attendant que j'émerge.

– Vous m'avez tiré dessus !

– C'était nécessaire.

– Avec quoi ?

– Tranquillisant pour animaux. (Il tourne la crosse de son arme pour me la montrer.) Modèle haut de gamme. Le plus efficace.

– Combien de temps suis-je resté inconscient ? fais-je en me frottant la nuque.

– Quelques heures.

– Des heures ?!

– J'ai traîné votre corps à l'écart et je vous ai caché sous une couverture. Les secours ont emmené votre amie à l'hôpital. Ils ont dit qu'elle allait bien.

– Ils ne vous ont pas questionné sur votre présence ?

– Si. J'ai raconté que j'étais photographe et que j'étais là pour un reportage, lorsque j'ai aperçu les flammes et entendu les cris. Je vous ai libérés et vous avez filé sans explication. Les secouristes ont trouvé ça curieux, mais ils avaient d'autres chats à fouetter. Ils sont repartis en me félicitant pour mon civisme.

Je l'examine en me remettant debout.

Il est élégant. Costume gris, veston, cravate. Sa casquette est positionnée légèrement de côté et en avant, comme la porterait un mannequin dans un magazine. Une fantaisie vestimentaire attire mon attention : ses boutons de manchette sont de petits triangles roses. Discrets, mais leur couleur tranche avec le reste, qui est uniformément anthracite. Il a dit que son patron souhaitait m'interroger à propos de Djeen et de la vidéo. Ça m'intrigue, bien sûr.

— Et c'est qui, votre employeur ? Un caïd de la pègre ?

Il sort un calibre. Un vrai, cette fois-ci.

— Allez, Kovak. On bouge.

Pour une raison que j'ignore, ce type ne m'aime guère. Je marche péniblement vers la sortie du tunnel. Pas côté squat, l'autre bout. En regardant en arrière, je constate qu'il n'y a plus de fumée. Le baraquement n'est plus qu'un tas de cendres – avec ma sacoche et mon arme à l'intérieur. Je ne vois personne. Dehors, il fait presque nuit.

— Comment vous appelez-vous ? je demande.

Je ne m'attends pas à ce qu'il me réponde. Dans les films de gangsters, quand le gars révèle son nom, il vous tue ensuite.

— David Zimmermann.

Mince.

— Et... vous avez vu Carter Clay ?

— Qui ?

— Le psychopathe qui a enlevé la femme qui se trouvait avec moi. C'était son repaire.

Zimmermann a l'air surpris.

— À part vous, mon vieux, je n'ai vu personne.

Je réfléchis. D'après mes informations, Clay a choisi cet endroit parce qu'il comporte un accès aux Catacombes. Il a dû emprunter le passage en question pour prendre la poudre d'escampette.

On remonte le talus jusqu'à un trou dans un grillage. Derrière se trouve une friche industrielle. Sur une esplanade déserte est garé un Cayenne GTS de couleur blanche aux vitres teintées. David Zimmermann range son pistolet dans sa poche. Un déclic. Les phares de la Porsche s'allument.

— Montez à l'avant, Kovak. Côté passager.

— Ah ? Ce n'est plus un enlèvement, en fin de compte ?

— Asseyez-vous.

Son visage est toujours aussi fermé, l'expression sévère.

Je m'exécute. Une série de secousses électriques : le siège s'ajuste automatiquement, recule et libère de la place pour mes jambes. Les quatre pots d'échappement vrombissent au démarrage en produisant un bruit énorme semblable à un moteur de Harley. Zimmermann ne m'a pas brutalisé. Enfin, pas trop. Donc il n'a sans doute pas l'autorité pour le faire. Tant mieux, l'hypothèse « gangster » s'éloigne. Voyons ce que je peux apprendre en le poussant un brin dans ses retranchements...

— Vous m'épiez depuis plusieurs jours, n'est-ce pas ?

Il m'adresse un coup d'œil dédaigneux, actionne le levier de vitesse, et nous filons.

— Vous ne m'aimez pas. Qu'est-ce que je vous ai fait ?

Mutisme intégral.

— David ? Vous me répondez ?

Il écrase la pédale de frein et se tourne vers moi.

— Évitez de m'appeler David.

— Vous m'avez shooté avec un tranquillisant. Ça crée des liens.

— Je n'avais pas le choix.

— Ah bon ?

Il se renfrogne :

— Je vous observe de temps en temps, c'est vrai. Mais je ne passe pas mon temps à enquêter sur vous. Je m'y colle, mais ça ne m'amuse pas. Il se trouve que j'étais là aujourd'hui. Quand vous êtes descendu sur la ligne ferroviaire, votre petit manège m'a intrigué. J'ai perdu votre trace à cause d'un groupe de Roumains.

J'ai dû remonter et me garer plus loin. Je vous ai retrouvé ensuite à cause de l'incendie.

– Vous êtes quoi, détective ?

– Chef de sécurité d'entreprise.

– Votre job implique l'enlèvement des personnes ?

– Mon job implique d'obéir aux ordres, répond-il sèchement. Mon patron voulait en savoir plus sur votre compte alors je le renseigne, c'est aussi simple que ça. Il veut vous rencontrer, je vous amène. Ça ne me plaît pas forcément, mais je fais ce qu'on me demande.

Il plaque ses mains sur le volant et poursuit :

– Vous voulez me faire la morale ? Je vous ai juste neutralisé. Vous, en revanche, vous étiez dans un cabanon sordide en compagnie d'une femme disparue depuis deux jours et retrouvée dans un sale état. D'après vous, qui est le plus louche ?

Je sors la photographie de Djeen que j'ai récupérée dans la maison et la lui colle sous le nez. Elle représente Djeen dans l'un de ses endroits favoris : sur les marches du Sacré-Cœur, au sommet de la butte Montmartre. Elle aimait s'y promener seule, pour l'inspiration, généralement tôt le matin lorsqu'il y a peu de monde. Le cliché a été pris de loin. Sans doute au téléobjectif.

– Cette photo de ma femme, c'est vous qui l'avez prise ?

Il l'examine.

– Non.

– Vraiment ?

– Je viens de vous le dire.

Il repart énervé en faisant gronder le moteur. Nous nous engageons sur le périphérique. Son bolide circule tel un avion de chasse filant au ras du sol. J'observe encore un peu Zimmermann.

– D'accord, fais-je en rangeant le cliché. Donc, si vous n'êtes pas là pour me tuer, et si ce n'est pas vous qui avez organisé la surveillance de ma femme il y a trois ans, vous voulez quoi ?

– Je vous l'ai dit, mon patron souhaite vous voir.

– Qui est-ce ?

– Le même que celui de Djeen.

– Donc, vous la connaissiez.

– Je n'ai jamais dit le contraire. Votre femme a travaillé pour lui, ce n'est pas un secret.

– Vous ne m'avez toujours pas donné son nom.

– Elon Tectus.

– Le milliardaire ?

– Oui.

Je me renfonce dans mon siège en silence.

Bien. Enfin nous y voilà.

45

Je réfléchis pendant le trajet en voiture. Difficile de ne pas connaître le nom *Tectus* : il est inscrit sur la plupart de vos boîtes de médicaments.

Certes, vous n'y avez probablement jamais prêté attention. En général, on se contente de retenir la dénomination du produit, c'est déjà un effort assez compliqué. Surtout s'il s'agit d'un composé générique imprononçable, du genre *amoxicilline + acide clavulanique*. Mais qui fabrique ça ?

Eh bien, c'est lui. Entre autres. Son nom figure sur le côté, accolé à un petit logo en forme de coquillage. Le tectus est un mollusque. *Tectus*, en latin, signifie « couvert », mais aussi « caché » ou « souterrain ». Elon Tectus en a fait son symbole.

Les laboratoires pharmaceutiques ne sont pas nombreux. Ils sont puissants et tentaculaires, leurs ramifications internationales vont bien au-delà de ce que vous pouvez imaginer. Aujourd'hui, on lance une maladie, et le traitement qui va avec, comme on lancerait une marque de jeans. Vous voulez des exemples ? En 2007, Pfizer a lancé la fibromyalgie *et* le Lyrica. Bénéfice du nouveau médicament : 1,8 milliard de dollars. Autre cible privilégiée : nos états d'âme. Désormais tout relève de la psychiatrie, avec le traitement correctif adéquat, bien sûr. On ne parle plus d'humeur tatillonne avant les règles mais de « trouble dysphorique prémenstruel ». Terminé la colère au volant : c'est un « trouble explosif intermittent ». Quant à l'esprit réfractaire (Kovak, votre serviteur, en tête de liste), il est nommé « trouble oppositionnel avec provocation[1] ». Djeen a longtemps oscillé d'un traitement à l'autre pour calmer son angoisse face à la foule ou sa fatigue chronique, comme beaucoup de syndromes Asperger.

Mais ce serait complètement idiot de diaboliser les laboratoires. La vérité est que si vous voulez des médicaments performants, novateurs, qui vont vous soigner pour de bon, il faut investir, et donc gagner de l'argent et faire du commerce. C'est comme ça. Ou bien retourner à l'âge des cavernes et se soigner avec des feuilles d'ortie. Bienvenue au XXIe siècle.

*

Les tours de la Défense dressent leur silhouette colossale dans le ciel qui va en s'assombrissant. Aujourd'hui les gratte-ciel sont devenus de plus en plus nombreux, au point de ressembler à un morceau de Manhattan, avec toutes ces lumières qui scintillent. Difficile de ne pas être impressionné par une telle démonstration du pouvoir humain. Et même surhumain. Devant ce spectacle, « le Règne, la Puissance et la Gloire » sont les seuls mots qui me viennent à l'esprit.

David Zimmermann s'arrête devant un building aux arches entrecroisées. Nous descendons du véhicule et je me tords le cou pour regarder le sommet : cela fait penser à un œuf.

Un chauffeur repart avec le bolide et nous pénétrons dans le hall. Sol en marbre. Comptoirs luminescents. Murs de béton. Des courbes et du blanc partout. Mon regard s'arrête sur un panneau de plusieurs mètres de hauteur sur lequel des milliers de lampes

---

1. D'après une enquête d'Anne Crignon et Nathalie Funès, *Le Nouvel Observateur*, 13 janvier 2011.

LED s'allument pour former une sculpture lumineuse évolutive. L'ensemble évoque un arbre en feu, comme le Buisson ardent.

– Votre patron aime bien les symboles, fais-je remarquer.

– Le blanc est un signe de pureté, dit Zimmermann.

– Je parie qu'ils disaient la même chose en Afrique du Sud.

Il hoche la tête. On dirait qu'il hésite entre m'écrabouiller la figure et poursuivre sa mission de convoyeur. Les portes d'un ascenseur s'ouvrent. Nous grimpons dans un chuintement (petite sensation désagréable lorsque mon estomac descend, puis remonte). Arrêt. Quelques pas. Zimmermann me pousse dans un appartement.

– Changez-vous. Il y a une douche et des vêtements propres.

– Vous ne m'accompagnez pas, David ?

– Allez vous faire foutre, Kovak.

– Moi qui croyais au début d'une belle amitié.

Il claque la porte derrière moi. Je prends effectivement une douche. Profite un peu de la vue, à poil, devant l'une des plus grandes baies vitrées de la capitale. Croque une pomme, prise sur un plateau de fruits, en regardant vite fait les dernières nouvelles sur une chaîne d'infos. On commence à parler de « l'affaire de la magistrate enlevée et retrouvée dans un squat ». C'est juste un flash, où il est précisé qu'elle va bien. Aucun nom n'est cité pour le moment, mais je sens que ça s'agite, ce qui n'est pas pour me déplaire : tout cela est relié à Clay, et à la mort de Djeen, d'une façon ou d'une autre, et j'en ai marre que l'enquête des flics fasse du surplace. Tout ce qui peut contribuer à secouer les branches de l'arbre et faire capturer Carter m'intéresse. En particulier, je suis assez curieux de savoir pourquoi l'ancien patron de Djeen tient soudain à me parler *tout de suite, avant que la police ou la presse ne m'interroge*. J'enfile un costume de lin confortable – blanc, je l'aurais parié – et en route pour le dernier étage.

Elon Tectus m'attend sur le toit de sa tour. Il est en train d'effectuer un parcours de golf. En toute simplicité. Je le retrouve au milieu d'un incroyable jardin à l'air libre, sur un green minuscule, mais au gazon impeccable, entouré de cinq drapeaux blancs aux emplacements des trous. Il a un club à la main. On dirait un général hésitant sur sa tactique. En face, les arches se rassemblent pour dessiner un genre de symbole Omega.

— Mon chef de la sécurité vous surveille depuis un moment et il ne vous aime pas, attaque Elon Tectus sans préambule.

— Ah bon ?

— Il prétend que vous êtes une menace pour les gens qui vous entourent.

— Moi je l'aime bien. Il a de très jolis boutons de manchette roses.

Tectus ne relève pas. Il frappe un coup tout en douceur et la balle atteint son but. Il se retourne vers moi, club sur l'épaule.

— Vous savez qui je suis ?

— Oui.

— Notre chiffre d'affaires annuel est de 40 milliards de dollars. C'est le PIB d'un pays de taille respectable. Comme le Panamá.

— Vous citez ce pays au hasard ? Ou parce qu'il s'agit d'un paradis fiscal ?

— Je n'ai rien à me reprocher de ce côté. Ni d'un autre.

— Tant mieux pour vous.

— Cette entreprise est la septième de France.

— Belle réussite.

— J'ai dîné avec votre président la semaine dernière. C'était au pavillon de la Lanterne, sa résidence d'État à côté du château de Versailles. Il n'y invite que les proches.

— Je suis certain que les photos dans *Paris Match* seront superbes.

— Docteur Kovak…

— Ah ! fais-je en l'interrompant volontairement. Enfin un peu de considération !

— Pourquoi cet air narquois ? J'ai le sentiment que ce qui arrive vous réjouit. Toute cette histoire, cette agitation…

Je m'apprête à formuler une nouvelle remarque sarcastique. Mais je me retiens. Elon Tectus ne m'a pas fait venir pour le plaisir de la joute verbale. Il me jette son portable entre les mains.

– J'ai reçu ça, dit-il.

La vidéo sur Megascope. L'image est en arrêt sur le visage de Djeen.

– Il y a aussi un e-mail, poursuit-il. Le texte dit : « Je sais ce que vous avez fait ». Si vous étiez à ma place, qu'en penseriez-vous ?

– Cela suggère que vous avez quelque chose à voir avec la mort de Djeen ?

– Oui. C'est aussi mon avis.

Il me reprend le téléphone.

– Et ça ne m'arrange pas. D'autant que j'aimais bien votre femme. Vraiment bien.

Je le jauge. Je me demande ce qu'il entend par là. Il n'est pas jeune. Mais il est puissant. Bel homme.

Il y a quelques jours, Audrey m'a dit que Djeen était séduisante et qu'elle avait forcément eu des admirateurs. Et aussi qu'elle avait dû éprouver des désirs et des envies, comme toutes les femmes. Je ressens une bizarre pointe de jalousie rétrospective.

– Savez-vous sur quoi travaillait votre épouse ? demande Tectus.

– Bien sûr. Elle fabriquait des images de synthèse. Elle créait des environnements virtuels.

– Certes. Mais plus précisément pour notre entreprise ?

– Elle n'entrait pas dans les détails. Vous êtes un laboratoire pharmaceutique. Je suppose qu'elle concevait des décors pour vos publicités.

– Absolument pas.

Je hausse les sourcils.

– Comment ça ?

– Djeen Kovak avait signé une clause de confidentialité, ce qui est normal. Elle n'avait pas le droit d'en parler, même à vous. Elle travaillait sur un nouveau type de traitement. La thérapie contre la douleur grâce à l'utilisation des images virtuelles.

Là, Elon Tectus m'en bouche un coin.

– Je ne vous suis pas, dis-je.

Il fait tourner le club de golf dans sa main.

– C'est assez facile à comprendre. En fait, le principe n'a rien d'original. Lorsque vous avez mal, la sensation de douleur peut être réduite si l'on vous place dans un environnement propice. N'importe quel patient le sait. Il suffit de s'asseoir dans un jardin comme celui-ci, avec des odeurs apaisantes et le bruit de l'eau, pour se sentir mieux. L'astuce, c'est que le jardin n'a pas besoin d'être réel. Si votre cerveau y croit, ça marche aussi.

– Vous créez des jardins virtuels ?

– Pas des jardins. Des mondes. Des univers apaisants. En fait, ces univers existent déjà. L'exemple le plus connu concerne la thérapie des grands brûlés.

Je hoche la tête. J'en ai entendu parler à l'hôpital.

– Depuis plusieurs années, poursuit Tectus, les Américains de l'université de Washington développent un programme de réalité virtuelle appelé *SnowWorld*.

– Le Monde des Neiges.

– Oui. Les participants mettent un casque de réalité virtuelle et on les plonge dans un univers froid. C'est une sorte de jeu, ils doivent manipuler de la neige, jeter des boules sur des pingouins. On leur passe en même temps de la musique apaisante dans le casque. Les résultats sur le cerveau sont stupéfiants. La douleur que ressentent les grands brûlés diminue de façon considérable, notamment pendant les moments où ils effectuent leurs soins médicaux ou leur kinésithérapie[1].

– Et vous envisagez d'appliquer ça à d'autres patients que les brûlés ?

---

1. *SnowWorld* existe. Les thérapies antidouleur par réalité virtuelle sont authentiques. En 2016, une étude réalisée au célèbre hôpital Cedars-Sinaï de Los Angeles a démontré une efficacité de la *VR Therapy* comparable aux antalgiques opiacés, sans leurs effets secondaires.

– À tous les types de douleur, dit Tectus. Les gens amputés d'un membre qui souffrent de douleurs fantômes. Les migraineux. Les cancers. Les douleurs aiguës, les douleurs chroniques, le champ est infini.

Il pousse un soupir et appuie le manche de son club sur le sol.

– Votre femme travaillait sur une application mobile. Un programme pour téléphone portable. Vous n'aviez plus qu'à encastrer votre téléphone dans un casque de réalité virtuelle et à vous allonger chez vous. Le programme faisait le reste. C'était facile à utiliser. À la portée de toutes les bourses. Un peu comme de la relaxation, mais en beaucoup plus puissant.

Son regard se perd dans le lointain.

– Le *SnowWorld* des Américains souffre de pauvreté graphique. Or l'immersion est essentielle. Pour que cela fonctionne, il faut que le cerveau se croie dans le décor, afin de détourner son attention de la douleur. Les créations de votre femme dans les univers enneigés étaient époustouflantes. C'était... superbe.

– Qu'est-ce qui n'a pas fonctionné ?

– L'exploitation du produit n'était pas à la hauteur. Pour le développer, il aurait fallu engager d'autres graphistes, des spécialistes par wagons entiers.

Il me fixe.

– Je vais être honnête avec vous, docteur Kovak. À l'heure actuelle, il est plus facile de traiter les gens à l'aide de simples pilules, mais je ne désespère pas. On peut mieux faire et on y parviendra un jour.

Il se redresse.

– Mon grand-père a créé cette entreprise après avoir survécu aux camps de concentration. Pour aider son prochain. Aujourd'hui, je l'ai menée à son apogée. Entre ma rémunération fixe et mes bonus, je gagne 17 millions d'euros par an. Mon salaire est le résultat de nos progrès scientifiques, je le mérite, je suis comme un joueur de football ou un pilote de Formule 1... Mais ça ne m'intéresse plus. J'ai besoin d'aller au contact des autres. De faire le bien. Cette expérience avec votre épouse m'a ouvert les yeux. Elle voulait le bonheur des gens, créer la paix. Moi aussi, mais d'une façon différente. C'est pourquoi j'ai décidé de me lancer en politique.

— Je l'ai lu dans le journal. Président de région ?

Il sourit.

— Pour commencer.

— Et mon épouse, dans tout ça ?

Il se rapproche de moi. J'ai l'impression de voir une onde de choc s'avancer au ralenti.

— Je n'ai rien à voir avec la mort de Djeen, dit Elon Tectus en me fixant droit dans les yeux. Rien à voir du tout. Je n'ai strictement rien à me reprocher.

Il s'approche encore.

— Et vous, docteur Kovak ?

— Moi ?

— Avez-vous un lien avec son décès ? Ou son apparente résurrection ?

Je soutiens son regard perçant.

— Qu'est-ce que vous insinuez, Tectus ?

— Djeen est morte, oui ou non ?

— J'ai identifié le cadavre de ma femme à la morgue. Ça vous ira comme réponse ?

— Pourquoi ai-je reçu cet e-mail ?

— Comment voulez-vous que je le sache ?

— C'est une forme de chantage ? Vous espérez m'affaiblir, comme si vous me refiliez un vilain virus ?

— Vous êtes parano. Je n'ai que faire de votre campagne électorale. Et si j'espère une chose, c'est que le criminel soit puni.

— N'est-ce pas déjà le cas ?

— La situation a évolué.

— Ah bon ?

– Eh oui.

– Mais vous, Kovak, vous n'y êtes pour rien.

– Je subis les conséquences. Tout comme vous.

– Je ne subis rien du tout !

Sa voix tonne, et je sursaute.

– Je vais être très direct, reprend-il un ton plus bas. J'ai appris toutes sortes de choses sur votre compte. Djeen a été assassinée, certes, et c'est dramatique. Mais vous êtes un bien curieux personnage. Il y a votre passé de toxicomane. De la délinquance pendant votre adolescence. Et aujourd'hui encore, on vous retrouve en compagnie de cette autre femme, une juge, enlevée dans des circonstances étranges et retrouvée à demi morte, selon David. Vous êtes mêlé à de drôles d'histoires, vous ne trouvez pas ? Vous n'avez pas encore de casier judiciaire, mais je suis sûr qu'il suffirait d'un rien pour que cela arrive. Une intervention de ma part, par exemple...

Il claque sèchement des doigts.

– Et d'un coup, tout s'arrête ! Adieu, votre métier. Votre carrière !

Je reste pétrifié... mais pas par ses menaces. Comment Elon Tectus peut-il connaître autant de détails sur mon passé ? C'est impossible. Son chef de la sécurité m'a avoué lui-même qu'il ne passait pas son temps à enquêter sur moi. Est-ce... Djeen, elle-même, qui lui aurait fait ces révélations ? À quel point étaient-ils intimes ? Était-elle devenue sa maîtresse ?

La colère, la jalousie, la déception m'envahissent.

– Je mène une campagne, assène Elon Tectus. Et je compte bien la gagner. Les sociaux-démocrates ont besoin d'un nouveau leader. Ce sera moi. Je vous ai fait venir pour une seule raison : vous mettre en garde. Cessez de vous agiter. Ne convoquez pas les médias devant un commissariat à tort et à travers. Ne me mettez pas en cause, Kovak. En aucune façon. Je ne sais pas d'où viennent ces e-mails malveillants, ni ce que vous trafiquez avec les flics, ou avec cette juge que vous fréquentez de manière très opportune, peut-être dans l'espoir que la justice s'intéresse à votre affaire. Mais si jamais vous citez mon nom dans la presse, si jamais vous me salissez avec votre histoire criminelle, juste pour que les journaux à scandales s'intéressent à vous une fois de plus, vous m'aurez comme ennemi. Personnellement. J'appréciais Djeen, mais je ne vous aime pas. Et s'il faut vous détruire, je le ferai. Est-ce que je me suis bien fait comprendre ?

Son visage se referme telle une porte me claquant à la figure. Il pose un doigt sur ma poitrine.

– Ne venez pas me chier dans les bottes, Kovak.

*

Dans l'ascenseur qui redescend, j'ai l'impression d'avoir été giflé. Les portes s'ouvrent à mi-parcours. Une femme entre.

Elle est superbe. Elle fume une longue cigarette alors que des panneaux d'interdiction sont affichés partout. Ça n'a pas l'air de beaucoup la perturber.

– Alors, il vous a fichu la trouille ? demande-t-elle.

– Pardon ?

– Elon. Sa carrière politique. Tout le bla-bla.

– Excusez-moi… Vous êtes qui ?

– Wanda. Son épouse.

Elle tire une longue bouffée et me reluque. Ses yeux descendent tranquillement.

– À votre place, je le prendrais au sérieux, dit-elle.

Elle appuie sur le bouton. L'ascenseur reprend sa descente. Elle s'adosse à la paroi et continue de m'examiner.

– Il croit à ce qu'il dit, même si c'est un menteur invétéré.

– Il est très puissant.

– On ne le devient pas sans mensonge. Il a retourné sa veste.

– Ah bon ?

– Aujourd'hui, social-démocrate. Hier, à l'opposé. Ces dernières années, il s'entiche facilement de nouvelles passions, et les gens passionnés sont les plus dangereux.

Les portes s'ouvrent. J'avance dans le hall désert.

– Christian ? dit Wanda.

Je me retourne vers elle.

– Quoi, vous connaissez aussi mon prénom ?

– Je connais des tas de choses.

Je baisse la tête.

– Vous ne vous sentez pas bien ? demande-t-elle.

– Pas vraiment.

Elle prend mon bras et se colle à moi.

– Vous avez besoin d'un verre. Je connais un endroit. Venez, ça va vous intéresser.

46

Il est tard. J'ai l'impression de vivre la plus longue journée de ma vie. Ce matin, je me trouvais dans un dispensaire pour SDF où j'ai rencontré un cul-de-jatte. À midi, j'ai sauvé Audrey d'une maison des cauchemars et survécu à Carter Clay en personne. Ce soir, j'ai hérité d'un ennemi infiniment plus puissant. Et maintenant, la femme de cet ennemi m'entraîne Dieu sait où, dans les profondeurs de la Défense.

Nous descendons dans un parking souterrain. Wanda ouvre une porte anodine et nous marchons dans un couloir technique. Nous sommes seuls. Elle me tient la main. Tout est bizarre.

– On est où ? je demande.

– Approximativement sous le centre commercial.

– Qu'est-ce qu'on fait là ?

– On va boire un verre.

Le couloir tourne et se termine. Nouvelle porte en fer, encadrée cette fois par deux videurs sortis de *Men In Black*, armes et oreillettes comprises. Le plus costaud lève la main pour nous barrer la route.

– Laissez-moi faire, dit Wanda.

Elle sort son smartphone et lance une application nommée « UK ». Un carré rempli de petits dessins géométriques apparaît.

– Qu'est-ce que c'est ? dis-je.

– Un flashcode.

Elle le présente au videur qui scanne l'image.

– Notre clé pour entrer, précise Wanda.

L'homme ouvre la porte sans prononcer un mot. Nous nous glissons entre les deux cerbères aussi immobiles que des statues. En passant je remarque les lettres « UK » imprimées au dos de leurs vestes, cette fois sur un énorme crâne blanc.

Wanda me chuchote à l'oreille :

– Je fais partie d'une société secrète.

– Vraiment ?

– Peut-être bien… Qui sait ?

Elle rit comme une gamine et m'entraîne dans un escalier en fer. Le bruit de nos pas résonne. L'air sent la poussière et le détergent.

Nouveau corridor éclairé à présent par des néons anciens et crasseux. Certains clignotent de façon épileptique, comme dans les films d'horreur. Toujours personne. Si je n'étais pas en compagnie de Wanda, je me tirerais d'ici en courant. Au milieu du couloir, une ouverture a été pratiquée dans la paroi à coups de masse. Un trou béant aux bords déchiquetés. Wanda s'arrête devant cette entrée étrange.

Au-delà, de petites bougies ont été disposées les unes derrière les autres sur le sol, qui est en terre brute. Leurs flammes s'éloignent dans l'obscurité comme pour nous guider sur un chemin menant vers un autre monde. Leur faible halo se perd dans un espace immense. Nous sommes au seuil d'un lieu gigantesque. Dans le lointain résonne le grondement d'une musique techno.

– Prêt à passer de l'autre côté du miroir ? demande Wanda d'un air mystérieux.

J'acquiesce.

– Prêt.

– Dans ce cas, allons-y.

*

Crépitements lumineux. Flashs. Sons assourdissants. La musique entraîne les corps dans une ondulation perpétuelle. Des couples dansent au ralenti, prisonniers de la lumière stroboscopique.

Certains sont habillés. D'autres entièrement nus. Beaucoup sont déguisés, en anges, en démons, en bêtes. Ils portent des chaînes. Ils se lèchent. Ils ont des rapports sexuels debout, contre un mur, à même le sol, dans la terre. L'atmosphère est âcre, piquant les yeux et la gorge, mélange de fumée de cigarette, de fumigènes et de cannabis. L'alcool coule à flots. Je vois des filles s'en verser sur les seins. D'autres se frottent entre elles. Les lumières sont aveuglantes. Puis s'éteignent. Repartent, tournent. Tout est conçu pour perturber les sens. J'enjambe des corps d'hommes et de femmes qui s'étreignent sur une couverture. Une fille tente de me griffer au passage. Plus loin, quelqu'un portant un masque de porc rampe en poussant des cris. D'autres s'agitent à l'intérieur d'une cage, sous la lumière noire, la taille harnachée de ceintures et d'objets lubriques.

Wanda me tient la main et me guide à travers la foule. Des inconnus des deux sexes me jettent des regards impudiques. Certains m'effleurent les joues, les fesses, les cuisses. Quelqu'un m'embrasse dans le cou, à pleine bouche. Les propositions affluent. La chaleur est étouffante.

Soudain la musique redouble et les gens se déchaînent. Partout la danse, la drogue, la sexualité effrénée. Un vertige, un délire comme je n'en ai jamais vu.

– Allons plus loin, dit Wanda à mon oreille.

*

Je sors et la suis dans une autre pièce, haletant, en manque d'air.

– Où sommes-nous ?

Wanda sourit.

– Impressionnant, n'est-ce pas ?

– Comment un tel espace peut-il exister ?

La salle où nous entrons est plus petite que le lieu que nous venons de traverser, mais elle équivaut encore à un hall de gare. Seuls quelques îlots de lumière permettent d'en appréhender les proportions. Comme la précédente, elle est pour l'essentiel plongée dans l'obscurité. Sol en terre. Piliers de béton. Poutres de soutènement. Passerelles de métal. De nombreux tags sur les murs témoignent du passage régulier d'explorateurs urbains.

Wanda se laisse tomber dans un pouf en cuir posé au milieu des gravats. Je m'assois sur une pierre recouverte d'un coussin, face à elle. À proximité, un bar éphémère luit dans la pénombre. Son comptoir est posé sur des containers, habilement décoré par des LED. Des serveurs à demi nus vont et viennent d'une table improvisée à l'autre – ces dernières n'étant, pour la plupart, que des caisses renversées sur lesquelles sont disposés des photophores et des verres.

Wanda allume une cigarette.

– Nous nous trouvons sous la Défense, dit-elle en tirant une bouffée. Dans les vides immenses emprisonnés sous les buildings. Cet endroit s'appelle la Cathédrale. Il y a cinq mille mètres carrés de souterrains totalement abandonnés. Ils sont inutilisés, piégés entre l'autoroute, le métro et le RER. L'espace où nous sommes a été creusé dans les années 50 pour prolonger la ligne 1 du métro. Finalement le tracé a été modifié. La plupart des gens ne savent même pas que ça existe. Ils marchent au-dessus, ils font leurs courses, ils mènent leur petite vie tranquille, tandis qu'en dessous, parfois, certains organisent des fêtes improvisées. Comme ce soir.

Un homme en string, très musclé, vient déposer deux verres d'alcool devant nous. Wanda reluque impunément ses fesses puis son regard se tourne vers moi.

– Alors, dit-elle. Qu'en pensez-vous ?

– Pour être honnête, j'ai eu l'impression d'être un plongeur en apnée dans les profondeurs d'un lac.

Elle rit.

– Et encore, vous n'avez pris aucune substance !

Elle me jette un comprimé jaune.

– Buvez l'alcool. Prenez le comprimé. C'est comme dans *Alice au pays des merveilles*. Buvez-moi. Mangez-moi.

– Qu'est-ce que c'est ?

– Du Captagon.

J'ai un mouvement de recul involontaire. C'est la drogue que je soupçonne d'être à l'origine de la violence du SDF qui a tout cassé aux urgences. J'ai même suggéré à notre surveillante hospitalière de faire une expertise de laboratoire.

– Quoi, vous avez peur qu'il vous morde ? dit Wanda.

– Le Captagon est la drogue des terroristes, non ?

Elle hausse les épaules.

– C'est surtout la substance à la mode. L'ecstasy, les petits smileys roses bien propres, tout ça, c'est terminé. Les gens qui viennent à ces soirées veulent des expériences primitives. Du trash. Ces comprimés bruts, sans logo, fabriqués dans des caves, circulent partout dans les sous-sols de Paris en ce moment. Encore mieux si les gens pensent que des fous furieux de djihadistes prennent les mêmes. L'interdit, le tabou, c'est exactement l'idée de ces soirées spéciales.

Je lui jette un regard soupçonneux.

– Ce sont vos labos qui les distribuent ?

Elle éclate de rire.

– Vous plaisantez ! Ce serait un peu gros, non ? Nous sommes encore un minimum sous contrôle ! Certes, l'Agence du médicament n'est plus que la caisse enregistreuse de l'industrie pharmaceutique, mais de là à fabriquer une substance interdite !

Elle s'envoie une rasade d'alcool et avale le comprimé. Nouvelle bouffée de cigarette. Elle relâche sa poitrine, expulsant la fumée par les narines.

– Cependant, dit-elle avec ironie, si vous avez une idée pour produire cette drogue de manière légale et qu'on s'en mette plein les poches, cher docteur, je suis preneuse. Je serais même capable de m'associer avec vous.

Elle cligne lentement des paupières et tapote sur un coussin près d'elle.

– Venez vous asseoir à côté de moi, Christian.

Je m'exécute. Elle pose une main sur ma cuisse.

– On pourrait aller loin, tous les deux.

– Pourquoi suis-je ici ? je demande.

Elle me fixe. Elle est belle, mais de près je vois les détails que je sais reconnaître. L'action du Botox sur les rides du front et des paupières. Le lifting qui n'est pas parvenu à retendre totalement son cou. Les pommettes un peu trop augmentées par les injections d'acide hyaluronique. Le galbe supérieur des seins trahissant la présence des prothèses. Et l'état de la peau au dos des mains, qui révèle toujours l'âge véritable d'une femme. Wanda n'est plus de première fraîcheur, même si elle voudrait le faire croire. L'alcool et la drogue ont creusé de profonds sillons dans son corps qu'aucune amélioration esthétique ne parviendra jamais à masquer.

– Je vous plais ? dit-elle.

Je réponds sans mentir :

– Vous êtes très belle.

Elle m'embrasse soudain. Violemment. Sa langue s'insinue dans ma bouche en même temps qu'un goût d'alcool et de cigarette. Sa main remonte plus haut sur ma cuisse. Dans un endroit qui ne s'appelle plus la cuisse, en fait.

Je ne la repousse pas. Je ne participe pas non plus. Au bout de quelques secondes, elle s'arrête.

Elle me fixe de nouveau, les yeux étrécis par la colère. On dirait que j'ai contrarié un fauve.

– Il va me falloir te saouler pour te baiser, Christian ?

– Je ne crois pas que nous irons jusque-là, Wanda.

Elle écrase rageusement son mégot, et se prend les joues entre les mains. Regarde ailleurs. Puis – en apparence – change totalement de sujet de conversation.

– La campagne électorale de mon mari ne se passe pas très bien, dit-elle. On dirait qu'il a choisi le mauvais camp. La tendance actuelle est à droite. À l'ultranationalisme. Surtout avec tous ces incidents, ces pauvres SDF qui sortent des tunnels, les émeutes, les casseurs qui s'agitent...

– Et le Captagon.

Elle se retourne d'un coup vers moi.

– Le Captagon n'est pas la cause du problème ! Ce n'est qu'un symptôme ! Qu'est-ce que j'y peux si on en trouve dans toute la ville ? Ce n'est pas moi qui le fabrique ! Les gens consomment ce qu'ils veulent !

– Cette drogue ne joue pas un rôle stabilisateur. Il n'y a qu'à regarder la fête dans l'autre pièce.

– Ne faites pas d'angélisme stupide, s'il vous plaît ! Les soirées de ce genre ont toujours eu lieu. Les gens ont besoin de se lâcher. Ils cherchent un peu d'air. C'est cette époque qui veut ça.

Elle me jette un regard méprisant.

– On n'en peut plus de tous ces migrants, de ces étrangers qui nous envahissent. Leur pauvreté, leur saleté, leur religion, leur terrorisme, leur délinquance, ils nous étouffent. Faire la fête est une soupape, mais les gens veulent qu'on remette de l'ordre. La France doit être purgée de ses parasites. Elon s'est trompé en changeant de cap. Je lui ai dit qu'il avait choisi le mauvais camp politique, mais comme toujours il n'en fait qu'à sa tête. Et c'est votre femme, cette petite immigrée, qui a planté cette graine dans son esprit.

J'en ai le souffle coupé. Comme si je venais de recevoir un choc dans la poitrine. J'ai l'impression de voir une hideuse créature en train d'émerger des ténèbres, remuant tel un ver géant sous la peau fripée de Wanda.

— Enfin le masque tombe, dis-je d'une voix glaciale.

— Le masque ? Quel masque ? rétorque-t-elle.

— Vous êtes ignobles ! Racistes, opportunistes ! Vous ne croyez en rien, vous et votre mari ! Votre fortune et votre pouvoir vous ont complètement déconnectés du réel. Vous formez une belle paire de cinglés !

Ses traits redeviennent étrangement calmes. Elle s'allume une nouvelle cigarette et dit d'un ton neutre :

— On ne forme rien du tout. Détrompez-vous. Nous sommes un couple d'apparat. Si Elon se plante, je serais la première ravie. En ce qui me concerne, il peut crever la bouche ouverte. Et vous devriez adopter la même attitude vis-à-vis de Djeen, votre défunte épouse, si je puis me permettre.

— Quoi ?

— Vous êtes très beau, Christian. Franchement, une femme a de quoi tomber amoureuse. Et vous êtes loin d'être bête, ce qui ne gâche rien. Mais Djeen n'était pas de la même espèce. Si vous êtes un cheval de course, alors elle était une licorne. Un animal de légende. Vous pensiez vraiment qu'elle allait se contenter de quelqu'un comme vous ?

Wanda clique sur son téléphone portable et lance une vidéo. Elle me la montre pour que je puisse la voir.

On y aperçoit une soirée du même genre. L'endroit est plus petit, gothique, avec des murs en pierre et des torches qui flambent. Certaines personnes sont déguisées. D'autres pas.

— Celle-ci s'est déroulée dans les Catacombes, explique Wanda. Djeen a déjà participé à ce genre de fêtes, regardez mieux.

Au premier plan, Elon Tectus, parfaitement visible, est en train d'embrasser une femme. Cette dernière est reconnaissable. Sans le moindre doute.

C'est la mienne.

Wanda coupe la vidéo et range le téléphone dans sa poche.

— Djeen n'était pas la petite oie blanche à laquelle vous semblez croire. Elle couchait avec mon mari. Elle effectuait régulièrement des voyages à l'étranger, soi-disant pour filmer les décors nécessaires à son travail. Vous pensiez vraiment qu'elle s'y rendait seule ?

47

Audrey est malheureuse. D'une tristesse qu'aucun calmant ne saurait apaiser.

Elle est là, dans son lit d'hôpital. Elle a survécu à un kidnapping et à un arrêt cardiaque. Elle a subi plusieurs examens, dont un gynécologique (elle a connu de meilleurs moments), tout va bien sur le plan physique. Elle n'a été victime d'aucune agression, en dehors des écrasements musculaires aux endroits où étaient serrés ses liens. Sa détention, sa déshydratation, sa faiblesse et l'interruption brutale de ses médicaments sont les facteurs qui l'ont conduite à un dysfonctionnement cardiaque appelé fibrillation ventriculaire. Elle aurait dû mourir. Mais cela n'a pas été le cas. Elle sort demain et devra juste passer quelques examens en externe. Il n'y a aucune inquiétude à avoir, le cardiologue lui a promis. Elle est la preuve vivante que parfois des miracles se produisent.

Merci aussi – lui a dit le spécialiste – à sa bonne hygiène de vie, à son régime alimentaire et aux longues marches dans la ville qu'elle pratique depuis des mois pour renforcer son cœur. Tout cela a joué sur sa « résurrection », bien sûr. Mais il y a autre chose. Maintenant que son esprit n'est plus embrumé, Audrey a rassemblé ses souvenirs. Et parmi eux, il y a Christian.

C'est lui qui l'a sauvée. Ils ont même échangé quelques mots. Elle l'a vu penché sur son corps dans la maison en flammes.

Christian l'a ramenée d'entre les morts. Elle a suivi le son de sa voix, chaude et vibrante. Cette voix l'a guidée. C'est pour cela qu'elle est revenue. Alors pourquoi ce silence à présent ? Où est-il ? Pourquoi est-ce qu'il ne l'appelle même pas ?

Audrey a reçu des visites de tout le monde. Rosa en tête. Le personnel a carrément été obligé de pousser sa mère dehors à la fin des horaires autorisés. Les deux femmes étaient en larmes. Audrey n'aurait jamais cru qu'une telle effusion soit un jour possible. Jamais elles n'ont autant parlé, laissé le flot des émotions circuler librement entre elles ni communiqué de la sorte. Les mots fusaient. Des phrases qu'elles ne s'étaient jamais dites.

Audrey ramène la couverture sur son torse. Elle a un peu froid. C'est curieux comme les drames peuvent rapprocher les gens.

Son frère est venu la voir aussi, bien sûr.

Marthe, sa greffière.

Plusieurs collègues. Ainsi que des hauts fonctionnaires du Parquet. Ces derniers l'ont assurée de leurs sentiments, la justice sera sévère, on retrouvera la personne qui l'a enlevée et abandonnée dans cet état – s'attaquer à un juge, l'affaire est grave. Même son ex-mari, Machiavel en personne, est venu. Audrey s'est efforcée d'écourter sa visite. Le goujat a osé lui prendre la main, puis caresser son bras d'une façon curieusement câline, comme si cette proximité avait soudain réveillé chez lui de vieilles ardeurs. Elle en a été vaguement flattée – un ex reste un ex – mais surtout dégoûtée qu'il ose y penser, là, alors qu'elle gît sur un lit d'hôpital, au pire de son apparence physique. Les hommes peuvent parfois être sordides.

Mais pas Christian.

De lui, elle n'a qu'un souvenir intense. Une blessure ouverte dans sa chair. Un mélange de puissante attirance érotique – oui, elle peut la ressentir, même à présent, dans sa piteuse condition – et d'émotions amoureuses. Elle est revenue pour lui. Sinon elle serait morte.

Pourquoi ne vient-il pas la voir ? À quoi cela sert-il de l'avoir sauvée, si ce n'est pas pour venir la chercher maintenant ?

Une infirmière passe dans sa chambre, lui demande si tout va bien, vérifie le contact des électrodes sur sa poitrine. Sur le moniteur, le rythme est soutenu, efficace.

La nuit s'étire avec lenteur.

Audrey se cramponne à sa force intérieure et à ses certitudes. Elle sait qui elle est. Ce qu'elle vaut. Elle ne va pas se laisser abattre par une histoire sentimentale. Il y a plus important dans la vie. Et puis son ravisseur court toujours.

Parfois elle entend le son d'une sonnette dans le couloir. Le personnel soignant se déplace pour y répondre. Elle se sent entourée. En sécurité. Elle finit par s'endormir.

*

Au milieu de la nuit, son téléphone sonne. Elle tend le bras et décroche sans même s'en rendre compte.

– Audrey ? Comment ça va ?

La voix la réveille d'un coup.

– Christian !

– Je suis désolé, dit-il. Je n'ai pas pu vous appeler plus tôt. Des impératifs, le travail...

Le travail ? Mais de quoi il parle ? Tous deux étaient ensemble dans la maison, ils ont survécu ensemble, ils devraient *être* ensemble !

Soudain le désespoir l'envahit. Une vague qu'elle ne parvient pas à contenir. Elle se mord la lèvre. On est en pleine nuit, se dit-elle, elle n'a pas les idées claires, les émotions l'emportent, elle doit se ressaisir. Pas question de se montrer faible.

– Tout va bien ? demande-t-il encore.

– Oui.

Mais c'est tout sauf exact. La voix de Christian est horriblement neutre. En l'écoutant, Audrey n'a qu'une envie, c'est de se mettre à pleurer.

– Je passerai bientôt vous voir, promet-il.

– Ce n'est pas grave, dit-elle, ça ira.

Elle a l'impression que son âme se déchire en deux, qu'on la secoue dans tous les sens comme une poupée de chiffon. Elle se force à parler pour prononcer la suite.

– Merci... Merci de m'avoir sauvée.

Un silence.

– Christian ?

– J'ai eu peur de vous perdre, dit-il.

– Vraiment ?

– Vous n'imaginez pas à quel point.

– Je ne vous crois pas.

Un autre silence, encore plus long.

– Je regrette tout ce que je vous ai fait, dit Christian.

– De quoi parlez-vous ?

– Tout est de ma faute. Clay vous a agressée. Kidnappée. À cause de moi, vous avez failli mourir. Je suis entièrement responsable. Si je ne vous avais pas entraînée là-dedans...

Il ne termine pas sa phrase.

Audrey se redresse dans son lit. Elle se doutait que Carter Clay était son ravisseur. Même si elle n'a pas vu avec précision le psychopathe, elle se souvient de sa force. Du garrot qu'il a placé autour de son cou, de ses liens, la faisant suffoquer au point de perdre connaissance. Elle se rappelle avoir été bâillonnée, jetée sans ménagement dans un coffre de voiture, puis son corps a été traîné sur le sol, avant d'être abandonné comme un sac dans la maison. Elle doit discuter de tout ça en détail avec le commandant Batista. Lui aussi est venu lui rendre visite. Christian lui avait déjà parlé de ce policier en charge de l'enquête, mais c'était la première fois qu'elle le rencontrait.

– Christian, répond-elle, ce n'est pas de votre faute.

– Si.

Elle secoue la tête.

– Je ne comprends pas... Pourquoi ne m'avez-vous pas appelée plus tôt ? Et comment faites-vous pour me joindre à cette heure, ils autorisent encore les appels ?

Il a un rire sans joie.

– Je suis médecin, j'ai droit à quelques faveurs.

– Je vais sortir demain, dit-elle.

– C'est une bonne nouvelle.

Le ton devient neutre de nouveau. On dirait qu'il est en proie à des émotions intenses, lui aussi.

– Je suis désolé, dit-il. Je tiens à vous, Audrey. Bien plus que vous ne le pensez...

– Mais ?

– Mais je mets votre vie en danger. Et je ne veux plus le faire. Je refuse. C'est trop. Je n'aurais jamais dû.

Christian s'interrompt quelques secondes. Puis :

– S'il vous arrivait encore malheur, je ne pourrais pas me le pardonner...

Sa voix s'éloigne. Elle est presque devenue un murmure.

– Il vaut mieux ne plus nous revoir.

Et il raccroche.

48

Contrairement au dicton, la nuit ne porte pas conseil, je peux vous le certifier. La nuit n'est qu'une longue suite de cauchemars et d'angoisses, pendant lesquels votre esprit logique bat la campagne. Si vos malheurs sont suffisamment importants, vous resterez éveillé les yeux grands ouverts, tremblant de tous vos membres, assaillis par les sueurs froides et les terreurs nocturnes.

En tout cas, c'est ce qui m'est arrivé cette fois-ci. Et comme les fois précédentes, j'ai combattu avec le seul remède que je connaisse : l'oubli que procurent les médicaments et l'alcool. Cependant, je ne vous recommande pas cette solution chimique. Je me suis réveillé au bord de ma piscine, le nez dans mon vomi. Il faisait déjà grand jour et le soleil me tapait sur la figure.

Je me redresse. Me débarbouille au jet d'eau froide et nettoie le sol. J'en profite au passage pour observer le jardin. La végétation est dans un état lamentable, les herbes folles ont envahi les massifs et les fleurs sont mortes. À l'intérieur, la maison ne vaut guère mieux. Djeen serait folle de voir ça.

Mon cœur se serre aussitôt, me broyant la poitrine. Pendant un bref instant, j'avais réussi à oublier les événements de la soirée précédente.

L'image de ma femme embrassant Elon Tectus me revient en pleine figure. C'est incroyable que je sois passé à côté de cet adultère. La personne trompée est toujours la dernière au courant, c'est un lieu commun. Pourtant jamais, au grand jamais, je n'aurais pensé y être confronté un jour. Ma naïveté, mon imbécillité, mon désarroi – allons-y, mon petit Christian, disons les choses telles qu'elles sont – font peine à voir.

J'en ai pleuré une partie de la nuit. J'ai passé l'autre à me dénigrer et à m'enfoncer encore plus, mais j'ai fait la seule chose à faire : éloigner Audrey de cette situation.

Parlez-moi de masochisme, et vous aurez mis dans le mille. Je suis un idiot, je mérite donc d'être puni comme un idiot et d'abandonner la seule femme qui ait réveillé mes émotions depuis des années. Mais ce n'est pas la seule raison.

Quels que soient mes sentiments pour Audrey, elle court des risques démesurés en restant avec moi. La nuit dernière n'a pas été constituée que de moments pénibles. J'ai aussi été traversé d'étranges éclairs de lucidité. La chronologie des événements s'est peu à peu organisée. Et la douleur, lentement, s'est transformée en interrogations.

Depuis quelques heures, un drôle de puzzle est en train de se mettre en place dans ma tête. Je n'ai pas encore toutes les pièces, il m'en manque plusieurs. Mais ça ne m'empêche pas de commencer à distinguer une image. Et le tableau a des proportions incroyables. Énumérons les faits :

Petit a : Djeen Kovak est délaissée par son mari, ce dernier étant occupé à se noyer dans l'alcool et les médicaments après une banale hernie discale. Le mari étant devenu toxicomane – et guère capable d'autre chose que de se plaindre –, la belle devient la maîtresse d'Elon Tectus, son nouvel et brillant employeur.

Petit b : Wanda Tectus, femme de capitaine d'industrie, déteste le couple adultère ainsi formé, d'autant plus que Djeen est d'origine étrangère.

Petit c : Djeen travaille sur un procédé révolutionnaire de traitement de la douleur par la réalité virtuelle.

Petit d : Djeen est suivie par un individu capable de la photographier au téléobjectif. Cet individu ne semble pas être David Zimmermann, chef de la sécurité chez Tectus. Mais peut-être que Zimmermann ment.

Petit e : Djeen est assassinée par un tueur en série répondant au nom de Carter Clay. Et d'après ce que je viens de découvrir dans son antre de psychopathe, il s'agissait de tout sauf d'un acte impulsif. Les photos le prouvent : le meurtre était prémédité. Clay est donc un salopard, certes (on ne le répétera jamais assez, et ça me fait plaisir de le dire), mais il n'était également qu'un exécutant. Le meurtre a été commandité par quelqu'un d'autre. Et la police, Batista en tête, est complètement passée à côté. Ce quelqu'un est-il Wanda Tectus ? Elon Tectus ? Quelqu'un d'autre ? Je n'en sais rien du tout.

Petit f : Trois ans plus tard, l'histoire menace d'éclater au grand jour (version bombe à fragmentation : un éclat après l'autre) à la suite de mon agression dans le métro dans des circonstances étranges. Et ceci comme par hasard à un moment clé : alors que d'importantes élections se préparent, impliquant Elon Tectus lui-même.

Petit g : Ajoutez à cela quelques éléments bizarres, des disparitions/réapparitions de Djeen ou de son cadavre, une épidémie de violence sous Captagon, et un groupe de noctambules débridés avec les initiales UK marquées dans le dos, et vous obtenez un cocktail explosif.

Avec votre serviteur au milieu.

Je contemple le tableau que je viens de composer dans ma tête. À cet instant précis, je pense que ma situation est moche, mais pas désespérée. J'avais un premier ennemi, je viens de m'en constituer un second (milliardaire), peut-être un troisième (sa femme) et un quatrième (son chef de la sécurité). J'ai en outre rompu avec Audrey, plus ou moins replongé dans l'alcool et les médicaments, et commis un délit grave en achetant une arme à Youri Chamchourine, gangster notoire. Quel que soit mon prochain mouvement, je risque d'y perdre des plumes, voire la vie. Sans compter les ricochets multiples qui ne manqueront pas d'affecter les gens que j'aime. Amir Shahid, par exemple, ferait probablement un infarctus dans sa maison de retraite s'il apprenait seulement le quart de tout ça.

Une situation moche, mais pas désespérée, donc.

Sauf que je me trompe. Quand l'existence vous semble déjà horrible, sachez que le destin a toujours un mauvais tour de réserve dans son sac. Ce mauvais tour prend la forme d'une sonnerie à mon portail d'entrée. Celle qui appuie sur le bouton s'appelle Louise Luz, lieutenant de son état. Derrière elle patiente le commandant Batista. Et toute une armée de flics.

*

— Docteur Christian Kovak, vous êtes en état d'arrestation, dit Luz. À partir de cet instant, vous êtes soumis au régime de la garde à vue pour une durée initiale de vingt-quatre heures, prolongeable dans votre cas jusqu'à soixante-douze heures. Conformément à la loi, vous avez le droit de conserver le silence.

Je regarde la femme me passer les menottes, incrédule.

— Qu'est-ce que vous faites ?

— Nous perquisitionnons votre domicile.

— J'exige de voir votre mandat ! fais-je pour protester.

— Vous regardez trop les feuilletons américains. Ce type de mandat n'existe pas en France[1].

---

1. En droit pénal français, il existe des mandats d'amener, d'arrêt, de dépôt, de comparution et de recherche, mais pas de perquisition. Cela fait, en revanche, partie du droit canadien et du droit américain.

Elle se tourne vers ses collègues et fait un geste de la main.

– Allez-y. Vous me fouillez tout du sol au plafond. Vous passez les voitures au peigne fin, je veux des prélèvements dans les coffres de chaque véhicule. Vous récupérez ses fringues, les dernières chaussures qu'il a portées, et vous mettez tout ça sous scellés. Vous m'emballez les ordinateurs bien entendu, on ne laisse rien au hasard. Allez, on se dépêche.

Un groupe d'une quinzaine d'officiers de police me dépasse, piétine le jardin et pénètre dans ma maison sans aucun ménagement. Louise Luz leur embraye le pas.

J'entends presque aussitôt des bruits de verre brisé. C'est totalement surréaliste. D'une violence inouïe.

Batista est resté avec moi. Il me prend par le bras, sans agressivité cependant, et m'entraîne doucement vers l'intérieur de ma maison. Son front chauve luit sous le soleil. Il l'essuie avec un mouchoir.

– Allons-y, docteur.

– Commandant ! Mais qu'est-ce qui se passe ?

Il regarde ailleurs. Presque ennuyé.

– Vous êtes soupçonné du meurtre de votre voisin, Gary Molas. D'enlèvement, séquestration et tentative de meurtre sur la personne du juge Valenti. Et d'avoir commandité le meurtre de votre femme, Djeen Kovak. Voilà ce qui se passe.

49

Deux heures auparavant, Armando Batista sirote un café au bord de la Seine. Il n'est pas encore intervenu chez Kovak. Il se prépare à le faire. En attendant il marche seul, le long du fleuve, quelque part dans la commune d'Argenteuil.

Il boit lentement son breuvage, le gobelet fumant à la main. Il observe le cours de l'eau, les maisons, les mouettes. Entre deux gorgées il respire, emplissant ses poumons de l'air frais, laissant ses pensées dériver.

Il est tôt. Le soleil monte mais ne chauffe pas encore. Batista ressent à peine les rayons sur ses joues. Sa femme Camila aime se promener par ici. Elle lui dit tout le temps que cela lui rappelle l'époque des impressionnistes, les hommes portant le canotier, les demoiselles aux ombrelles, les guinguettes des bords de Seine. Les peintres représentent souvent ces scènes dans leurs œuvres. C'est en effet à Argenteuil que le mouvement impressionniste a connu sa période la plus brillante. Notamment grâce à la présence de Claude Monet qui y a vécu de 1871 à 1878, attirant d'autres confrères tels que Manet, Sisley ou Caillebotte. Monet travaillait sur un bateau-atelier, une technique qui lui a offert de nouveaux points de vue, permettant la peinture du *Pont d'Argenteuil*, par exemple. Batista aimerait revenir ici en compagnie de Camila. Depuis la naissance des enfants, ils ne font plus grand-chose. Il soupire. Si seulement la vie pouvait être aussi douce que dans les tableaux des peintres.

Batista se trouve à cet endroit parce que c'est le point de rendez-vous. C'est lui qui l'a fixé. Ses collègues arrivent. Les forces de police, convoquées par ses soins, s'apprêtent à converger chez Kovak pour lui tomber dessus. La maison et la vie du médecin vont être saccagées de fond en comble, Batista le sait. Et il devrait s'en réjouir. Après tout, ils se sont souvent pris le bec. Pourtant il ne peut pas. Il ne croit pas à sa culpabilité, même s'il est le seul, car tout accuse le médecin.

Les ennuis de Kovak ont commencé dès l'obtention des premiers résultats d'ADN. L'oreille tranchée découverte dans l'enveloppe, le visage flottant dans le bocal retrouvé dans le métro et les prélèvements réalisés à domicile : tout concorde, il s'agissait bien de la même personne, Gary Molas. Les maîtres-chiens et leurs bêtes ont d'ailleurs retrouvé ses restes (horribles à voir) dans les profondeurs d'une ancienne glacière au milieu de la forêt, à deux cents mètres seulement de son domicile. Batista n'a pas vraiment de peine pour le type en question. D'après son dossier, Molas était une racaille plusieurs fois condamnée pour divers trafics, ainsi que pour violences conjugales, et même pour maltraitance envers ses enfants. Son épouse s'est pourtant décidée à porter plainte contre Kovak. Batista l'a auditionnée en personne. Une pauvre femme battue, au cerveau retourné, convaincue que son mari – « Dieu ait pitié de son âme, il était si gentil », dit-elle – que son adorable mari, donc, est mort assassiné par l'horrible Kovak. Gary Molas et lui ont eu une altercation. Mme Molas les a entendus crier par-dessus les haies de son domicile. Et après ça, plus rien, Gary a disparu. La femme était en pleurs, usant mouchoir sur mouchoir dans le bureau d'Armando. Selon elle, les Kovak étaient des voisins sournois, des perfides, il n'y avait qu'à voir l'épouse, une garce d'étrangère qui jouait les prudes tout en allumant les maris des autres. Mme Molas est vindicative, elle veut un coupable.

À ce stade, Batista peut encore gérer la situation. La recherche de Carter Clay demeure sa priorité. Mais la disparition du juge Valenti (signalée par sa mère, Rosa Valenti) a précipité les choses. Cette fois, c'est son adjointe Louise Luz qui a déboulé dans son bureau, remontée comme un coucou.

– On s'est plantés ! Kovak est bien le coupable ! Je viens de recevoir le coup de fil d'un témoin direct ! Il s'appelle David Zimmermann. Il dit qu'il a découvert Kovak dans un squat du périphérique. Il était enfermé dans une baraque, un truc louche, en compagnie de la juge disparue !

Le sort de Christian est scellé. Les vieux éléments d'enquêtes ressortent aussitôt du tiroir. Les mauvaises fréquentations de Kovak durant sa jeunesse, son épisode de toxicomanie, et surtout le soupçon qui a pesé sur lui, un certain temps, d'avoir commandité le meurtre de sa femme pour toucher l'argent de l'assurance. Batista sait que l'affaire est sûrement complexe, mais les apparences sont là. Nul ne peut les ignorer. S'il ne réagit pas maintenant, ses supérieurs hiérarchiques ne manqueront pas de lui réclamer des comptes.

Batista est toujours en train de marcher au bord de l'eau, pensif, quand son téléphone sonne.

– On est prêts, dit Luz. Tout le monde est en place.

Armando respire une dernière fois l'air de la Seine.

– D'accord, dit-il. On tape.

*

Je suis assis, immobile. Ça fait maintenant une demi-heure que les policiers fouillent ma maison, mais je n'ai pas bougé du canapé de mon séjour. Je n'en ai pas le droit.

Je suis condamné à regarder mon univers être réduit en miettes, un placard après l'autre. La suite de mon interrogatoire se déroulera au commissariat, comme on me l'a notifié. Cela peut prendre jusqu'à trois jours. Puis suivra un éventuel emprisonnement.

D'après les conditions de la garde à vue fixées par la loi, mes droits pour le moment se limitent à : être examiné par un médecin ou assisté d'un interprète (je n'ai besoin ni de l'un ni de l'autre), faire prévenir une personne de ma famille (j'ai honte et je n'ai pas osé), demander l'assistance d'un avocat, ou me taire.

Pour l'instant je n'ai rien fait, je suis en état de sidération. Je vais bientôt être transféré. Ils me gardent sous le coude encore un peu, juste pour le cas où ils devraient me poser des questions techniques durant la perquisition de mon domicile.

– Kovak, descendez par ici !

Le fonctionnaire de police qui me surveille me fait signe d'obtempérer. À la demande du lieutenant Luz, je me rends donc au sous-sol. Je descends les marches, angoissé, prêt à encaisser le choc.

Mais non.

L'atelier de travail de ma femme a été un peu chamboulé, certes, cependant pas tant que ça. Je m'attendais à pire. Les policiers ont pris les ordinateurs. C'est tout. À présent ils observent les maquettes des temples anciens, les épées factices dans les vitrines, les images grandioses sur les murs, avec un certain respect. C'est drôle, on dirait que le pouvoir de fascination de Djeen, la magicienne du numérique, agit même après sa mort.

Surtout, je constate avec satisfaction qu'ils n'ont pas touché à la précieuse jarre en forme de génie bleu, celle qui contient officiellement de la terre des montagnes des Carpates. Le génie bleu était devenu sa signature. Et même si j'ai à présent des sentiments partagés en ce qui la concerne, je sais qu'elle aurait été peinée qu'on détruise cet objet.

– Ça, qu'est-ce que c'est ? demande Louise Luz.

Elle pointe son doigt sur le trou de la VMC au plafond.

— Ventilation mécanique assistée, je réponds. C'est essentiel pour l'extraction de l'air. Il ne faut pas d'humidité dans la pièce, à cause des ordinateurs.

— Je vous parle du fil.

— Pardon ?

Elle s'approche. Tire sur un objet.

La caméra descend d'un coup.

— Il y a une caméra numérique glissée dans ce trou.

Je cligne des yeux.

— Kovak, je vous parle.

— Excusez-moi.

— Votre femme était surveillée par une webcam. On vient de la découvrir. C'est vous qui l'avez mise en place ?

— Non.

— Cessez de nous mentir !

— Ce n'est pas moi, bon Dieu !

— Alors c'était elle ? Pour sa sécurité ?

— Je ne crois pas.

— Vous voulez dire qu'aucun de vous n'était au courant ?

— C'est la première fois que je la vois.

Luz s'empare de la webcam et la fait tourner dans sa main. Un spécialiste s'approche d'elle.

— C'est du matériel de pro, dit-il. Il est relié à une alimentation électrique indépendante. On a suivi le raccordement : le câble n'est pas relié au reste de l'installation. Et tout est crypté.

— Qu'est-ce que ça signifie ? je demande.

Luz se tourne vers moi.

— Ça veut dire que vous êtes dans la merde. De deux choses l'une : soit votre femme était filmée depuis longtemps – et je vous parle d'espionnage industriel, par une société de sécurité spécialisée –, soit vous mentez, et c'est vous l'espion. Ce qui ne contribue pas à vous innocenter, docteur Kovak.

Ses yeux deviennent deux lances flamboyantes.

– Filmer sa femme à son insu, voilà qui est très malsain. Vous savez ce que je pense ? Ce genre de détail risque de peser très lourd au tribunal. Si vous avez prémédité son meurtre, mon petit vieux, si vous avez payé Carter Clay pour pousser votre femme sous un métro et toucher l'assurance...

– Vous êtes folle, je n'ai payé personne !

Louise Luz m'ignore et demande qu'on embarque le matériel.

Je déglutis. Je remonte l'escalier, toujours menotté et encadré par la police. Une onde glaciale parcourt mon échine tandis que je réalise ce que le lieutenant Luz vient de dire. *Une société de sécurité spécialisée*, ce sont ses propres mots. Or... qui en dirige une ? Qui est prêt à témoigner qu'il m'a surpris dans un squat, enfermé avec Audrey Valenti ? Qui a téléphoné aux flics pour signaler tout ça ?

Je le sais par Batista, qui m'en a touché un mot : c'est Zimmermann, bien sûr, l'homme à la casquette et aux boutons de manchette roses. Pourquoi ce type veut-il m'enfoncer à ce point ? Est-ce qu'il suit les ordres de Tectus ? Le milliardaire a-t-il décidé de mettre immédiatement ses menaces à exécution, et « d'un claquement de doigts », comme il l'a promis, me faire tout perdre ? Ma situation s'aggrave de seconde en seconde. Cette fois c'est sûr, il n'y aura pas d'échappatoire. Les circonstances m'accablent, mes ennemis sont puissants et la conséquence, je la connais. La réalité me frappe de plein fouet : je vais aller en prison.

Je me mets à trembler. Je n'ai plus le choix. Il me faut de l'aide.

Dernière chance. Dernière carte. Je relève la tête.

– Je veux appeler mon avocat.

50

Une demi-heure s'écoule. J'ai passé mon coup de fil, maintenant j'attends que mon avocat se pointe.

Je suis debout, devant ma maison, la mort dans l'âme. Batista patiente. Il est déjà au volant de sa voiture, la portière ouverte pour faire circuler l'air tellement il fait chaud.

– Qu'est-ce qu'il y a ? demande-t-il.

– Rien.

– Vous avez peur ?

– Bien sûr.

Il essuie son front qui transpire.

– C'est un sale moment à passer, dit-il.

– Je vous sens tellement compréhensif, commandant.

– Si vous êtes innocent, vous finirez par vous en sortir.

– Ah oui ? Dans combien d'années ?

Cette fois il ne répond pas.

Derrière lui je contemple ma maison. Mon jardin. J'ai vécu tant d'années ici avec ma femme, dans ce monde autistique que nous nous étions fabriqué. Un monde qui touche à sa fin, terni par le souvenir amer que j'ai désormais d'elle.

Soudain un bruit résonne.

– Qu'est-ce que c'est ? demande Batista.

– Tondeuse à gazon.

– C'est puissant.

– Modèle autoporté. Les voisins ont du fric.

L'angoisse me retourne l'estomac. C'est l'heure, le moment du grand saut.

– Batista ? J'ai soif.

– Pardon ?

– Vous pourriez aller me chercher un verre ?

– Quoi, dit-il, tout de suite ?

Le son se rapproche. Il ressemble plutôt à un vrombissement.

– S'il vous plaît, commandant...

– D'accord, fait-il en soupirant. Je vais demander à quelqu'un.

J'observe ma maison derrière lui, et la colline au-delà. De la poussière monte. Le son s'intensifie.

– Non, dis-je. Allez-y. Bougez de votre siège.

– Hein ?

– Sortez de votre voiture. Ne restez pas là.

Batista me jette un regard soupçonneux.

Une forme franchit la colline et redescend dans notre direction en bondissant. Je saute à l'écart pour m'abriter.

– Dégagez, Batista ! Tout de suite !

Le flic a tout juste le temps de s'éjecter. Dans un hideux bruit de tôle froissée, son véhicule se fait percuter et projeter en avant. Un énorme 4 × 4 Hummer militaire s'arrête à la place. Côté passager, la portière s'ouvre.

Je bondis.

Batista se redresse, l'arme au poing. Tir de Flash-Ball en provenance du conducteur. Batista s'écroule. Je grimpe sur le siège passager comme je peux, malgré mes menottes. Le conducteur m'empoigne et me hisse à l'intérieur. Marche arrière en dérapage. Le véhicule repart dans un crissement horrible. D'autres policiers surgissent en tirant sur nous. Les projectiles ricochent. Je baisse la tête. Le Hummer fonce sur la colline, escaladant la pente à une vitesse folle. Derrière, ça continue de tirer en rafale, mais aucun impact ne nous arrête et personne ne nous poursuit. Les véhicules de la police sont incapables d'aller là où nous allons, une pente rocailleuse, pleine d'arbustes et d'obstacles, où seuls des quads sont capables de passer.

On continue.

On dépasse le sommet.

On redescend.

Trente secondes plus tard, nous sommes déjà loin.

Le Hummer pénètre dans la forêt et s'enfonce dans le sousbois. Il file à présent sur un chemin en terre sans ralentir le rythme. Là, seulement, je réalise que mes pulsations cardiaques doivent approcher les cent cinquante par minute. Le stress s'empare alors de moi, suffocant, effroyable. Je m'oblige à me calmer. Cette action était de la folie pure, sûrement la plus grande erreur de toute mon existence, mais je n'avais pas le choix, car je n'ai pas d'avocat bien sûr. À part dans les films, qui en a un à faire surgir de sa poche ? Et quand bien même, lequel d'entre eux serait assez balèze pour m'éviter la prison en pareilles circonstances ?

En revanche, je connais quelqu'un.

Le conducteur ôte la cagoule qu'il portait pour ne pas qu'on le reconnaisse.

– Ça va ? dit Youri Chamchourine. Tu ne t'es pas fait mal ?

– Tu as failli tuer des gens !

– Tu crois que j'ai eu le temps de me préparer ? Tu m'appelles, tu me dis : sors-moi de là. Comment j'étais censé m'y prendre ?

– Tu as tiré sur un commandant de police !

– Simple Flash-Ball. Il s'en sortira avec un bleu.

– C'était très risqué.

– C'était surtout ta seule chance. J'ai à peine eu le temps d'arriver et d'évaluer la situation avec mes jumelles du haut de la colline. Les flics allaient t'embarquer. Plus tard, je n'aurais rien pu faire.

– Et mon appel téléphonique ? Ils ne risquent pas de te retrouver avec ?

– Mes portables sont jetables, les cartes SIM sont à de fausses adresses. J'ai déjà balancé le mien.

Il ricane comme une hyène. Et ajoute :

– Ça va te coûter une blinde.

– C'est ce que tu dis toujours, Youri.

– Mais cette fois c'est vrai.

Il m'envoie une claque sur l'épaule.

– Tu vois, *Krystian*, aujourd'hui, *połamałem każdą kość w moim ciele, dwukrotnie, kolego !*

« J'ai cassé chaque os de mon corps deux fois, mon pote ! » Une expression polonaise pour me rappeler que je lui suis largement redevable.

Je regarde dans sa direction. Ce type est fou. À l'évidence. Pourquoi fais-je encore appel à lui ?

Sans doute parce que je n'ai personne d'autre.

Tout en conduisant, entre deux cahots de la voiture, il jette un coup d'œil vers moi.

– J'ai masqué les plaques minéralogiques du Hummer, mais je vais devoir l'abandonner. Ce genre de tank ne passe pas inaperçu. C'est pour ça que ça va te coûter une blinde. Sans compter mon intervention et mes frais. J'espère que t'as du cash.

– J'en ai.

Il approuve d'un mouvement de tête.

– Tant mieux. Parce que ce fric, je vais en avoir besoin pour me planquer aussi. Tu es un fugitif maintenant. Ils vont te rechercher. Comment tu comptes t'en sortir ?

– Je n'en sais rien.

C'est la vérité.

– Tu as besoin d'un endroit ? dit-il.

– Non.

– Un véhicule ? Des armes ?

– Côté association de malfaiteurs, on va faire une pause.

– Comme tu voudras.

Il stoppe à l'entrée d'une ville de banlieue proche et découpe mes menottes avec une pince géante.

– Évite les transports en commun. Tu serais vite repéré. Tu as une station de taxis juste au bout de la rue. Ne paye qu'en espèces. Éteins ton portable. Si tu as besoin de me joindre, voilà un nouveau numéro. Je file, je dois me débarrasser de la voiture.

Je lui serre la main.

– Merci, Youri.

– Bonne chance, Chris.

Le Hummer s'éloigne dans un vrombissement de bombardier, et je me retrouve seul.

*

La femme blonde est assise dans une galerie du Louvre. Elle dessine au crayon, appuyée sur son carton, elle copie une peinture.

Elle n'est pas la seule à pratiquer cette activité : un groupe d'étudiants fait de même un peu plus loin devant le tableau d'un grand maître. Elle, en revanche, ne recherche aucun but artistique. Son seul objectif est de parvenir à se détendre.

Les visiteurs circulent et conversent à voix basse. Ce brouhaha discret ne la dérange pas, le français n'est pas sa langue maternelle – même si elle le parle parfaitement – et elle est capable de s'isoler mentalement du bruit. Il lui suffit de penser aux montagnes, à la neige, à des chiens de traîneau, au contact du froid sur son épiderme.

Elle continue de dessiner d'un coup de crayon sûr, elle a toujours été douée pour ça. De temps en temps, elle relève la tête et observe la foule. Elle ne pense pas que la police puisse la repérer ainsi, au hasard, malgré sa vidéo sur Megascope. Elle n'est pas l'ennemi public numéro un. Mais au cas où, elle a tout de même conservé son foulard sur ses cheveux et ses lunettes fumées.

L'œuvre qu'elle copie est de Louis Léopold Boilly et s'intitule *L'Averse*. Le tableau représente une rue de Paris, sous la pluie, dans les années 1800. Les passants ont sorti de grands parapluies rouge et vert. Au centre, un couple bourgeois avec ses enfants tente de tenir en équilibre sur une sorte de longue planche à roulettes, allant d'un bord à l'autre de la rue. Il n'y a pas d'égout ni de trottoir à l'époque, la chaussée peut devenir impraticable à la moindre averse. Pour aider les Parisiens, des passeurs proposent aux riches bourgeois une sorte de gué mobile contre un péage. Une scène de la vie quotidienne dans laquelle les puissants, vêtus ici de blanc immaculé, traversent la grisaille du monde qui les entoure le sourire aux lèvres. Métaphore de la vie, ou simple témoignage ? La femme blonde ne connaît pas les intentions du peintre. Elle-même n'a jamais accordé aucune importance à l'argent, ni au pouvoir. Ce qui l'anime, ce sont ses passions : l'amour, la haine, la vengeance.

Elle tourne son crayon dans sa main. Durant des années, elle a recherché de l'affection. Elle en a obtenu, certes, mais si peu. Le manque a creusé un trou dans son âme. Elle en voulait tellement plus. Sauf que cela n'arrivera pas. On ne l'a pas suffisamment aimée, maintenant c'est trop tard. Il ne reste plus que le souvenir d'un crime brutal.

Il y a trois ans, on a jeté une femme sur une voie de métro. Les conséquences ont été cataclysmiques pour elle. Elle a eu l'impression que son esprit se fracturait. Le résultat est étrange. Désormais une sorte de fureur l'habite, une haine sourde et contenue. Parfois, il lui semble que la flamme sombre d'un mauvais génie vit en elle, un esprit vengeur qui ne cesse de danser et lui suggérer ses actes. Elle sait les conséquences pour les autres, les personnes comme Youri ou Christian. Mais elle n'y peut rien. Elle ira jusqu'au bout, quel qu'en soit le prix. Le coupable doit payer. Et si elle en découvre d'autres, alors ils payeront de même. Elle va continuer de secouer l'arbre, encore et encore, jusqu'à ce que tous les fruits pourris tombent sur le sol.

La femme s'arrête de dessiner en réalisant que son poignet bouge de façon répétitive sur le carton à dessin. Elle est en train d'en rayer le coin d'un mouvement frénétique.

Elle range ses affaires et se lève. Il sera bientôt temps de créer une nouvelle vidéo.

51

En fin d'après-midi, le Chien regagne sa cachette dans les bas-fonds du métro. L'endroit n'est guère confortable. Cette mini-centrale alimentait jadis tout un secteur des transports souterrains mais elle est à présent désaffectée. L'endroit est assez étroit : seulement quelques pièces et des armoires électriques poussié-reuses et inertes. Depuis que le Chien y a élu domicile, stockant son matériel et un peu de nourriture, l'endroit est envahi par les blattes. C'est pénible. Non pas qu'il soit un forcené du confort – il a l'habitude des conditions de travail difficiles – mais tout de même, ces insectes sont plus gros que des souris d'ordinateur ! Ce sont des mutants ou quoi ?

Il tourne en rond dans la pièce, ça l'aide à cogiter. Il est au courant de ce qui se passe chez les flics, comme d'habitude. Grâce à ses contacts, il peut suivre l'évolution de la situation au fur et à mesure. Hélas, les nouvelles ne sont pas bonnes : Kovak a disparu. La police a déclenché des recherches, mais plus aucune trace de lui.

Décidément, ce type est fort. C'est assez contrariant. Le Chien s'arrête de marcher et frappe son prisonnier, comme ça, par sur-prise. Pur énervement de sa part. L'autre gueule, mais on ne l'entend pas, ce qui est normal : il porte un bâillon. Le Chien n'est pas fou, il ne va pas se laisser ennuyer par les protestations d'une victime.

— Tais-toi ! ordonne-t-il. Je réfléchis.

L'autre se calme. Le Chien croise les bras. Il doit prendre ses problèmes dans l'ordre. Le plus important est de se concentrer sur la distribution du Captagon. Ces derniers temps, il ne s'est pas contenté des SDF, il en a casé partout : gangs de casseurs, skins, réfugiés dans des squats, organisateurs de fêtes dans la capitale... Il sait à qui s'adresser, ses relations dans la police lui ont fourni toute une liste. Chaque fois sa tactique est la même : il les appâte, sous un déguisement ou sous un autre, et leur fait cadeau des sachets. La gratuité est le nerf de la guerre. Certains se méfient, mais c'est rare. Parfois, il se contente de déposer la marchandise dans un endroit stratégique, comme pour les SDF, et de disparaître ensuite. Son but est juste que les gens en consomment un max. Il a encore du stock. C'est un officier de la police turque, un type totalement corrompu, qui lui a procuré les comprimés. Officiellement, le gars faisait partie des forces antidrogues de son pays. Au cours d'une descente dans la province de Hatay, à la frontière avec la Syrie, il a mis la main sur des milliers de doses dissimulées dans des filtres à huile de moteur. En toute logique, le Captagon aurait dû être rapatrié dans les locaux de la police turque. Seulement voilà, devant une telle tentation, le brave officier a disparu dans la nature avec les sacs. Profitant des troubles politiques dans son pays, il a passé les frontières pour écouler sa cargaison en France. La revendre dans un pays plus riche vaut le coup : cinq à vingt euros le comprimé, sans compter la possibilité de se créer une petite boutique en ligne sur le Darknet[1], comme tout le monde, pour fournir les clients fidèles. Et qui lui a tout acheté d'un coup ? C'est le Chien !

---

1. Le Darknet, ou face cachée d'Internet, est une partie du Web inaccessible par les moteurs habituels. Son aspect ressemble à l'Internet d'il y a vingt ans. On y trouve drogues, armes, services de piratage, anarchistes, veilles citoyennes, et policiers et criminels à l'affût.

Enfin, acheté est un bien grand mot. Ça n'a pas coûté cher. À l'heure actuelle, le squelette de l'officier turc corrompu sèche dans les Catacombes. L'œuvre rigolote que le Chien a fabriquée, le crâne coiffé d'une casquette et d'une paire de lunettes de soleil : c'est lui ! Il s'est bien amusé avec ce gars-là. Il l'a torturé en utilisant différentes sortes de bains d'acide pour lui décoller la peau, une couche après l'autre, sans abîmer l'ossature. Quand on triche, évidemment, on s'expose à certaines conséquences.

Le Chien soupire.

Bon, pour le Captagon, ça devrait aller. Il aura bientôt fini de l'écouler. Son second problème concerne Kovak. Et surtout Djeen. Si cette petite sorcière est vivante – et jusqu'à présent, tout porte à le croire –, ça peut devenir dangereux. Dieu sait ce dont elle est au courant et ce qu'elle pourrait raconter à tout le monde. Elle est forcément cachée quelque part. Il doit la retrouver. Et s'il n'y parvient pas, alors il doit protéger ses arrières. Ce qui implique... eh bien, son bon ami enchaîné là, justement, depuis maintenant une paye.

Il s'approche de son prisonnier et tapote sur sa tête.

– Alors, mon vieux, ça va ? Tu veux manger un truc ?

Couinement de peur en guise de réponse.

– Mais non, dit le Chien. Je ne vais pas te faire mal.

Il sort une gamelle et déverse de la nourriture dedans. Cette fois il a fait les choses bien : steak haché pur bœuf, assaisonné, en provenance directe d'un boucher.

– Il n'y a aucune arnaque, dit-il en observant le regard interrogateur de son prisonnier. C'est de la bonne viande. Je veux que tu sois en forme. Alors je vais retirer ton bâillon, et tu vas la manger. Mais fais attention : si tu fais le moindre bruit, si tu me contraries, je jette tout aux ordures et retour au régime hyperprotéiné à base de rat d'égout. Est-ce que je me suis bien fait comprendre ?

L'autre hoche la tête.

– OK, dit le Chien en posant la gamelle. Régale-toi.

Il attend patiemment que l'autre ait terminé. Puis il prend ses écouteurs et les place sur les oreilles de son prisonnier. Ensuite il récupère les photos, et les dispose devant ses yeux.

– Allez, dit le Chien. Maintenant, on va reprendre ton entraînement. Écoute les ordres, regarde les images, et répète après moi : « Pour la Douleur, fais-le ! »

52

Une idée me vient peu à peu. J'y pense dans le taxi qui me conduit à Paris. J'y pense toujours en me rendant à Montmartre (changement de véhicule, puis bus, pour brouiller les pistes). Et j'y pense encore lorsque je pénètre dans la petite maison appartenant à ma famille.

La bicoque est située dans une rue tranquille sur les hauteurs de la butte, près du Sacré-Cœur. Elle possède une façade recouverte de lierre et une cour intérieure microscopique. C'est la propriété d'une vieille tante qui vit maintenant dans un établissement de long séjour. À sa mort, la maison reviendra à mes parents. Ils envisageaient de s'y installer plus tard, mais ils sont finalement partis dans le Sud. Désormais l'endroit est vide. Je possède toujours les clés sur moi car il m'arrive de devoir m'y rendre pour régler des problèmes d'humidité ou d'infiltrations.

J'ouvre les fenêtres pour aérer et laisser entrer le soleil, je purge les robinets et remets le frigo en route.

Toile cirée à carreaux, vaisselier ancien, lit à deux places avec sommier qui grince, et couvre-lit en dentelle. Il y a même une collection d'objets en pâte de verre, avec des vases et des poissons très moches qui s'éclairent de l'intérieur. L'année passée, mon père m'a suggéré de faire quelques travaux moi-même et de trouver un locataire. Il a même laissé une coquette somme d'argent en liquide, exprès pour ça, dans un vieux coffre qui se trouve sur place. J'ai dit que ce n'était pas la peine, pour l'argent, mais il a insisté : « Vas-y, fils, lance-toi, l'effort physique c'est la santé. » Il voulait surtout m'aider à sortir de mon humeur morose. En fin de compte je n'ai rien fait, et l'argent est toujours là. J'ouvre le coffre et pose l'enveloppe de billets sur la table.

Les flics ne devraient pas découvrir l'existence de cet endroit avant plusieurs jours. La maison est au nom de la tante, et mon père ne répondra jamais à leurs questions, il déteste l'autorité, c'est une véritable tête de mule. Je dispose donc d'une planque honorable, et je peux respirer un brin – ce que je fais, par la fenêtre ouverte, en me laissant envahir par l'ambiance de Montmartre. J'entends les oiseaux. Le son d'un clocher. On se croirait dans un village.

Mon idée est toujours là, présente.

La voici : je n'arrive pas à croire que Djeen ait pu mener une double vie avec Tectus durant des mois, ni lui raconter les erreurs de mon passé en lui livrant des détails aussi intimes. Ça ne colle pas. Qu'elle ait vécu une brève aventure avec lui, soit. Mais elle n'aimait pas mentir, c'était peu compatible avec le fonctionnement de son cerveau. Les Aspergers sont des gens rigoureux, adeptes des rituels et des règles. Alors je suis peut-être le mari trompé qui ne veut pas voir la poutre fichée dans son œil, mais je ne parviens pas à imaginer Djeen faisant des confidences sur l'oreiller, dévoiler des secrets gênants, voire lourds de conséquences sur mon compte, puis rentrer tranquillement à la maison ensuite. Wanda a peut-être exagéré l'importance de cet adultère rien que pour me blesser, par jalousie pure, après avoir été blessée elle-même.

Je continue de gamberger et, de fil en aiguille, une nouvelle hypothèse se forme. Tectus savait beaucoup de choses sur moi, mais il disposait peut-être d'une autre source.

Je prends de l'argent, descends dans le quartier populaire de la Goutte-d'Or et décide d'acheter un vélo. C'est idéal pour bouger en ville, et par ce temps ce sera agréable. Je fais également l'acquisition d'un nouveau téléphone portable. Une petite négociation supplémentaire, et j'y enfiche une carte SIM anonyme avec crédit prépayé. Je m'en sers aussitôt pour appeler mon paternel. J'espère qu'il n'est pas sur écoute – sinon tant pis, je prends le risque – et lui annonce brièvement que j'ai des ennuis, en lui recommandant de ne parler à personne. Il me connaît, il sait que je ne raconterai rien de plus, il n'insiste pas. Les Kovak, têtes de mule de père en fils. Il m'apprend simplement que Sam est rentré à Paris, en espérant qu'il pourra m'aider. Je l'embrasse et raccroche.

Je traîne sur la place du Tertre jusqu'au soir, me mêlant aux touristes, écoutant les joueurs d'accordéon et regardant les peintres. J'ai toujours adoré cet endroit et ses petits bistrots. On raconte que l'expression *bistro* – « vite ! », en russe – est née ici au moment de l'occupation de Paris par les cosaques en 1814.

Je passe une nuit difficile, la fenêtre ouverte, dans la chaleur torride. Mes yeux fixent le plafond tandis que j'évalue mes différentes options. À un moment donné, je songe à appeler Audrey pour avoir son avis. Puis je me ravise. Je lui ai annoncé qu'on ne se reverrait plus, pour la protéger et la tenir à distance. Ce n'est pas pour rompre ma résolution aussi vite.

Je finis par m'endormir.

*

Au réveil, je m'achète un croissant et m'installe dans un cybercafé pour lire les journaux. Je constate vite que les flics n'ont pas lancé toutes les polices de France à ma recherche. On ne parle même pas de mes exploits de la veille, et pour cause, les autorités ont d'autres problèmes. Depuis quelques jours, les incidents dans Paris se multiplient d'une façon inquiétante. Je surfe d'un article à l'autre. À l'approche des élections, les manifestations deviennent plus dures, on dirait que l'été torride chauffe les caractères à blanc. Certaines actions sont d'une violence inouïe : vitrines d'hôpitaux brisées, bagarres entre des fous furieux incontrôlables place de la République, évacuation de blessés graves, utilisation de cocktails Molotov... Et ce n'est pas tout, une rave party s'est terminée en émeute, plusieurs personnes hystériques se sont battues contre des médecins, pourtant venus leur porter secours. Ailleurs, diverses fêtes ont dégénéré dans la violence.

J'ai l'impression de ne plus reconnaître ma ville. L'agitation sur les réseaux sociaux est également intense. Et on voit bien à quel type d'électorat les débordements profitent : ce n'est pas l'aile gauche modérée défendue par Elon Tectus. La population réclame de l'ordre, les derniers sondages montrent une explosion des intentions de vote en faveur des partis d'extrême droite.

J'abandonne mon croissant sur la table, troublé. Impossible de ne pas penser aux comportements surexcités des fêtards à la soirée de Wanda, à notre agression par le SDF aux urgences, ou aux réactions des sans-abri devant le commissariat Évangile.

L'ombre du Captagon planerait-elle sur ces événements ? Non seulement c'est envisageable, mais cela s'est déjà produit. Chaque fois qu'une nouvelle drogue débarque, elle est accompagnée de son cortège d'incidents et de morts. Comme avec l'ecstasy *Superman* qui a créé des troubles dans toute l'Europe, ou les fameux « sels de bain », la *flakka* de Floride, dont on a vu des consommateurs devenir fous au point de dévorer le visage de leur victime. Désormais, l'échelle est inquiétante.

Je prends le temps d'envoyer un e-mail à Greta Van Grenn.

Bonjour, Greta. Beaucoup d'agitation à Paris ces derniers jours. Essayez de communiquer avec les autres services d'urgence : y a-t-il des cas similaires au SDF que nous avons reçu ? Que donnent les analyses toxicologiques ? Une drogue est-elle en train de se répandre ?

Je pense au Captagon. Si oui, merci de faire parvenir toutes les données disponibles au commandant Armando Batista. C'est important. Ci-joint ses coordonnées.

P-S : Batista ne m'aime pas. Ce n'est pas grave. S'il vous parle de mes ennuis avec la justice, je n'ai rien fait, je vous le promets.

Je me déconnecte. Passons à la suite.

J'enfourche mon vélo et retourne à la Goutte-d'Or. Y dénicher la trousse que je recherche demande un peu de temps, mais je finis par l'obtenir pour un prix raisonnable. Je me rends ensuite à l'hôpital de Sam, mais au lieu de m'y présenter, j'attends à la sortie, caché sous un déguisement casquette, capuche, lunettes noires, qui pourrait me faire passer pour un touriste craignant le soleil.

Dans l'après-midi, Sam Shahid émerge du parking au volant de sa voiture. Je le suis.

Me faufiler dans la circulation ne pose aucun problème, je suis certain qu'il ne m'a pas repéré. Pourquoi suis-je en train de faire ça ? Simple intuition. Je voudrais vérifier mon idée.

Sam se dirige vers le Marais, le quartier chic où il habite. Les rues sont étroites mais les hôtels particuliers magnifiques. Il se gare dans sa rue, près de la place des Vosges, et entre dans son immeuble.

Bien. Jusque-là, rien d'anormal. Ou presque.

J'attends un moment dehors.

Pourquoi Sam ne m'a-t-il pas dit qu'il rentrait à Paris ?

Aux dernières nouvelles, il avait filé dans le Sud à ma demande parce que sa vie était menacée. Rien n'a changé. Alors pourquoi est-il de retour ? Et sans même me passer un coup de fil ? Serait-ce parce qu'il s'estime en sécurité à nouveau ? Parce qu'une autre personne veille sur lui, par exemple ?

Quelqu'un arrive. Je me rencogne contre l'embrasure d'une porte.

Sonnette. La porte s'ouvre. La personne entre. Mon sang se met à pulser dans mes veines sous l'influence de l'adrénaline.

Je patiente cinq minutes, avant d'appuyer à mon tour sur l'ouverture – un bouton extérieur, comme dans la plupart des vieux immeubles. Sam habite après la cour, escalier B, troisième étage. Je grimpe les marches et m'arrête devant sa porte. Je tends l'oreille. Pas un son. Son appartement n'est pas très grand, la chambre est située à l'autre bout.

Je déplie la trousse que je viens d'acheter. Il s'agit d'un kit professionnel de crochetage d'ouverture comportant une vingtaine d'accessoires. Trente-neuf euros, prix public. Totalement inutile si vous ne savez pas vous en servir. Pour quelqu'un d'entraîné, en revanche…

La serrure résiste un peu, puis cède. J'ouvre délicatement et pénètre chez Sam. L'appartement est plongé dans la pénombre, rideaux tirés. J'entends des rires en provenance de la chambre. Je m'installe dans un fauteuil. La minute suivante, Sam entre, en caleçon.

– Tu veux boire un truc ? demande-t-il, la tête tournée en arrière.

L'autre pénètre dans la pièce à son tour, également en sous-vêtements. Sam allume, me voit. Son ami aussi.

Les deux hommes se figent.

– Hey, salut, Sam ! fais-je avec le sourire.

Je tourne mon regard.

– Et bonjour aussi, David.

53

Le commandant Batista se penche vers la femme et dépose un verre d'eau fraîche devant elle sur la table.

– Je vous remercie d'être venue au commissariat, madame le Juge.

– C'est normal, répond Audrey Valenti.

– Comment vous sentez-vous ?

– Fatiguée.

– Êtes-vous capable de répondre à nos questions ?

– Oui.

– Nous pouvons reporter cet entretien si vous voulez.

– Ça ira, commandant. Les premiers jours sont déterminants dans une enquête. Je suis bien placée pour le savoir. Ne perdons pas de temps.

Batista la jauge. Inutile d'en faire trop avec elle. Ou d'employer le mot *entretien* à la place d'*interrogatoire*. C'est une dure à cuire, il le sait. Elle a eu un problème médical sérieux l'an dernier, et survécu à un arrêt cardiaque il y a quarante-huit heures. Si elle est là, c'est parce qu'elle le souhaite.

Assise à ses côtés, son adjointe Louise Luz enregistre tout sur un magnétoscope numérique, en prenant des notes.

– Bien, dit Batista. Que s'est-il passé dans ce squat du tunnel ferroviaire ?

Alors Audrey raconte. Un certain nombre de souvenirs ont repris leur place dans sa tête. Elle les décrit tous, du mieux qu'elle peut. La soirée avec Christian à La Closerie des lilas. Leur au revoir devant l'hôpital. L'attaque par un inconnu alors qu'elle se trouvait au volant de sa voiture – un inconnu dont elle pense qu'il s'agit de Carter Clay, sans pouvoir l'affirmer de façon certaine. Son réveil dans la maison. Ses membres ligotés. Le bâillon qui l'empêche de respirer. En relatant ce passage, Audrey s'interrompt, boit une gorgée, puis repose le verre sur la table.

Elle raconte ensuite les vieilles photos de Djeen qu'elle a repérées, traînant partout sur le sol. Des clichés pris à distance, sans doute au téléobjectif et à différents moments. Elle se permet de signaler alors, ce n'est qu'une remarque, que de telles photos semblent démontrer que Djeen était placée sous surveillance. Ce qui contredit a priori la thèse du meurtre impulsif. Carter Clay n'est pas qu'un schizophrène « pousseur » du métro – oui, elle est au courant de toute l'histoire, Christian la lui a racontée.

À ce moment-là, un tic agite la mâchoire de Batista, comme une vieille douleur dentaire qui se réveille. Il plaque une main dessus et le tic s'arrête.

Audrey poursuit. Elle raconte l'inscription sur le mur, « Pour la Douleur ! Fais-le ! ». Puis sa phase d'agonie. Elle passe sur son désespoir et ses sentiments personnels pour se concentrer sur son témoignage. Elle se souvient de l'arrivée de Christian. Au début, ce dernier ne l'avait pas repérée dans le noir. Elle a voulu remuer pour lui faire signe. Sans doute l'effort de trop. Son cœur a dû lâcher à cet instant. Heureusement que Christian se trouvait sur place. Le fait qu'il l'a sauvée est indubitable. Les deux policiers se regardent alors, mais ils ne l'interrompent pas. Il l'a quasiment ressuscitée, affirme Audrey. Même s'il lui a cassé une côte pendant le massage cardiaque.

– Là, dit-elle en montrant la zone près du sternum. J'ai les radios, si vous voulez. Mais il a exécuté une procédure parfaite.

Le chef du Samu me l'a confirmé en personne. Sans le docteur Kovak, je serais morte bien avant l'arrivée des secours.

À ce stade, ses souvenirs redeviennent confus. Elle décrit une ombre noire, un bref combat entre cette ombre et Christian. Probablement Clay, une fois encore. Le psychopathe a fini par s'enfuir. Ensuite, elle se souvient d'elle-même, toujours à terre, Christian lui tenant la main.

— Clay est parvenu à nous enfermer. Il a dû mettre le feu au-dehors, parce que je me rappelle la fumée sur le point de nous asphyxier. Puis un homme nous a ouvert.

Batista fait glisser une photo sur la table.

— David Zimmermann ?

— Oui, je pense que c'est lui, affirme Audrey en posant son doigt sur l'image. Je l'ai seulement aperçu, mais je me souviens de son sourire, il avait l'air gentil. Les secours sont arrivés ensuite, on m'a transférée à l'hôpital. Voilà.

Batista pose ses doigts repliés devant sa bouche. Ferme les paupières. Attend un moment. Les rouvre. Puis :

— Si je comprends bien, madame le Juge, Christian Kovak ne vous a jamais kidnappée, c'est ça ?

Les yeux de la femme s'agrandissent.

— Non, bien sûr que non !

— Et vous maintiendriez cette version devant un tribunal ?

— Quel tribunal ? Pour Christian ? C'est une blague ?

Armando se retourne vers Louise Luz.

— Arrêtez l'enregistrement.

— Mais...

Il hausse un sourcil.

— Louise. Arrêtez. On stoppe.

Son adjointe rougit et éteint l'appareil.

— Vous... vous voulez que je sorte ? demande-t-elle.

— Bien sûr que non. Votre enquête était correcte. C'est moi qui suis allé trop vite en besogne. Kovak est une tête brûlée, mais on ne peut pas tout lui coller sur le dos. Je m'en doutais un peu. J'aurais dû écouter mon instinct.

Batista se lève et fait quelques pas. L'évasion de Kovak lui a laissé un mauvais souvenir, c'est sûr. Le tir de Flash-Ball lui fait encore mal. Et il faudra retrouver son complice, le tireur cinglé qui conduisait le Hummer. Cependant... il n'en veut pas tant que ça à Christian. La véritable cible, c'est Clay, Armando en est persuadé depuis un moment. C'est sur lui qu'il faut concentrer les efforts tant que la piste est encore fraîche. Surtout que leurs investigations n'ont rien donné jusqu'à présent. Ils n'ont même pas été fichus de retrouver un corbillard volé. Ce Clay est un véritable fantôme.

– Madame le Juge, vos souvenirs sont essentiels. Essayez de vous rappeler le moment précis où l'on vous a enlevée. Nous avons besoin d'en apprendre un maximum sur votre agresseur. N'importe quel indice peut nous conduire à lui.

– C'est difficile, je n'étais pas dans mon état normal, j'avais bu de l'alcool, cela a donné une mauvaise réaction avec mon traitement médical, je me sentais épuisée. Avec le bâillon qui m'étouffait en plus, j'étais au bord de l'évanouissement...

– Vous n'avez pas du tout vu son visage ?

– Non.

– Décrivez-nous sa force, alors. Comment était-elle ?

– Puissante, ça c'est sûr. Je me souviens qu'il m'a agrippée... avec des gants.

Batista pointe son index sur le lieutenant Luz.

– Louise, notez ça. (Il revient à Audrey.) C'est bien. Il portait des gants. Quoi d'autre ?

Elle fait la grimace.

– Il m'empoigne. Me bâillonne. Me sort de la voiture...

– Ensuite ?

– Il m'enfile une cagoule sur la tête. Je... je m'étouffe.

– Qu'est-ce qu'il fait de vous ?

– Il me traîne...

– Où ça ?

– Je n'y voyais rien !

– D'accord. Réfléchissez avec vos autres sens, Audrey.

Batista s'est mis à utiliser son prénom. Ça lui est venu tout seul. Tant pis.

La juge ferme les yeux, jouant le jeu, concentrée.

– OK, je vais essayer, dit-elle. Il me pousse... J'entre dans un espace étroit. On dirait un coffre...

– Vous sentez des odeurs ? Vous touchez quelque chose ?

– Ça sent... les fleurs fanées. Je peux en toucher quelques-unes avec les doigts. Elles sont rassemblées, tressées sur quelque chose, peut-être une couronne.

– Une couronne mortuaire ! s'exclame Louise Luz. C'est le corbillard, celui qu'on recherche ! Elle est dans son coffre !

Batista frappe dans ses mains.

– Excellent ! Voilà ! On continue.

– Ensuite la voiture roule, dit Audrey.

– Combien de temps ?

– Je ne sais pas.

– Un ordre de grandeur.

– Peut-être quinze, vingt minutes.

– Ils sont toujours en ville, affirme Luz.

– Qu'est-ce que vous entendez dehors ? demande Batista.

– Pas grand-chose.

– Et quand la voiture s'arrête ?

– Il ne se passe rien. Ça dure un long moment.

Batista tourne en rond en passant ses mains sur son crâne chauve.

– D'accord. Carter Clay a dû s'arrêter quelque part et attendre le moment propice pour vous sortir du coffre. Luz, est-ce qu'on a retrouvé des traces sur les vêtements de Mme Valenti ?

– Du sable des carrières. En pagaille.

– De quoi s'agit-il ? demande Audrey.

– Des résidus calcaires que l'on trouve dans les Catacombes, répond Batista. Dès qu'on y descend, on s'en met plein partout. Ça corrobore la thèse, pour Clay. Il est connu pour se balader dans le sous-sol.

– Ce fou m'a transportée dans les Catacombes ? dit Audrey, épouvantée.

Luz confirme d'un hochement de tête.

La juge déglutit. Nouvelle gorgée d'eau.

– On n'a pas retrouvé vos chaussures, précise l'adjointe. Vos talons et vos mollets, en revanche, portaient des traces sombres. D'après les analyses, il s'agit d'huile de moteur.

Batista s'arrête de marcher. Il lève les mains.

– OK. On la refait tous ensemble. Audrey : vous êtes jetée dans le coffre du corbillard, la voiture roule vingt minutes, Clay se gare, ensuite il attend, il vous sort du coffre, vous vous retrouvez dans les Catacombes, vous émergez dans le tunnel de la Petite Ceinture, et il vous enferme dans la maison. (Il croise les bras.) Mais de la voiture aux Catacombes, comment il s'y est pris ?

Luz se gratte la tête avec son stylo.

– Il a peut-être garé son corbillard dans la rue ? Il a ouvert une plaque du service d'entretien et il est descendu, comme le font les cataphiles. Il y a une sortie en provenance des Catacombes dans le tunnel de la Petite Ceinture. Elle est répertoriée sur nos cartes. C'est un simple trou au ras du sol, il passe facilement inaperçu au milieu des ordures.

Batista secoue la tête.

– D'accord pour la sortie. Mais le point d'entrée, ça ne colle pas. Les plaques de l'inspection générale des Carrières se trouvent généralement sur les trottoirs. En dessous, les puits d'accès font vingt mètres de profondeur. Les échelons sont difficiles à saisir, il aurait fallu descendre Audrey avec un seul bras, en risquant de se rompre le cou. Clay est costaud, mais ce n'est pas King

Kong. Après ça, il faut ensuite qu'il remonte fermer la plaque, en sachant que n'importe qui peut repérer l'ouverture béante dans l'intervalle. Sans compter le corbillard, bien visible au milieu de la rue, alors qu'il s'agit d'un véhicule volé recherché par la police.

– Je n'ai pas été portée, intervient Audrey. Ou alors sur une courte distance. En revanche, il m'a traînée, je m'en souviens, mes pieds frottaient par terre. Et... je crois bien qu'il y avait de la musique au début du parcours. Un air monotone, banal, comme dans les ascenseurs.

Luz fronce les sourcils.

Batista réfléchit, mimant les gestes.

– OK. Clay ouvre le coffre. Il vous extrait, puis vous transporte en tirant votre corps par les épaules en arrière, comme ça.

– Vous perdez vos chaussures à ce moment-là, dit Luz.

– Mes talons frottent dans l'huile de moteur, ajoute Audrey.

– Vous entendez de la musique monotone, reprend Batista.

– Puis je me retrouve dans les Catacombes, poursuit Audrey.

– Mais vous êtes constamment traînée, pas de trajet à la verticale, dit Luz.

– C'est... un parking souterrain ! s'exclame Audrey. La musique d'ambiance, les flaques d'huile sur le sol, l'endroit discret où garer le corbillard, la profondeur adéquate, c'est ça !

– Nom de Dieu ! dit le commandant.

Il sort une carte.

– Luz, combien trouve-t-on de parkings souterrains dans un rayon, disons, de trois ou quatre cents mètres autour du squat ?

L'adjointe fonce sur son ordinateur et tape sur le clavier.

– On peut en compter six.

– OK. Parmi ces six, combien possèdent une profondeur suffisante ?

Nouveau pianotage.

– Il y en a deux.

– Entre un parking souterrain et les Catacombes, il pourrait exister une voie de communication, n'est-ce pas ?

– Oui, dit Luz. Via une galerie technique, ou n'importe quel réseau. Ces voies existent. Il y a même des amateurs qui les creusent.

– D'accord. Envoyez immédiatement une équipe à chaque endroit. Contactez les commissariats proches. Je veux qu'ils passent ces parkings au peigne fin tout de suite !

Vingt minutes s'écoulent.

Lorsque le téléphone sonne, Luz décroche. Son visage s'illumine.

– On a repéré le corbillard ! Il est toujours garé là-bas !

Batista se tourne vers Audrey.

– Vous êtes capable de nous accompagner ?

Elle hoche la tête.

– Alors en route, dit Batista.

54

J'observe Sam et Zimmermann. Aucun des deux n'a bougé. Ils ont l'air pétrifiés par mon apparition.

Sam, tout comme sa sœur Djeen, possède un prénom venu de l'Antiquité. C'est le patronyme d'un héros du *Livre des rois*, qui est un long poème épique de l'ancienne Perse. On peut l'écrire Sam ou Saam, au choix. Littéralement, cela signifie « le Sombre ».

Djeen, la Lumière. Saam, le Sombre. Ainsi en ont décidé leurs parents d'origine, en leur attribuant à sept ans leur « nom véritable » censé refléter leur « personnalité véritable ». Peut-être aurais-je dû me méfier plus tôt.

David Zimmermann est le premier à rompre le silence.

– Comment avez-vous deviné pour Sam et moi ?

– Vos boutons de manchette.

– Les triangles roses ?

– Sam venait souvent chercher Djeen pour l'accompagner à Paris lors de ses déplacements professionnels. Il l'a amenée de nombreuses fois à la Défense. J'ai supposé que vous aviez pu vous rencontrer là-bas, tous les deux, vous apprécier et vous revoir ensuite. Le triangle rose, c'était la marque de l'homosexualité pendant la Seconde Guerre mondiale, n'est-ce pas ? Il était imposé aux homos déportés par les SS. De nos jours, certains l'ont repris comme un symbole d'appartenance à la communauté gay, voire comme un signe militant. Il fait partie des logos LGBT, au même titre que le drapeau arc-en-ciel. Quelques hommes le portent de façon plus discrète, sous la forme de boutons de manchette par exemple. Sam m'avait raconté cette anecdote il y a longtemps sans citer sa référence. J'ai mis un certain temps à m'en souvenir. Vous voyez, David : votre amant vous a trahi sans le vouloir.

Je me tourne vers Sam.

– Mais on dirait que dans la famille Shahid, on n'est pas à une trahison près, hein ?

Je le foudroie littéralement du regard. J'attends presque qu'il se racornisse et se recourbe devant moi, tel l'abominable traître, le *Sombre* qu'il est. Sauf que cela n'arrive pas. Non seulement il soutient mon regard, mais en plus il paraît en colère.

– Qu'est-ce que tu racontes ? dit Sam. Je n'ai trahi personne.

– Bien sûr que si ! je rétorque.

– Toi, en revanche, tu es entré comme un voleur.

– On dirait que ça te dérange.

– Pourquoi tu n'as pas sonné, comme tu le faisais avant ? Tu ne viens plus jamais me voir et soudain tu t'introduis de cette façon ? C'est quoi ton problème, tu es furieux parce que je suis rentré à Paris sans te prévenir, c'est ça ? Ça fait longtemps que tu ne te souciais plus autant de mon sort. Si tu veux tout savoir, je ne t'ai pas appelé parce que je voulais voir mon compagnon en premier, pour que nous puissions discuter et nous réconcilier d'abord. Tu comptais me surprendre et me mettre dans l'embarras ? Bravo. C'est réussi.

– J'espère que tu plaisantes ? (Je pointe un doigt rageur sur Zimmermann.) La police me recherche ! Je suis devenu un fugitif ! Et c'est à cause de lui ! Il a téléphoné aux flics pour signaler qu'il m'avait retrouvé en compagnie d'Audrey en laissant carrément entendre que je pouvais être le kidnappeur !

– Quoi ?

– Quant à toi, Sam, je suis certain que c'est toi qui as tout raconté à Tectus ! Il était au courant de mes problèmes avec la morphine, de mon adolescence, il n'y a que toi et Djeen qui connaissiez ces détails ! La voilà, sa source d'informations !

– Je n'ai jamais parlé à Tectus, proteste Sam.

Je me retourne vers son amant.

– Et vous, Zimmermann ? Vous savez ce que la police vient de découvrir chez moi ? Une webcam dissimulée au sous-sol. Une putain de caméra pour espionner ma femme ! Si on ajoute à ça les nombreuses photos que j'ai trouvées d'elle, sur le sol, dans le taudis où vivait Clay, à qui ça vous fait penser ? Qui parmi nous est un expert des techniques de surveillance, hein ?

Je ne lâche pas David des yeux. Son absence de protestation sonne comme un aveu, et ma fureur redouble.

– Demande-lui, Sam, si c'est lui qui a fait tuer ta sœur ! Elle était la maîtresse d'Elon Tectus ! Elle le gênait dans sa carrière politique, c'est ça, la raison ? Elle savait trop de choses, alors on élimine la maîtresse encombrante ? Ou c'est encore plus sordide ?

– Hein ?

– Après tout, vous êtes peut-être tous complices, qui sait ? Ose me dire que tu n'étais au courant de rien, Sam ! Jusqu'où va ta trahison personnelle ?

Je m'arrête, ivre de colère, à bout de souffle.

Voilà. Je leur ai tout balancé à la figure, et maintenant j'attends. Il faut que cela cesse, que la vérité éclate une fois pour toutes.

Sam lève le poing. On dirait qu'il va me frapper… mais il se retourne et frappe David à la place. J'en suis stupéfait. Je n'ai jamais vu Sam cogner quiconque, même à l'époque où il se faisait charrier par Youri et sa bande. David tombe à terre, projeté par la violence du coup.

– Tu as intérêt à t'expliquer, lui dit Sam en tremblant de rage.

David se frotte la lèvre. Il saigne, mais ne se relève pas. Il se contente de croiser les jambes et de s'asseoir en tailleur. Il est toujours en caleçon, il regarde vers le sol. On dirait un petit garçon pris en faute.

— D'accord, reconnaît-il d'une voix sourde. Je me doutais qu'il s'était passé quelque chose entre Tectus et Djeen, c'est vrai. Mais je ne l'ai jamais mentionné à Sam. Il n'était pas au courant. Tectus ne m'a jamais mis dans la confidence, ce n'était pas son genre, et ces affaires-là ne me concernent pas. En revanche, j'admets m'être introduit par effraction dans la villa des Kovak. Dès le début de son contrat, j'y ai placé une caméra pour espionner Djeen.

Sam manque de s'étrangler.

— Il n'y avait aucune intention malveillante, poursuit David. Ça fait partie du boulot. Djeen travaillait sur un projet industriel capital, beaucoup d'argent était en jeu. Tectus craignait des fuites. Elle était brillante, mais instable, vous êtes obligés de l'admettre.

— Pas instable, grogne Sam. Ma sœur souffrait de la maladie d'Asperger. Ce n'était pas facile pour elle !

— Je sais. Mais une entreprise de notre taille ne prend aucun risque. Tectus craignait qu'elle parte en vrille et communique des informations à la concurrence.

— Et elle l'a fait ? je demande.

David hausse les épaules.

— Non. Pas que je sache.

Sam serre les dents.

— David, il m'est arrivé de te lâcher quelques indiscrétions à propos de Christian, mais c'était pour papoter, comme ça, entre nous. Avec mon père, il est ma famille, je n'ai jamais voulu lui faire du tort. Et tu es allé tout raconter à ton patron ?

David se recroqueville encore plus.

— Je suis tellement désolé, Sam… Tectus est en pleine campagne électorale, et avec tous ces incidents qui éclatent, ça se présente mal. Il est tendu. Et il a reçu des menaces. Il ne sait pas d'où cela provient. Christian aurait pu être impliqué. Il m'a demandé d'en apprendre le plus possible sur son compte. Qu'est-ce que je pouvais faire ?

J'interviens :

— Et pour les photos au téléobjectif ?

— Ce n'est pas moi. Je vous l'ai dit.

— Vous n'avez pas engagé Carter Clay pour tuer Djeen ?

Il se rebiffe.

— Je n'ai rien à voir avec ça ! Vous êtes fou !

David reprend soudain du poil de la bête.

— Je ne participe pas à des meurtres, ni de près ni de loin ! Et Sam non plus ! Il n'aurait jamais fait le moindre mal à sa sœur ! Vous êtes cinglé d'imaginer des choses pareilles ! C'est pour ça que je vous déteste !

— Ah bon ? Vous me détestez à ce point ? Expliquez-moi donc.

C'est à son tour de me foudroyer du regard.

— Parce qu'à force d'observer votre femme depuis une caméra, je sais ce que vous valez, Kovak. Djeen était pétrifiée par votre perte de contrôle, votre consommation effrénée d'alcool et de médicaments. Et son cerveau à elle était comme une éponge : au bout d'un moment, elle ne faisait plus de différence entre votre souffrance et la sienne. Elle cherchait des solutions pour vous aider, mais vous n'en aviez rien à foutre ! Vous étiez drogué, vous l'avez laissée tomber, vous laissez tomber tout le monde ! Lorsqu'elle est morte, Sam a eu peur que vous l'abandonniez aussi. Vous aviez pratiquement cessé de le voir. Quand je l'ai rencontré, il était en miettes, je l'ai ramassé à la petite cuillère ! Et vous, vous continuez sur la même pente ! Sam m'a parlé de l'un de vos bons amis, un cinglé, un certain Youri, un copain de jeunesse qui voulait carrément lui faire la peau, et qu'apparemment vous fréquentez toujours. Je ne peux pas accepter ça ! Alors oui, je vous ai balancé aux flics dès que j'en ai eu l'occasion !

David finit par se calmer.

Moi aussi.

Sam nous contemple, tel un arbitre sur un ring. Il semble que nous nous soyons envoyé quelques solides uppercuts, les uns et les autres. Assez pour nous mettre K.-O. debout. Mais tout le monde a fait fausse route. Je le réalise à présent. Le véritable adversaire n'est pas là : il est dans les gradins, en train de ricaner et de nous regarder nous battre.

– D'accord, David, dis-je. Je me suis trompé sur votre compte. C'est moche, et je vous présente mes excuses. Et à toi aussi, Sam.

Sur ce, je leur raconte tout. Les menaces de Clay, l'oreille dans l'enveloppe, comment Audrey m'a appris qu'il s'était évadé de l'hôpital psychiatrique, la disparition du corps de Djeen dans son cercueil, l'enquête jusqu'au squat, les menaces d'Elon Tectus, la soirée de Wanda, ma découverte de la relation entre Tectus et Djeen, et pour finir l'arrivée des flics et mon évasion. Je ne m'étends pas trop sur les détails de ma fuite en compagnie de Youri, je vois bien l'effet que ça produit sur Sam.

À la fin, il se laisse tomber dans un fauteuil. Sur son visage, l'accablement a remplacé la colère. Il se passe une main dans les cheveux.

David ouvre la bouche pour parler.

– Tais-toi, dit Sam.

Je lève un doigt.

– Toi aussi, silence, fait-il à mon intention.

Sam Shahid écrase la racine de son nez entre son pouce et son index.

– D'accord. Voilà comment je vois les choses. Il y a quelques jours, une vidéo est apparue sur Internet montrant le visage de ma sœur. Sauf que Djeen est morte. C'est un drame horrible, mais c'est comme ça, Christian et moi l'avons identifiée à la morgue. Donc quelqu'un se fait passer pour elle. Dans quel but ? Eh bien, d'après ce que nous dit David, peut-être pour nuire à son patron. Mais notre problème n'est pas là. Notre problème est que son assassin, Clay, est convaincu qu'elle est bien vivante. Ce fou s'est évadé et il s'en prend maintenant à nous. Les flics n'ont pas été très efficaces jusqu'ici. Mais vous deux… vous deux… vos actions ont semé la pagaille !

Sam plante un index dans la poitrine de David.

— Toi, je découvre que tu espionnais ma sœur, et que je ne peux pas te faire confiance !

Puis il se tourne vers moi, continuant de rugir.

— Et toi, tu te retrouves carrément dans la position d'un fugitif recherché par la police ! Mais comment avez-vous fait pour en arriver là ?!

Il continue de marcher en s'agitant. Ni David ni moi n'osons ouvrir la bouche.

— Je ne sais pas quoi faire, dit Sam. Je suis fou de rage. Impuissant. Terrifié par ce qui pourrait se passer. Mais je ne vois que deux solutions. Soit on va ensemble se présenter à la police, tout de suite, et advienne que pourra. Soit vous réfléchissez tous les deux, vous coopérez, et vous trouvez une solution !

Puis il se rhabille et sort en claquant la porte.

Nous demeurons seuls, David et moi.

55

Je me sers un verre d'alcool en piochant dans le bar de Sam. Sa collection de bouteilles est splendide, comme le reste de l'appartement, où chaque détail révèle son goût pour les beaux objets. David, lui, marche lentement sur le sol, les pieds nus. Ses pas font grincer les lattes de bois du parquet. Il a remis ses vêtements, bien sûr.

— Je suis désolé pour votre femme, dit-il.

— Mmmm.

— C'était moche de la part de Wanda. Vous montrer une vidéo de son mari en train d'embrasser Djeen, c'est cruel.

— Oui.

— Vous avez dû être blessé.

— Effectivement.

— Et cette fille, Audrey, vous y tenez, alors ?

Je laisse l'alcool couler dans ma gorge avant de répondre.

— Je pense que oui.

— Pourquoi n'êtes-vous pas avec elle ?

— C'est comme le statut Facebook.

— Comment ça ?

— « C'est compliqué. »

David sourit.

— Vous pouvez être marrant, en fin de compte.

Je m'arrête de boire.

– Qu'est-ce que vous venez de dire, David ?

– Que vous étiez marrant.

– À propos de Wanda.

– Elle vous a montré la vidéo de son mari embrassant votre femme.

– C'est ça, dis-je en posant mon verre. Mais... comment l'a-t-elle obtenue, cette vidéo ? Vous croyez que c'est elle qui a filmé ?

– Ça m'étonnerait. Wanda aurait fait un scandale en direct si elle avait assisté à la scène.

– Alors qui ?

– Ce n'est pas moi ! dit-il, protestant par avance.

– D'accord. Mais vous n'auriez pas une idée ?

– Je n'en sais rien. Décrivez-moi les images.

Je m'en souviens parfaitement. Une soirée débridée, du même genre qu'à la Défense, mais dans un endroit plus petit, déco gothique, avec murs en pierre et torches qui flambent. Qu'avait dit Wanda ? Que la soirée s'était déroulée dans les Catacombes. Je répète tout à David.

– Il y a autre chose. À la fête, les videurs portaient un logo sur leur veste. Un genre de crâne de squelette, les lettres UK brodées dessus. Wanda a utilisé une application sur son portable, un sésame pour entrer, il comportait le même dessin.

– Ah, fait-il.

– Quoi « Ah » ?

– UK. Vous êtes certain ?

– Vous connaissez ?

– C'est embarrassant.

– David...

Il lève les mains en l'air.

– D'accord ! Sam a dit de coopérer. Je coopère...

Il sort son portable. L'allume. Me le montre.

– Voilà. UK. Je possède l'application moi aussi.

– Qu'est-ce que ça signifie ?

– « Under Klub ».

– Mais encore ?

– Eh bien, heu, un club, mais en dessous.

– Vous me prenez pour un débile ?

– Bon. D'accord. Under Klub est une communauté de noctambules qui apprécient les fêtes un peu extrêmes. Sexe, sadomaso, tout ce qui est transgressif, vous l'avez vu. Ces soirées sont clandestines. Elles n'ont lieu qu'en sous-sol, dans des endroits insolites et interdits. Il n'y a aucune règle de sécurité. Tous les raccordements électriques sont illégaux. Les drogues les plus dangereuses y circulent.

– Sam est courant ?

Il baisse la tête.

– Non.

– C'est Wanda qui vous en a parlé ?

– Oui.

– Et vous avez essayé ?

– De temps en temps… Je n'y vais plus !

– Comment Djeen a-t-elle pu se retrouver là-bas ?

– Je ne vois qu'une explication : c'est Tectus qui l'a amenée. Peut-être qu'il lui a vanté les décors gothiques, sans lui expliquer la nature de la fête. Djeen aura voulu voir par elle-même. Elle recherchait sans cesse de nouveaux visuels pour ses créations. Je me promenais dans les carrières quand j'étais jeune, c'est vrai que c'est impressionnant.

– Qui organise ces fêtes ?

– Un type. Xavier quelque chose. Un genre de frimeur. Il se fait appeler XS, comme « excès » en anglais, c'est plus vendeur. Il organise tout lui-même : bar, podium pour le DJ, éclairage, vestiaire, plus les videurs avec les logos. Tout est au black, bien entendu.

– Est-ce qu'il aurait pu tourner la vidéo ? Celle où l'on voit Djeen et Tectus ensemble ?

David se frotte le menton.

– En fait... oui. C'est très possible. Filmer sur place est interdit, bien sûr. Sauf en ce qui le concerne. Il balance parfois des extraits sur le Net, il faut bien qu'il fasse sa pub.

– Je dois rencontrer ce Xavier.

– On ne peut pas. Il n'est visible que lors des soirées.

– Quand a lieu la prochaine ?

– L'été il y en a sans cesse. (Il consulte l'application.) Ce soir, par exemple.

– Aux Catacombes ?

– Oui.

– Je veux m'y rendre.

David plisse les lèvres d'un air embêté.

– Personne ne sait où la soirée se déroulera. « XS » ne le révélera qu'au dernier moment, via l'application Under Klub. Et la mienne est désactivée. Je reçois encore les notifications, mais pas les adresses, ni les flashcodes. Tout est conçu pour susciter l'envie d'une expérience unique et clandestine. Pour obtenir l'application ou la réactiver, il faut être parrainé. C'est un processus long et complexe. Et les videurs ne nous laisseront jamais passer sans un flashcode valide.

– Wanda m'a bien fait entrer, elle.

– Nous n'avons pas son influence...

Je réfléchis. Les Catacombes. Une fois de plus. Depuis le début, le mot revient comme un refrain sinistre. Carter Clay rôde dans ce labyrinthe. Tectus y fait la fête. Djeen le suit là-bas. Wanda en possède une vidéo. Tout nous ramène au même endroit.

Si ce « XS » a capturé des images de ma femme en compagnie de son amant, alors il a peut-être vu quelque chose d'autre. Son témoignage a des chances d'être intéressant, voire essentiel pour la suite. Les pièces du puzzle se rassemblent, et je commence à avoir une idée de ce que je pourrais découvrir.

— D'accord, dis-je. Alors j'irai sans permission. Amenez-moi dans les Catacombes.

— Hein ?

— Vous y descendiez quand vous étiez jeune, vous venez de le dire. Les soirées Under Klub ne sont certainement pas organisées dans trente-six endroits. Ce Xavier doit réutiliser les mêmes combines.

— On n'est pas préparés, ça peut être dangereux.

— Je cours le risque.

— Trouver le bon endroit prendra des heures !

— Très bien. Partons tout de suite.

— Quoi ?

Je bondis sur mes pieds. Cette fois, j'ai une chance de découvrir la vérité, je le sens.

— David. Je ne plaisante pas. Mettez vos chaussures. On y va.

56

La voiture de police fonce dans le parking souterrain et se gare en faisant crisser ses pneus. La sirène s'arrête.

– Vous conduisez trop vite, Luz, dit Batista.

– Désolée.

– D'un autre côté, ça me convient. Réfléchissez à la même vitesse, et vous serez l'adjointe parfaite.

Louise Luz rougit de nouveau. Batista et elle sortent. Les portières claquent. Audrey leur emboîte le pas.

La police a fermé l'accès en surface. Une douzaine de flics forment déjà un cordon autour du corbillard. Un officier s'approche du commandant.

– On a découvert une galerie d'entretien. On descend un escalier, une porte en fer, et derrière c'est les Catacombes. L'accès était scellé mais quelqu'un l'a rouvert. C'est certainement par ce chemin qu'on a transporté Mme le Juge. (Il la salue respectueusement au passage.) Le tunnel de la Petite Ceinture n'est qu'à quelques dizaines de mètres ensuite.

– Et le corbillard ?

– On a passé le miroir d'inspection en dessous.

– Rien de suspect ?

– Non.

– L'équipe technique ?

– Prête.

– Allez-y. Ouvrez.

L'officier joint le pouce et l'index pour donner le OK. Un choc pneumatique et la portière du conducteur s'ouvre. Un second et c'est au tour du coffre.

Batista enfile des gants bleus et en tend une paire à Louise.

– Je m'occupe de l'avant, dit-elle.

Batista s'approche du coffre. Ce dernier n'a rien à voir avec celui d'une voiture ordinaire : il est conçu comme un tunnel. C'est un espace étroit et rectangulaire, tout en longueur, dans lequel on peut enfiler un cercueil sur des rails métalliques. Il est scellé sur les quatre côtés, sans vide autour, afin que la caisse en bois ne bouge pas durant le voyage.

On dirait une tombe.

Audrey frissonne en le découvrant, saisie d'une sensation immédiate de claustrophobie. C'est la première fois qu'elle le contemple de ses propres yeux. Il y a peu, elle se trouvait à l'intérieur, cagoule sur la tête, bâillon en travers de la bouche, dans le noir, comme emmurée vivante.

Sa gorge se resserre, elle a l'impression de manquer d'oxygène.

– Ça va ? demande Armando.

– Je vais très bien.

Elle s'approche.

– Il y a la couronne mortuaire que j'ai décrite.

– Exact, dit Batista en saisissant à deux doigts les restes de décoration fanée.

Il la tend à l'un de ses subordonnés, qui la place dans un sac d'analyse.

Audrey fronce les sourcils.

– Quelque chose ne va pas avec le coffre.

– Quoi donc ?

– Je n'en sais rien.

– Hé ! intervient Luz, j'ai trouvé un ticket de stationnement coincé sous le siège. Avec le code, on peut localiser la borne qui l'a imprimé. C'est peut-être une piste.

Batista hoche la tête.

– D'accord. Occupez-vous de ça. (Il se tourne vers Audrey.) Alors ?

– C'est l'intérieur. Il me paraît trop grand.

– Trop grand ?

Elle l'interrompt d'un geste, ôte ses talons, agrippe les contours et se glisse à l'intérieur, tête la première. Elle a l'impression d'être avalée par la bouche d'un monstre. Elle se contorsionne. Descend plus loin. Jusqu'à ce que ses pieds affleurent le rabat du coffre.

– Fermez derrière moi.

– Hein ?

– Commandant, faites-le, s'il vous plaît.

Il s'exécute.

Audrey se retrouve dans le noir. Elle ferme les yeux. La sensation de claustrophobie grimpe aussitôt, l'emportant tel un raz-de-marée. Elle est comprimée, elle suffoque, elle va mourir étouffée. C'est la terreur. La panique !

Doucement, Audrey. Tu n'es plus prisonnière. Clay n'est pas là. Tu as survécu. Tu es vivante. Ce n'est pas seulement la peur d'être enfermée, ni ce tueur, qui t'effraie : c'est le reste de ton existence. Ton cœur qui te paraît fragile. Ta relation avec Christian. Ton avenir dans la magistrature, ta vie entière. Si tu ne surmontes pas cet obstacle, là maintenant, tu en seras à jamais incapable, et tu deviendras une petite fille apeurée. Bats-toi.

Alors elle se bat. Elle force d'abord sa respiration à ralentir. Lentement. Plus lentement encore.

C'est bien, Audrey. Comme ça. Continue.

Puis elle détend ses muscles l'un après l'autre, du haut vers le bas, le cou, les épaules, le thorax, le ventre, et enfin les jambes. Et pour finir son cœur, son cœur de femme solide et qui l'a prouvé, se met également à baisser son rythme. Un battement après l'autre. Et la peur reflue.

– Audrey ? demande Batista d'une voix inquiète.

– Ne vous en faites pas. Tout va bien.

La panique a disparu. Elle réfléchit. Ses bras sont collés à elle. Elle ne peut pratiquement pas les bouger, mais ils sont à la bonne place, là où elle pouvait tâter les fleurs. Ses pieds aussi. Ils touchent le hayon du coffre, comme dans son souvenir. Au loin, elle entend la musique d'ambiance du parking, monocorde. Ça sent l'essence et l'huile de moteur. Toutes ses sensations concordent.

Elle remue la tête. Rien. Elle est dans le vide.

Elle remue encore.

Voilà. Elle a trouvé.

– Vous pouvez m'ouvrir, dit-elle.

Batista soulève le hayon d'un coup.

– Je sais pourquoi ma sensation est différente, dit-elle en s'extrayant du véhicule. C'est parce qu'il manque quelque chose. Il y a un élément *en moins*. L'endroit était plus confiné. Je pouvais toucher le fond avec ma tête, et le contact était différent du métal. Je pense qu'il s'agissait d'un carton. Maintenant que j'y repense, je me souviens que ça cliquetait parfois lors des mouvements de la voiture. Il devait y avoir des choses à l'intérieur.

– Un carton... contenant des objets ?

– Oui, dit Audrey. Comme les cartons à poubelles.

– Les poubelles.

Les yeux de Batista s'agrandissent.

Il se met soudain à courir, fonçant vers la pente du parking et la remontant à toute vitesse. Il jaillit telle une bombe dans la rue. Il se précipite au milieu des sacs amoncelés sur le trottoir et se met frénétiquement à fouiller.

Carter Clay est trop intelligent pour avoir laissé le moindre indice exploitable dans le corbillard, bien sûr. En revanche, s'il a bêtement vidé un carton de sa voiture... Si jamais il a déposé quelque chose ici, en pensant que personne n'irait le chercher...

Et il le trouve.

C'est un carton d'apparence banale. Batista l'ouvre.

L'intérieur contient des pots de formol en verre. Des scalpels. Des ampoules de curare. Ainsi que plusieurs autres objets, chacun capable de fournir des indices.

Un sourire éclaire le visage du commandant.

— Bien joué, Valenti. Quant à toi, Carter, c'est peut-être la plus grosse erreur de ton existence...

*

La nuit tombe sur le site Évangile. Le commissariat est redevenu calme. Après une longue journée, tout le monde a fini par quitter les locaux : Audrey Valenti, le lieutenant Luz, les techniciens, les collègues. Les brigades nocturnes ont repris possession des lieux. Car il y a un roulement, bien sûr. L'effectif est prévu pour ça. À un moment donné, chacun doit manger, dormir, vivre sa vie personnelle. C'est ce que Camila répète sans cesse à Armando.

Sauf que ces derniers temps, elle le dit beaucoup moins. Camila n'est pas ici, elle est en vacances avec les enfants, et plus le temps passe, plus Armando se demande si elle va en revenir, de ses vacances. Si tout cela n'est pas le début d'une séparation.

Les bruits de la rue lui parviennent par la fenêtre ouverte. L'air est frais. Il fait bon. Batista entend des rires en bas, sur les terrasses. Les gens normaux dînent en famille ou avec des amis, ils mangent une pizza, ils boivent un coup. Ils n'en ont rien à faire des élections, des SDF, des émeutes ou du Captagon (il vient de trouver un rapport sur son bureau, envoyé par une certaine Mme Van Grenn de la part du docteur Kovak, et ce rapport est très inquiétant). Et ils n'en ont rien à faire de Carter Clay.

C'est juste l'été. L'un de ces étés torrides où l'on aimerait se promener au bras de son amoureuse, sur les quais de la Seine, boire quelques verres et finir au lit en riant, comme si on avait vingt ans. Alors qu'est-ce qu'il fiche ici ?

Il attend que son téléphone sonne.

Voilà ce qu'il fiche.

Les pots à formol, les scalpels et le curare sont bien les mêmes que ceux découverts dans cette station de métro désaffectée. Pas de surprise là-dessus.

Plus intéressant : le ticket de stationnement provient d'une borne de paiement proche de la gare du Nord. Et la gare du Nord n'est pas loin de la station de métro désaffectée en question. Conclusion ? Clay rôde dans ce secteur précis. C'est déjà mieux.

Mais le meilleur est à venir.

Dans le carton se trouvaient également des fils électriques, des plaquettes en fer et des morceaux de caoutchouc. Sans doute des accessoires provenant d'une machine détournée de son usage pour être transformée en instrument de torture par exemple, puisque apparemment Clay adore ça.

Cependant, il se trouve que les plaquettes portent des numéros de séries qui conduisent à une installation. Et cette installation a un lieu. Il suffit de découvrir lequel.

Le téléphone sonne. Batista sursaute.

– Vous aviez raison, dit l'ingénieur de la RATP à l'autre bout. L'équipement provient bien de chez nous. Mais c'est vieux, cela fait partie d'une mini-centrale électrique d'alimentation du métro.

– Est-ce qu'on trouve ça à la gare du Nord ?

– Non.

– Et à proximité ?

– C'est possible. Je vérifie... Oui. Effectivement, il y en a une dans un tunnel. Elle est enterrée près de la station de métro Stalingrad, pas loin du canal Saint-Martin. On a scellé l'accès au début des années 90, mais elle est toujours là. Je vous envoie les plans par e-mail.

Batista n'en revient pas. C'est incroyablement proche, il pourrait facilement s'y rendre à pied.

— Quelle surface cela représente ?

— Deux ou trois pièces, remplies d'armoires électriques.

— Quelqu'un pourrait s'y installer de façon clandestine ?

— En passant par les tunnels, peut-être. Il faudrait savoir se diriger sous terre, emprunter un conduit d'alimentation à haute tension, et desceller des portes au chalumeau, mais rien n'est infaisable.

— Merci, dit Batista.

Il raccroche. Il devrait rappeler son équipe. Ce sont ses collaborateurs, c'est leur enquête. Ils lui en voudront s'il ne le fait pas. D'un autre côté, s'il attend, il risque de manquer sa cible.

Il compose un autre numéro.

— Je voudrais un groupe d'intervention. J'ai localisé la planque de Carter Clay. On a une chance de le coincer.

57

Descendre dans les Catacombes (ou plutôt les carrières, il faut que je me force à employer le nom correct) demande habituellement du temps et des préparatifs. Mais du temps, nous n'en avons pas. Si je veux suivre la piste du fameux Xavier et de ses vidéos, c'est maintenant ou jamais. David m'a cependant convaincu de prendre une heure pour réunir le matériel nécessaire. Je suis donc chargé de faire les courses. Lui, de son côté, va se renseigner pour savoir s'il y a des fuites concernant le lieu de la prochaine soirée Under Klub.

— C'est délicat de faire appel à eux, dit David, mais il y a des gens qui peuvent nous aider : les cataphiles. Ils sont très au courant de ce qui se passe.

— C'est quoi, un genre de secte nécrophile ?

— Non, dit-il en souriant, juste des amateurs qui descendent dans les Catas. J'en faisais autrefois partie.

— Vous organisiez des soirées bizarres ?

— Désolé de vous décevoir, mais non. Ni messes noires, ni partouzes, ni rien de ce genre. Au contraire : les cataphiles sont des passionnés respectueux du patrimoine. Quand j'étais jeune, on effectuait régulièrement des travaux de restauration et d'entretien des salles. Je participais aussi à des fêtes, mais dans un esprit bon enfant, du genre veillée avec une boîte de raviolis, une bouteille de vin et de la musique. Tout le monde est à égalité dans les Catas, il n'y a pas de distinction d'âge ni de classe sociale. On est juste des gens avec du sable plein les cheveux. Le problème, c'est que ça fait longtemps et que je ne connais plus personne.

— Et comment on les contacte, ces cataphiles ?

— C'est toute la difficulté. Il n'y a rien d'officiel. Quelques-uns animent des sites Web ou des forums, mais le culte du secret fait partie de la tradition. On est peu bavards. Si c'est vous qui les contactez, Christian, vous serez immédiatement rejeté. Laissez-moi faire. Occupez-vous plutôt de télécharger un plan des Catas et d'acheter ce que j'ai noté sur la feuille.

David m'énerve un peu avec son ton directif, mais je m'exécute. Muni de la tablette tactile de Sam, je télécharge un plan appelé Nexus. Au passage, je consulte un blog expliquant qu'il ne faut pas s'aventurer dans les Catacombes à la légère. Il y a des dangers. Des chutes de moellons, par exemple, voire pire. En 1961, une partie de la ville de Clamart s'est carrément effondrée dans le sous-sol. Six rues rayées de la carte en quelques secondes, vingt et un morts et quarante-cinq blessés.

Je n'ai pas le temps de lire le reste : le plan Nexus m'accapare. Toutes ces galeries dessinées en bleu sur la carte, la possibilité de zoomer sur une zone précise, les noms mystérieux (salle des Huîtres, salle Z, le Cellier, la Plage...), il n'en faut pas plus pour réveiller chez moi une sorte d'émerveillement enfantin.

— Rien ne vaut les plans sur papier, dit David tout en discutant au téléphone avec un contact. Personnellement, je préfère le LaFouine ou le vieux Giraud, au moins ça ne risque pas de tomber en panne, mais l'électronique c'est bien aussi. (Il plaque une main sur le combiné et s'adresse à moi.) Christian, arrêtez de vous amuser avec cette tablette et faites les courses !

Je m'exécute en grommelant.

Je récupère mon vélo et file dans le quartier Latin. Sur le boulevard Saint-Germain, je tombe nez à nez avec un groupe d'agitateurs dont la présence m'oblige à dévier brusquement de ma route. La violence règne : jets de pierres, invectives, manifestants cagoulés contre CRS... Un coup de guidon et je me retrouve rue des Écoles. L'ambiance redevient normale. Je fonce jusqu'au Vieux Campeur, où je me procure des bottes, deux survêtements et des pulls, plusieurs sources d'éclairage, une gourde, une corde et une boussole. Puis je fais un saut dans une pharmacie où je récupère un peu de matériel médical. Mieux vaut être prudent, tant à cause de notre expédition que par les temps qui courent...

Je range ensuite mes acquisitions dans deux sacs à dos flambant neufs, et contemple le tout. J'ai l'impression de partir à l'aventure avec les Goonies.

Coup de klaxon : David me récupère au volant de son bolide.

Cette fois, c'est parti.

*

Nous avons garé la voiture dans une rue tranquille près du parc Montsouris, nous nous sommes changés et déambulons à présent sur le trottoir. À plusieurs reprises, David essaye de soulever ce qui ressemble à des plaques d'égout. À chaque tentative, il introduit un crochet dans un trou situé au centre et tire dessus à l'aide d'une barre en fer. Je m'attends à ce que les passants nous posent des questions. Mais non. Je constate que si vous êtes muni d'une tenue vaguement réglementaire (nous ressemblons à deux spéléologues amateurs) et que vous y allez franco, les gens pensent que vous en avez le droit.

– Les plaques sont scellées, m'explique David. Mais on va finir par trouver la bonne. Les cataphiles en débloquent sans cesse. C'est un vrai jeu entre eux et les inspecteurs des carrières.

Nous tentons notre chance à l'intérieur du parc. Au cinquième essai, ça fonctionne. Nous nous mettons à deux pour tirer la plaque tellement elle est lourde. L'ouverture donne sur un puits noir et béant avec des barreaux scellés dans le mur. Aucune odeur nauséabonde n'en provient.

– Si ça sent mauvais, c'est qu'on s'est plantés et qu'on est dans les égouts, dit-il. Il n'y a pas d'odeur dans les Catas. Mais là c'était facile, le tampon porte les lettres IDC, pour « Inspection des carrières », on ne pouvait pas faire d'erreur.

J'allume ma lampe frontale et descends le premier. Il s'introduit ensuite et referme la plaque derrière nous en la soulevant avec son dos pour bien la remettre en place.

– Si quelqu'un tombait, ce serait de notre faute.

– On peut être arrêtés ? je demande.

– En bas, on rencontre parfois des patrouilles de cataflics – c'est comme ça qu'on les appelle – mais elles sont rares. Dans ce cas, c'est soixante euros d'amende, reconduction à la surface et convocation au tribunal de police.

L'épreuve de force est immédiate. Le puits est vertigineux, vingt mètres à la verticale, et je dois m'accrocher aux barreaux pour descendre avec précaution. Au bout de trois mètres, j'entends le « ping » de mon portable qui décroche du réseau.

Ça y est, il n'y a plus rien. Pas de GPS, pas de talkie-walkie, aucun moyen de communication possible. En plein Paris, nous voilà aussi isolés qu'au fin fond de la jungle, entièrement livrés à nous-mêmes.

Quelques mètres avant la fin, un barreau se descelle. Je me rattrape de justesse, le cœur battant. En dessous, je constate qu'il n'y en a pas d'autres. David laisse filer la corde jusqu'en bas et nous terminons ainsi. Nos pieds se posent sur le sol et il la récupère.

– Nous emprunterons une autre issue pour sortir.

– Où est-ce qu'on va ?

— En direction des salles du Cellier et de la Plage. D'après mon contact, il y a du mouvement dans le secteur.

La première demi-heure est difficile. Nous avançons lentement, dans l'étroite bulle de lumière formée par nos lampes frontales. Les tunnels sont étriqués, le plafond bas, et je suis souvent obligé de me courber. Les murs taillés dans la masse évoquent ceux d'une caverne. On est obligés de patauger dans l'eau, parfois même jusqu'au torse, ou de nous glisser dans des chatières où il faut ramper en affrontant un sentiment de claustrophobie intense. Il n'y a ni araignée, ni rat, uniquement quelques racines qui percent le plafond, prouvant ainsi qu'elles sont capables de descendre jusqu'à vingt mètres de profondeur. Je suis vite fatigué. Épuisé même. Je ne pensais pas que le parcours serait aussi physique.

— C'est plus facile ensuite, dit David. Nous sommes sous le parc Montsouris. J'ai choisi cet endroit parce que je connaissais l'entrée, mais ce n'est pas la plus simple. Le ciel est instable, par ici, des moellons peuvent se détacher, il y a intérêt à ne pas se trouver en dessous. Peu de gens y viennent. C'est pour ça que vous ne voyez aucun tag sur les murs.

— Il y a des tags dans les carrières ?

— Des fresques entières. C'est assez impressionnant. S'il n'y a pas de graffiti, ça veut dire qu'on est dans un endroit perdu. C'est aussi une façon de se repérer, même s'il vaut mieux utiliser sa boussole.

J'ai remarqué en effet que David s'y réfère constamment, plus encore qu'au plan que je tiens à la main tel un talisman. Il y a beaucoup d'embranchements et j'ai très vite perdu tout sens de l'orientation. J'imagine la panique si je laissais tomber la tablette dans l'eau par mégarde. Dans les Catas, mieux vaut être à plusieurs et ne jamais manquer de source de lumière. Durant le procès de Carter Clay, on a dit que ce psychopathe avait l'habitude d'arpenter seul le sous-sol, mais je n'imaginais pas que cela représentait un tel exploit.

Au bout d'un moment, les déplacements deviennent plus simples. Les couloirs des carrières sont désormais rectangulaires, plus haut, et les fameuses fresques apparaissent. Les murs en sont couverts. Certaines ne sont que des tags, en effet, mais d'autres constituent de véritables œuvres d'art. Parfois nous croisons d'impressionnants visages sculptés dans la pierre, ou bien nous franchissons des petites salles ornées des souvenirs des visiteurs précédents : des chandeliers d'os, une chaise de jardin, un vélo, des sculptures en plâtre, et même des livres abandonnés à l'intention des explorateurs.

Je commence à trouver mon rythme. La sensation de claustrophobie a été remplacée par une sorte de chaleur agréable provenant de mes muscles. L'ambiance est confinée mais on se sent bien, à l'abri, dans le ventre de la ville. Je comprends que l'on puisse aimer y passer du temps. David m'explique que nous sommes dans le GRS, le Grand Réseau Sud, qui est le labyrinthe le plus populaire. La Plage est située entre la rue de la Tombe-Issoire et la rue du Père-Corentin. Le Cellier se trouve un bloc après. Les trajets en sous-sol suivent généralement ceux de la surface, et comportent des plaques de rue sur les grands axes. La Plage est l'une des salles les plus vastes. Elle tire son nom du sablon qui en recouvre le sol.

– Il y a une très grande fresque sur l'un des murs, dit David. Elle représente une vague immense. C'est inspiré d'un tableau japonais. Dans le temps il y avait même une reproduction du *Guernica* de Picasso. Elle y est peut-être toujours…

Au détour d'un couloir, nous tombons nez à nez avec une demi-douzaine de cataphiles. Ils portent tout un attirail complexe, des casques, et s'éclairent avec des lampes à carbure comme les spéléologues. Leur chef est une jeune femme aux cheveux rasés, avec des lunettes et des piercings partout.

David, nullement impressionné, se penche et lui fait la bise.

– Cafard, je te présente Christian. Christian, Cafard. C'est elle mon contact, dit-il.

– 'lut, fait la fille.

S'ensuit une discussion animée entre David et elle, tandis que les autres me jettent des coups d'œil méfiants. Apparemment, le groupe est furieux envers le dénommé « XS » et ses soirées Under Klub. Pour eux, ce sont des barbares, des dégénérés, des gens irrespectueux qui abîment les sites et pourrissent tout. Ils ont prévu de saboter leur soirée. Ils espèrent bien que je ne viens pas pour y participer. David les rassure.

– Tant mieux, on a apporté des fumis ! dit Cafard avec un sourire carnassier. On va les enfumer, ces rats !

Je hoche la tête : après tout, pourquoi pas ? Je n'apprécie pas non plus l'ambiance orgiaque de ces fêtes, ni le fait que Tectus y ait attiré ma femme. Je suis là pour obtenir des renseignements, coûte que coûte. Pour y parvenir, je suis prêt à secouer le fameux Xavier si c'est nécessaire.

Nous poursuivons le chemin ensemble et je me mêle à la conversation. Nous parlons des Catacombes, bien sûr, puis nous dérivons sur les jeux vidéo. Lorsque je révèle qu'à la fac, j'ai joué aux jeux de rôles, l'ambiance se détend, et quand ils apprennent que Djeen a conçu une partie des décors de *World of Warcraft* et *Game of Throne*s, je deviens une sorte de héros local. Tout juste s'ils ne me portent pas en triomphe.

Je profite de ma popularité nouvelle pour leur poser des questions : n'auraient-ils pas vu un rôdeur bizarre correspondant à la description de Carter Clay ? Cafard me confirme que de telles personnes existent, mais qu'ils ne les fréquentent pas. Les « promeneurs solitaires », comme on les appelle, sont laissés tranquilles. Dans les Catas, celui qui recherche la solitude n'a aucun mal à l'obtenir.

Notre conversation est interrompue par un rythme sourd parcourant le tunnel.

– On y est, dit Cafard. Ils sont à la Plage ! Vous entendez ça ? Ces enfoirés sont en train de tester la sono !

David et moi échangeons un coup d'œil.

– Bien, dis-je à Cafard, et si on parlait plan d'attaque ?

58

Batista avance dans le tunnel du métro, pistolet au poing.

En amont et en aval, le trafic a été interrompu. Les haut-parleurs des stations voisines diffusent un message prétextant un « incident voyageur, veuillez emprunter les correspondances, s'il vous plaît ».

Le groupe d'intervention progresse, chacun est lourdement armé, la tension est palpable. Ce n'est pas tous les jours que l'on interpelle un tueur en série du calibre de Clay. Récemment, la réputation du psychopathe est montée en flèche au sein de la police, surtout depuis la découverte de ses derniers meurtres abominables. En interne, plusieurs experts se penchent à présent sur toute une série de crimes et de disparitions non résolus. Maintenant que l'on en sait plus sur son mode opératoire, certaines similitudes apparaissent. Le terrorisme est tellement la priorité immédiate ces derniers temps que les « bons vieux » tueurs en série – en tout cas les plus discrets d'entre eux – ont été moins inquiétés qu'à l'ordinaire. Et en ce qui concerne Clay, le nombre de ses victimes supposées fait froid dans le dos.

Les faisceaux lumineux montés sur les fusils automatiques balayent le tunnel. Batista a revêtu son gilet pare-balles. Il ne pense à rien, ni à sa femme, ni à ses enfants, ni à ses problèmes. Il est simplement content d'être là, sur le terrain, prêt à appréhender un monstre. Son cœur cogne dans sa poitrine, une pulsation sourde et régulière. Cette sensation lui manquait. Il n'aime pas se l'avouer, mais l'adrénaline est comme une vieille maîtresse : on a beau prendre de l'âge, on ne l'oublie pas.

Soudain le chef de groupe stoppe net.

Batista s'arrête comme les autres.

D'un geste de la main, il désigne en silence une ouverture étroite dans la paroi. Il s'agit d'un corridor bas, presque invisible au milieu du tunnel.

Toujours silencieux, le chef attire l'attention sur les dangereuses gaines à haute tension qui courent sur le côté. Il se plaque contre le mur, plie les genoux et ainsi recourbé s'engage à l'intérieur. Batista vient en second. Les autres suivent.

Ils ressortent du boyau horizontal et émergent dans une pièce minuscule recouverte d'armoires électriques. Batista l'explore d'un coup d'œil : comme il s'y attendait, la porte en fer protégeant l'accès a été descellée. Sur sa gauche, plusieurs boîtes de conserve ouvertes gisent à terre. Il en prend une : de la nourriture pour chien. L'odeur est immonde, mais la viande est récente. Elle n'est pas entièrement consommée, d'ailleurs, des blattes courent à sa surface.

Il repose la conserve en silence. Il avait raison. Les lieux comportent bien un occupant.

Une volée de marches monte en direction d'une deuxième pièce.

Batista tend l'oreille. Pas le moindre bruit. Il donne son OK, et le chef de groupe reprend la progression. Les mains se resserrent sur les armes. Des gouttes de sueur perlent sur le front du commandant. Sa chemise est trempée.

Nouvelle porte, avec un écriteau dessus : « Danger de mort ». Elle est entrebâillée.

Le chef fait signe aux autres. Il exécute un décompte avec ses doigts. Puis, d'un coup, le groupe investit la pièce. Mais quelques secondes suffisent à le constater : il n'y a personne.

Batista repère un interrupteur et allume. Un néon grésille et illumine l'endroit. Il s'agit bien d'une mini-centrale électrique, avec de grosses armoires alignées, comme il l'a vu sur le plan transmis par l'ingénieur. Dans un coin, une caisse contient des petits sachets remplis de comprimés jaunes. Batista en a déjà vu, il est à peu près certain qu'il s'agit de Captagon. Plus loin, une longue chaîne est scellée au mur, un collier ouvert à l'autre bout. Est-ce qu'un animal se trouvait enfermé ici ? Ou bien un prisonnier ? Il ne le sait pas. Les autres signes d'occupation ont été soigneusement effacés. Cette fois, Batista pense que l'exploitation des indices ne donnera pas grand-chose.

Le commandant rengaine son arme, profondément déçu. Cette course folle ne l'a mené nulle part. L'opération n'a servi à rien. Clay n'est pas là. Sans doute qu'il ne reviendra plus.

*

David et moi sommes réunis dans une petite crypte en compagnie du reste de la troupe. Le bruit de la soirée se propage jusqu'à nous. Cafard a allumé des bougies. L'ambiance est au conseil de guerre. Ça sent la poudre, au propre comme au figuré.

– Vous entendez ces abrutis et leur musique de merde ? dit la fille. Et c'est seulement le début du bordel. Après leur passage, ils vont tout laisser en plan. Les fois précédentes on a ramassé des bouteilles, des préservatifs, des seringues. Ils ont même dégradé les fresques. On n'a jamais vu ça !

Elle est énervée, c'est le moins qu'on puisse dire. Avec son doigt, Cafard trace un plan dans la poussière du sol.

– Pour ceux qui ne connaissent pas, voilà la situation. La Plage est une salle globalement rectangulaire. Les points d'entrée sont situés de part et d'autre : un à l'est, l'autre à l'ouest. L'intérieur est occupé par une dizaine d'énormes piliers. Il y a de nombreux recoins. Regardez où vous mettez les pieds : des blocs de pierre sont répartis au sol. Ils servent généralement de sièges, mais c'est idéal pour se casser la figure. Plus important, attention aux têtes : des morceaux de métal dépassent du ciel (elle jette un coup d'œil dans ma direction)... du plafond, quoi. Les distraits s'ouvrent facilement le crâne.

J'approuve en levant le pouce.

– OK. On surveille la tête et les pieds. Compris.

Cafard tapote à droite du dessin.

– Ces bâtards ont partiellement obstrué l'accès est. Là où nous sommes. (Son doigt se déplace du côté gauche.) L'entrée de la soirée est ici, à l'ouest.

Elle redresse la tête et nous regarde, David et moi.

– J'y suis allée en reconnaissance. Les invités arrivent depuis la rue, via un parcours fléché. Trois videurs les attendent. Ils portent de vrais flingues, bien visibles, et aussi des tasers. Ça ne rigole pas. Ils checkent les sacs, les flashcodes, et encaissent la thune.

– Combien l'entrée ? je demande par curiosité.

– Cent boules.

– Ce brave « XS » n'aime guère les pauvres, fait remarquer David.

– Raison de plus pour le faire chier, dit Cafard. On a du sucre, de la farine et du chlorate de soude, plus quelques bombes déjà prêtes. On va les enfumer du sol au plafond.

– Ça me convient, dis-je. Je voudrais juste apporter ma touche personnelle.

Je leur explique mon plan, puis prépare mes accessoires.

David approuve. Cafard ricane.

– Allez, dit-elle, on y va.

Tandis que la troupe de la jeune femme part se poster près de l'entrée officielle, David et moi nous glissons par l'accès est. Écarter les planches n'est pas difficile. Derrière, à quelques mètres, il n'y a qu'un garde, assis sur une pierre. Apparemment,

« XS » a misé sur le fait qu'aucun invité ne ferait un long détour pour entrer par ici, au risque de se perdre dans le dédale.

David émerge en titubant comme s'il était ivre. À cause des piliers, les videurs à l'autre bout sont incapables de nous voir.

Le garde se lève.

— Hé !

— Bhheeeeu…, bredouille David.

Il se pend à son cou et le fait pivoter, dos à moi. Je bondis, seringue à la main.

Tchac ! Je la plante dans sa fesse à travers le pantalon. Loxapine 50 mg, plusieurs ampoules en une seule injection. Il s'effondre. J'ai bien fait de faire les courses à la pharmacie. Nous le déposons dans un coin. Personne ne fait attention à nous. Je regarde autour de moi. Une fois de plus, la fête est ahurissante.

Lumières, flashs, débauche : tout y est. Le rythme de la techno martèle nos tempes. Maintenant l'ambiance est de style égyptien. Des femmes aux yeux peints dansent sur une scène dans le plus simple appareil, des hiéroglyphes phosphorescents peints sur le corps. La fresque de la Grande Vague est le clou de la soirée. Elle occupe trois pans de mur, et des couples nus se roulent à ses pieds. La Plage entière est plongée dans des teintes de rouge et d'orange, renforçant encore l'ambiance sexuelle.

Je repère un type, au fond, avec une barbiche et un catogan, en train de prendre des photos. Il n'hésite pas à donner des ordres, demander de prendre la pose ou se montrer sarcastique. C'est le genre petit frimeur, moche comme un pou, mais qui aime se la péter avec des airs de photographe international. Sûrement le fameux Xavier, dit « XS », roi des soirées parisiennes et des vidéos compromettantes.

Les images de Djeen et Tectus en train de s'embrasser me reviennent en tête. La colère m'envahit.

Je fends la foule en direction de l'organisateur. Sur le chemin, je croise un serveur portant un masque d'Anubis en papier mâché, tout en hauteur, telle une énorme tête de carnaval. Il se promène avec un panier et distribue drogues et comprimés à la ronde. En me voyant, la grosse tête noire de chacal s'arrête, et se penche sur le côté. Je le repousse.

— Dégage, Anubis.

Je fonce sur Xavier, occupé à capturer une paire de fesses en gros plan.

— Salut, fais-je sans préambule.

Il ne m'entend pas à cause du bruit. Je colle ma main devant son objectif.

— Hé ! braille-t-il. Tu vois pas que je bosse ?

— Désolé de t'interrompre en plein chef-d'œuvre.

Je passe mon bras droit autour de son cou, tel un vieux pote, mais en serrant fortement.

— Alors comme ça, tu filmes tes soirées ?

— Lâche-moi, connard !

Il tente de se dégager. Je tiens bon sans problème. De près, j'observe son appareil : il est petit, d'un jaune vif pétant, l'un de ces modèles qui prennent aussi bien des photos que des vidéos. Je remarque aussi sa sacoche ouverte, en bandoulière, dans laquelle sont rangées de nombreuses cartes mémoire.

Des cartes avec des initiales dessus.

— Dis donc, Xav', ça ne serait pas ta petite vidéothèque personnelle ? fais-je en montrant les cartes. Les initiales, c'est pour les stars que tu filmes ici ?

— T'es qui ? Et en quoi ça te regarde ? crache « XS ».

— Il y a trois ans, ma femme est venue. Ça fait une paye, je sais, mais elle était avec un milliardaire. Tectus. Ça te dit quelque chose ?

— Rien à foutre.

— D'accord. Alors son épouse, Wanda. C'est un pilier de tes soirées, je suis certain que tu la connais bien. Tu as sûrement des images sur elle, il y en a plein ton sac.

– Personne touche à mes films.

– Donne-moi ce que tu as, je paye bien. J'ai du fric.

C'est la vérité. J'ai emporté l'enveloppe de mon père. J'annonce une somme, mais il ricane de plus belle.

– T'es loin du compte, pauvre con. J'ai tout Paris, là-dedans. Je suis intouchable. Dégage !

– D'accord. Je te file l'enveloppe entière. Ma dernière offre.

– Mes gars vont te péter les rotules !

– OK. En parlant de rotule…

De la main gauche, je sors le scalpel que j'ai acheté, un grand modèle, et lui plante fermement dans le genou. Je tourne. Ça craque. Il crie. S'effondre, la lame toujours plantée. La douleur est infâme, je sais. Il s'en tirera au prix d'une intervention et quelques semaines de kinésithérapie.

Je m'empare de son appareil et de sa sacoche.

Deux videurs se mettent à courir vers moi, traversant la salle à toute vitesse. Le premier trébuche sur une grosse pierre. Le second s'explose le crâne contre une poutre en fer au plafond. Ils auraient mieux fait d'assister au briefing de Cafard.

Un troisième sort son arme et la pointe sur moi.

David surgit par-derrière et lui colle son pistolet sur la tempe. Zimmermann aussi est venu équipé.

– Ts, ts, ts, fait David. On se calme.

L'entrée, libérée de tout filtrage, livre passage à Cafard et sa bande. Leurs fumigènes éclatent. Une fumée épaisse et irritante envahit aussitôt la Plage. Elle ne pique pas les yeux mais elle prend à la gorge, avec une forte odeur de caramel brûlé.

C'est la panique.

Cafard et ses troupes guident les fêtards vers la sortie. Les gens se suivent à la queue leu leu, dans un long couloir, des mouchoirs devant la bouche. On entend des cris et des pleurs. Tout ce petit monde remonte une échelle et se retrouve bientôt sur le trottoir, la nuit, en pleine rue. Certains sont totalement à poil. Les gens sortent des cafés et viennent voir ce qui se passe, comme si Paris vomissait son trop-plein.

David et moi profitons de la confusion pour nous éclipser.

Je lui dis au revoir et file, la sacoche à la main.

Une demi-heure plus tard, je suis dans la maison de Montmartre. Je vide les cartes mémoire sur la table. Et l'une après l'autre, je commence à les visionner.

59

Xavier clopine à travers les Catacombes, appuyé sur le bras de quelqu'un. L'autre l'a aidé à fuir la fête, et c'est tant mieux, parce que Xavier ne se voyait pas faire un mètre de plus avec cette douleur de dingue dans le genou. Mais qu'est-ce qui lui a pris, à ce taré, de le poignarder avec un scalpel ?

En plus, il lui a volé sa sacoche et toutes ses vidéos. C'est la merde, et ça l'énerve.

Il a fait quelques copies bien sûr, mais pas de la totalité, il préférait garder sur lui l'essentiel. Ces films, c'est son assurance en cas de pépin. Il y a un tas de personnalités, là-dedans. Non pas que ça vaille grand-chose sur le plan financier, mais bon, Xavier imagine bien que s'il rencontre peu de problèmes avec les flics ou avec les politiques, c'est parce qu'un certain nombre d'entre eux sont sur ses vidéos. Comme ce Tectus et sa femme, par exemple. Le mec est milliardaire, il veut se faire élire président de région à la tête de son parti, et sa femme vient tout le temps à ses soirées à poil. Non mais à quoi ils pensent, ces deux-là ? Ils n'ont pas vu l'histoire de DSK à la télé ou quoi ?

Xavier crache sur le sol. Son genou lui fait vraiment un mal horrible. Maintenant, il va falloir qu'il recommence tout. Enfin, ce n'est pas grave. Le business marchera toujours. Au fond d'eux-mêmes, les gens sont des animaux, il suffit de flatter leurs bas instincts. L'été est bientôt fini, il va se mettre au vert quelque temps, puis il recommencera ailleurs. Au pire, il peut changer de pays, l'Europe est vaste.

– On arrive à la sortie ? demande Xavier.

– Sois patient, répond le serveur au masque d'Anubis.

Xavier ne connaît pas son identité et il n'en a rien à foutre, mais l'homme est toujours présent, masqué, et il distribue du Captagon en masse, gratos. Tout ce qu'il demande en échange, c'est de pouvoir circuler librement et rencontrer les gens. Pourquoi Xavier refuserait-il un marché pareil ?

– Tu veux pas retirer ton masque ? dit-il néanmoins. Tu sais que ça fait crétin, là ?

– J'ai eu une journée difficile, moi aussi.

– Ah ouais ?

– Les flics aux fesses. J'ai dû déménager. Il s'en est fallu de peu.

Xavier éprouve un vague frisson en réalisant qu'après tout, il ne sait rien sur son compte.

– Je ne reconnais pas la sortie, dit-il. C'est par là ?

– Non. En fait, pas vraiment.

– Comment ça ?

Le Chien ôte effectivement son masque.

– Tu sais, Xavier, je crois que pour la suite de tes soirées, ça ne va pas être possible. Les élections arrivent, Tectus et son parti vont perdre, comme je le souhaitais, et il ne me reste plus de Captagon.

Lorsqu'il lui casse le bras, Xavier hurle. Un cri de surprise, autant que de souffrance.

– Il est temps que je te présente à la Dame des Douleurs, dit le Chien.

Au cours des heures suivantes, Xavier continue de hurler. Ses cris et supplications résonnent longtemps, encore et encore, dans les profondeurs des Catacombes.

Mais personne ne les entend.

*

L'aube se lève.

J'ai tout visionné, assis à la table dans le petit appartement, toute la nuit durant.

C'est fini. J'ai compris. La dernière pièce du puzzle concernant la mort de Djeen s'est mise en place.

Les films de Xavier ne sont pas très importants en fin de compte. Certes, on peut y observer quelques acteurs, des gens de la télé, des personnalités politiques, mais la plupart d'entre eux ne sont pas très connus. Et à part les regarder se vautrer au milieu des autres, je ne vois pas l'intérêt de la chose.

Pour moi, en revanche, cela change tout. Les initiales inscrites sur les cartes mémoire sont bien celles des gens. Xavier ne s'est pas cassé la tête. Sur celle portant les lettres « WT », comme « Wanda Tectus », je découvre une bonne vingtaine d'enregistrements, couvrant plusieurs années de fêtes souterraines, peut-être même avant la naissance d'Under Klub. Les images sont toutes du même acabit : drogues, partouzes, sado-maso et autres déviances. C'est pathétique pour Wanda, certes, mais il n'y a pas de quoi fouetter un chat.

Ce qui m'intéresse se trouve dans un passage datant de quelques mois avant la mort de Djeen. La réponse à toutes mes interrogations tient en quelques images. C'est le lien. Le chaînon manquant. Sur ce petit film, on voit Wanda discuter avec quelqu'un que je connais bien : Carter Clay. Le « promeneur solitaire » des Catacombes fréquentait aussi ces soirées. Quoi d'étonnant, en fin de compte ? Elles se déroulaient quasiment sous ses yeux. Sur la vidéo, Carter et Wanda sont là, ensemble. La brute aux cheveux longs, avec ses crucifix qui pendouillent, et la vieille botoxée, maîtresse des profondeurs. La reine et le SDF, échangeant tranquillement, riant presque, main dans la main.

Comment se sont-ils rencontrés ? Pourquoi se sont-ils entendus ?

Je n'en sais rien. Je ne peux pas entendre ce qu'ils se disent. Il y a trop de bruit. Mais on voit distinctement une poignée de billets passant de Wanda à Carter. Les lèvres de Wanda forment un nom. Je sais que c'est Djeen.

Une poignée de billets, et c'est tout.

Le prix d'un meurtre. Celui de ma femme.

Wanda était jalouse, d'une jalousie sans doute hors norme, dévorante, maladive. Mais quelle femme trompée ne le serait pas ? À quelles extrémités conduisent la tristesse et le malheur ? J'ai moi-même été anéanti lorsque j'en ai fait l'expérience. Que s'est-il passé dans la tête de Wanda lorsqu'elle a rencontré Clay ? Quel lien maléfique s'est opéré entre eux ? En tout cas, Wanda y a vu un moyen d'atténuer sa peine. De se venger de son mari, et de Djeen. Définitivement.

A-t-elle payé une agence de détectives pour fournir les photos ? C'est ce que je suppose. Le pousseur du métro a fait le reste. Il avait sa cible. Il l'a suivie. Et le moment venu, il l'a simplement jetée sur la voie. Terminé.

Cette découverte confirme ce que je vous avais dit au début de l'histoire, l'horreur humaine est tristement banale. Dans la vraie vie, les affaires criminelles ont souvent les motifs les plus simples.

Voilà. La boucle est bouclée. Je sais tout. Le tueur, le mobile, le commanditaire.

Il n'y a qu'un problème : je n'ai pas l'ombre d'une preuve. Car en vérité, que valent une poignée de billets échangés sur une vidéo, face à la puissance d'Elon Tectus et de ses avocats ? Que puis-je prouver avec ces quelques images ?

Rien du tout.

Wanda niera en bloc. Elle connaissait Carter Clay, et alors ? Elle dira que c'est le hasard. Qu'elle lui a acheté de la drogue. Ou bien qu'elle lui a donné du fric comme ça, par pitié. Par bonté d'âme. Ses avocats me riront au nez. Quant à Clay, il est fou, illuminé, prisonnier d'un délire mystique. Un délire dans lequel a peut-être abondé Wanda, d'ailleurs. Mais en admettant qu'on le capture, et qu'il la balance, que vaudraient les aveux d'un fou ? Il a déjà été condamné, on se contentera de l'enfermer de nouveau.

J'espérais coincer le vrai coupable. J'ai perdu. Je suis là, debout à la fenêtre. Il fait frais. Je regarde pâlir le ciel. C'est beau et triste à la fois.

L'aube se lève. Mais ce matin, je ne crois plus en rien.

60

Comme tous les matins, Youri Chamchourine commence sa journée de travail à quatre heures.

Il descend les marches du métro, passe devant les distributeurs Navigo et l'accueil encore fermé. Un gardien et son berger allemand le regardent d'un air morne. Youri, encore endormi, franchit la porte avec son passe, se change au vestiaire, enfile son uniforme de la RATP et descend sur le quai. Il s'approche d'un espace situé à l'avant de la rame et appuie sur un bouton, allumant le train entier comme une simple cafetière. Il pénètre ensuite dans la cabine du conducteur, retire sa veste et l'accroche au portemanteau sur sa gauche, comme d'habitude. Puis il se retourne sur la droite et actionne l'interrupteur sur la paroi qui illumine la cabine. Après quoi il se rend au port de garde pour signer la feuille de présence. C'est sa routine du matin.

Dans sa jeunesse, Youri était riche. Ou plutôt sa famille. Le prince de la ville, il était, avec sa bande à moto. Pas très beau peut-être, mais bien bâti. Et il en jetait. Il lui suffisait de payer un café aux nanas du lycée pour les emballer. Même Djeen l'inaccessible, la bizarre, la plus jolie fille qu'il ait jamais vue, même elle, avait succombé à ses charmes. Il faut dire qu'il n'y était pas allé de main morte. Elle venait d'entrer en seconde. Il lui avait sorti le grand jeu : rencard dans les règles, au pied de son immeuble, le bouquet de fleurs, tour en bécane, le restaurant romantique, la totale, comme un vrai mec. Et le plus incroyable : Djeen avait répondu à ses sollicitations. Quand ils s'étaient retrouvés seuls, sur la butte du vieux moulin en haut de la colline, il avait été surpris par son audace, sa capacité à apprendre et à recopier ses gestes. Ils avaient couché ensemble le soir même. Youri avait été son premier amant. C'était lui, et personne d'autre. Son vieux pote Christian en était vert de rage. Après ça, les choses s'étaient gâtées de façon dramatique. D'abord avec Sam – le petit salopard avait carrément piégé sa moto ! –, puis avec Christian lui-même. Et pour finir avec Djeen, qui s'était enfoncée dans une profonde dépression. Intouchable, inapprochable même, retranchée dans ses grands vêtements baba cool comme dans une forteresse.

Jusqu'à la catastrophe. Le grand secret. L'événement qui les avait frappés, mais dont personne ne parle. Après ça, comme si la déesse de la chance avait subitement décidé de tourner le dos à Youri, la suite de sa vie était partie en sucette. Faillite de l'entreprise paternelle. Divorce. Dégringolade de l'échelle sociale. Atterrissage dans la cité, parmi les rangs modestes, voire les plus pauvres.

Pour survivre, Youri s'est débrouillé comme il a pu. Magouilles et trafics en tous genres, bien sûr, notamment avec les cousins russes et polonais restés au pays, c'est sympa pour la frime. Cependant, il a dû aussi prendre un job, un vrai. En réalité, il n'est qu'un truand de bas étage. Oh, avec Christian, il fanfaronne. Il sait se servir d'une arme à feu, il pilote, il fait des cascades. Mais c'est un gangster à la petite semaine. Et puis il en a assez, il est temps que ça change.

Il a une fille qui vit à Zakopane. Toutes les semaines depuis sa naissance, il envoie de l'argent là-bas pour qu'on s'occupe d'elle. Il veut aller la rejoindre. Les enfants, c'est important, ils vous stimulent, ils vous motivent, ils vous donnent une raison d'avancer, vous feriez n'importe quoi. Il n'y a qu'à voir la tête de Christian lorsqu'ils en discutent, lui qui a toujours rêvé d'en avoir un. Christian Kovak a certes réussi tout ce qu'il a entrepris, pourtant on se demande bien lequel est le plus malheureux.

Youri soupire. Il doit mettre un terme à ses petits trafics et raccrocher son job à la RATP, même s'il a fini par y devenir compétent, à force. Il est « doublard », comme on dit dans l'argot du métier : un conducteur qui sait un peu tout faire, calé en mécanique, capable de prendre la relève de n'importe qui sur le réseau. Ce n'est pas payé des masses, mais cela implique des responsabilités et une certaine autonomie, ce qui lui convient très bien lorsqu'il s'arrange avec les règles.

Depuis quelque temps, Youri travaille au dépôt en bout de ligne. À l'heure où il commence, il est seul, le roi du monde dans sa « loge » – l'ancien nom de l'endroit qu'il occupe en tête de rame. Maintenant on appelle ça une cabine de conduite. C'est dommage, la loge, ça avait un petit côté théâtre qui lui plaisait bien.

Youri règle la vitesse au minimum et avance son train dans le hangar, tout en douceur, vers la machine à laver. Le tunnel de lavage fonctionne selon le même principe que celui des voitures, sauf qu'il est gigantesque et que ses rouleaux nettoient un engin de soixante-quinze mètres de long. La pluie s'abat sur les vitres, diluvienne, et les rouleaux passent et repassent dans un grondement de tonnerre. Quand il a terminé, Youri sort et se promène sur le quai d'entretien. Il doit maintenant inspecter la rame et effectuer ses vérifications habituelles. En hauteur, sur un rail coulissant, un grand écran vidéo permet d'afficher des schémas techniques. Mais comme Youri est seul, il en profite : il se rend dans la cabine où se trouve l'ordinateur de contrôle, le connecte à Internet, et se sert de l'écran pour passer un vieux film en noir et blanc sur YouTube. Il n'a pas le droit de le faire, bien sûr, ce n'est pas réglementaire du tout, mais il s'en fiche, les dialogues lui tiennent compagnie pendant qu'il travaille.

Il boit quelques gorgées de café brûlant tirées du thermos qui accompagne sa gamelle et songe à son avenir. Il a peur. Cette fois il est allé trop loin. Il risque de se faire arrêter pour de bon. Il ferait mieux de se contenter du fric que Christian va lui donner, et de quitter le pays. Il repense à sa fille, quand son portable vibre. Deux coups brefs. Un simple SMS. Youri se penche pour lire les mots :

« L'HEURE EST VENUE. »

Quatrième partie

L'HEURE DU DJINN

61

Un jour est passé. Audrey émerge du métro place des Abbesses, devant un manège pour enfants, et remonte la rue en compagnie de sa mère.

Aujourd'hui, elles ont décidé de déjeuner ensemble. C'est Rosa qui a insisté. Elle l'a appelée au téléphone, enthousiaste. Audrey a répondu : « Pourquoi pas ? », et maintenant elles marchent toutes les deux avec lenteur, profitant de ce temps magnifique sur la capitale.

Audrey est morose, mais elle tente de ne rien en laisser paraître. Il y a deux semaines, jour pour jour, elle rencontrait Christian. Un inconnu leur tirait dessus dans le métro, et cette histoire rocambolesque débutait. Mais depuis qu'Audrey est sortie de l'hôpital, il ne l'a plus contactée. Aucune nouvelle. Même après qu'elle l'a défendu bec et ongles auprès de la police. Même à présent, alors qu'il n'est plus considéré comme un fugitif (bien qu'il soit attendu cette semaine au commissariat pour s'expliquer, Batista l'a prévenue). Pas un mot. Pas de message. Le silence total.

Pendant un moment, elle a cru qu'elle arriverait à l'effacer de ses pensées.

Peine perdue. Si, en journée, elle parvient à tenir son souvenir à distance, il revient dans ses rêves. Il se glisse au cœur de la nuit, sous ses draps. Ses mains, ses belles mains, grandes et sûres d'elles, effleurent les courbes de son corps. Elle voit son visage dans la buée du miroir de la salle de bains. Elle croit reconnaître sa longue silhouette élégante et vêtue de noir dans la foule du métro. Elle sent l'odeur de son parfum sur ses vêtements.

Audrey a l'impression de devenir folle. Comment peut-on s'éprendre à ce point de quelqu'un dont on ignore tout ou presque ?

Mais elle connaît déjà la réponse. C'est lorsqu'on perd une personne que l'on réalise à quel point on y tient. Elle a perdu Christian. Elle découvre la souffrance. Une souffrance à la fois exquise et abominable, douloureuse et douce.

— Ça ne va pas ? demande Rosa.

— Si.

— Mon œil.

— Je t'assure.

— C'est lui, n'est-ce pas ?

Audrey fait semblant de ne pas comprendre.

— Est-ce que tu lui as téléphoné, au moins, à ce docteur Kovak ?

— Non.

— Moi si, dit Rosa. Je lui ai parlé. Il est charmant.

Audrey se tourne vers elle.

— Quand est-ce que tu l'as eu ?

— Quand tu as disparu. J'étais à ta recherche. Je suis passée chez toi, puisque j'ai les clés. Quand j'ai vu que ton lit n'était pas défait, j'ai eu peur. Mais je n'ai pas paniqué, tu sais ? J'ai fait exactement comme Angela Lansbury dans *Arabesque*. J'ai consulté tes derniers appels sur ton téléphone fixe, j'ai trouvé le numéro de Christian, et je l'ai appelé. Et comme je te l'ai dit : il est charmant.

L'anecdote fait sourire Audrey.

— Rosa Valenti, femme détective.

— Ah, tu peux rire, n'empêche que ça sert !

Elles continuent de bavarder ensemble sur un ton léger. Et petit à petit, Audrey se sent mieux. Ça lui fait du bien de passer du temps avec sa mère. Tandis qu'elles se promènent dans les rues de Montmartre, Rosa joue les fofolles, elle accoste les marchands, veut tout acheter, négocie les prix, éclate de rire pour un oui ou pour un non. Évidemment, tout ceci est destiné à Audrey, elle s'en doute. Sa mère fait tout ce qui est en son pouvoir pour lui remonter le moral. Et elle apprécie. Pour le moment, elle en profite, elle n'a pas envie de penser à autre chose.

Elles déjeunent dans une gargote charmante. Un bon repas. Rosa insiste pour boire du vin, et du café avec de la liqueur à la fin, si bien qu'en début d'après-midi, Audrey se sent un peu pompette.

Elles déambulent encore un moment dans les petites rues.

– Bien, c'est ici que je te laisse, dit Rosa.

– Comment ça ? On avait prévu de passer l'après-midi ensemble !

– Non. Je t'ai demandé de *prendre* ton après-midi. Ce n'est pas pareil. Tu vas effectivement le passer, mais avec quelqu'un d'autre.

Sous un porche, dans l'ombre, se tient un homme.

– Je te laisse, dit Rosa, déjà en train de disparaître au bout de la rue.

L'homme sort de l'ombre.

C'est Christian.

*

Ils marchent côte à côte, ne sachant trop quoi dire, ni l'un ni l'autre. Audrey raconte les dernières nouvelles de l'enquête. Tout ce qui s'est passé en compagnie du commandant Batista. Elle l'assure qu'il n'a plus rien à craindre. Lui la remercie, un peu froidement, sans faire beaucoup de commentaires. Une ombre flotte sur son visage. Il semble encore prisonnier de sentiments contradictoires. À plusieurs reprises, il est sur le point de se confier. Il ouvre la bouche, comme pour prendre la parole et lui révéler ses secrets. Puis se ravise et dévie chaque fois la conversation vers un sujet banal.

Audrey l'observe. D'un côté, il est toujours aussi sûr de lui, sombre et autoritaire, comme au début. D'un autre, il semble avoir acquis une fragilité nouvelle, elle devine une fêlure, comme s'il avait vécu un nouveau drame.

Soudain, sans crier gare, il se met à raconter, il lui parle de Djeen. À quel point il l'avait placée sur un piédestal, comment elle était devenue une sorte d'idole intouchable, de quelle façon il s'est finalement détourné d'elle, en se mettant à consommer des médicaments. De quelle manière elle est allée se consoler dans les bras d'un autre.

– Djeen me trompait, Audrey. Mais il y avait une raison à cela : j'étais toxicomane. Je le suis devenu sans même m'en rendre compte. J'ai commencé par des antalgiques, puis j'ai augmenté les paliers. J'en achetais sans cesse. Avec mes ordonnances, avec celles des autres. J'ai même volé de la morphine dans mon propre service.

Il lui parle aussi de son ami, Youri Chamchourine. Il lui confie, à elle et à personne d'autre, de quelle façon il lui a acheté une arme pour se défendre, envisageant de tuer Clay si nécessaire.

– Voilà ce que je voulais vous dire. Je suis ce genre de personne, je veux que vous le sachiez. Mais je peux être quelqu'un de meilleur…

Il lui prend la main. Comme ça. Spontanément. Et pour Audrey, c'est électrique. Aussi fort que la première fois.

– Pourquoi êtes-vous ici ? demande-t-elle.

– Il y a une maison. Je l'habite de façon temporaire.

Elle serre sa main plus fort.

– Montrez-la-moi.

*

Il glisse la clé dans la serrure, ouvre la porte. Audrey entre.

L'endroit est vétuste. Il sent un peu le renfermé, mais il y règne aussi une douce odeur de lavande. Audrey passe la main sur la toile cirée, puis se dirige vers la chambre et son vieux couvre-lit en dentelle.

Christian est là. Derrière elle.

Sa tête se penche contre sa nuque. Il l'embrasse dans le cou. Ses baisers montent et descendent avec lenteur. Elle sent la chaleur l'envahir, cette chaleur dont elle rêve depuis si longtemps. Il l'entoure de ses mains. Elle les attrape, et les pose sur sa poitrine. Elles s'y attardent avec douceur. Puis il la soulève, toujours avec délicatesse, et la dépose sur le lit comme on allongerait une personne endormie.

Audrey ne bouge pas. Elle ferme les yeux. Les lèvres de Christian l'embrassent toujours. À présent, elles descendent sur sa poitrine. Son ventre. Plus bas.

Elle pousse un long soupir.

Et le monde s'éclaire.

62

CLIC.

La vidéo apparaît sur Internet à 22 h 30. Elle se déroule en direct sur l'application Megascope, exactement comme la première fois. En revanche, la scène n'a pas lieu dans le métro. Cette fois l'image est simple : une femme vêtue de blanc marche dans un cimetière au milieu des tombes. L'ambiance est assez gothique. Cela pourrait être le cimetière du Père-Lachaise, par exemple. Ou pas. Le système de localisation a été désactivé. Impossible de savoir qui est en train de filmer, ni où la femme se trouve. L'endroit peut être situé n'importe où sur la terre, du moment qu'il fait nuit et qu'il y a des tombes.

Tandis que la silhouette vêtue de blanc se promène, le nombre de spectateurs augmente lentement.

20… 30… 40…

Elle se déplace d'un pas léger, sans précipitation, tel un spectre.

Gros plan sur la femme.

Elle est vêtue d'un voile blanc, qui l'enveloppe un peu comme une robe de mariée. Ou plutôt comme une robe mortuaire, étant donné que sa tête est entièrement couverte d'un voile qui la dissimule. Au niveau du corps, en revanche, la mousseline est nettement plus transparente. Au point d'en révéler les courbes. Dès lors, à chaque nouveau plan rapproché, le nombre de spectateurs grimpe en flèche.

500... 650... 900...

Si la femme cherchait à attirer l'attention, c'est réussi.

Un tombeau de marbre. Une jambe. Une gargouille de pierre. Une cuisse. Des croix ornées d'épitaphes. Un sein. Les images se rapprochent. On voit de plus en plus de détails de son corps. Morbide, érotique, la séquence devient fascinante. Qu'une personne ordinaire se dévoile ainsi, de façon si crue, sur un réseau communautaire, cela excite terriblement la curiosité. Les spectateurs en direct ont dépassé les cinq mille. Et ce n'est rien à côté du nombre de vues au cours des prochaines heures, lorsque la vidéo se propagera de manière virale.

La caméra s'arrête sur son visage. Puis recule de quelques mètres. La femme a adopté une position résolue. Poings sur les hanches. Ses mains se redressent. Soulèvent le voile.

C'est Djeen.

Rayonnante.

Plus belle, plus jeune encore qu'elle ne l'était auparavant.

L'image s'éteint.

Un texte apparaît.

« JE SAIS CE QUE VOUS AVEZ FAIT.
Cette nuit, avant l'aube, je vous attendrai.
Venez, CARTER.
Là-haut. Vous connaissez l'endroit.
Venez.
Sinon je dirai tout. Tout le monde saura. »

63

Batista est comme un fou.

— Vous avez vu la vidéo ?

Il crie dans son téléphone tout en conduisant de l'autre main.

— Évidemment ! répond Louise Luz.

— Où êtes-vous ?

— Chez moi ! Devant mon ordinateur ! Et vous ?

— Dans ma voiture, en train de foncer au commissariat !

— Est-ce que je peux vous rejoindre ?

— Ce n'est pas nécessaire…

— Commandant ! proteste Luz.

— Attendez une seconde…

Batista pose le téléphone, prend son volant à deux mains et exécute une manœuvre dangereuse pour dépasser les voitures qui se traînent devant lui. C'est le soir, les gens sortent, la circulation dans Paris n'est pas facile. Il donne un coup de sirène pour obliger les véhicules à dégager, écrase de nouveau l'accélérateur et reprend le combiné.

— Luz, toujours là ?

— Bien sûr !

— Je rejoins la brigade de nuit. On va réfléchir à ce qu'on peut faire. Si ça bouge, je vous préviens. Promis.

— Y a intérêt, dit Louise sur un ton de reproche, vous m'avez déjà écartée la fois dernière…

Batista a encore du mal à croire ce qu'il vient de voir sur Megascope.

— Bon Dieu, souffle-t-il. Mais qu'est-ce que ça veut dire ?

— Vous l'avez vu comme moi. Djeen est vivante.

— C'est impossible...

— Et pourtant si, dit Luz, tout aussi éberluée.

— Elle l'a fait exprès. Elle s'est arrangée pour qu'il y ait un maximum de vues. Mais c'est un stratagème. Le message n'est destiné qu'à Carter Clay. Elle ne sait pas comment le joindre, alors elle diffuse ses images le plus largement possible. Elle cherche à l'attirer quelque part.

— Ça paraît évident, dit Luz. Mais où ?

Batista transpire. Il n'y comprend plus rien. Tout s'embrouille. Il est énervé.

La seule chose dont il soit sûr, c'est que la rencontre entre Djeen et Clay va se dérouler cette nuit. Juste avant l'aube.

— Elle a dit : « là-haut, vous connaissez l'endroit », dit Batista. Ça vous évoque quelque chose ?

— Non, fait Luz en se mordant les lèvres.

— Cherchez une idée, bon sang !

— Je ne fais que ça, commandant ! Là-haut, ça pourrait être n'importe où ! On ne sait même pas si la vidéo a été tournée dans cette ville ! C'est introuvable, c'est fait exprès ! Il n'y a qu'eux qui possèdent la réponse !

64

Wanda a vu la vidéo, elle aussi.

Elle met les billets de banque dans le sac, tire sur la glissière, le referme. Et l'abandonne sur le lit. Puis elle va s'asseoir devant la glace de sa chambre.

La cigarette est là, près d'elle, qui se consume encore. Elle en tire une bouffée, avant de la reposer au bord du cendrier. Elle n'a même pas la force de l'écraser.

Wanda se sent fatiguée.

Fatiguée et vieille. Elle en a marre de tout ça. Sa coiffure, ses bijoux, ses vêtements sont superbes, à faire pâlir d'envie n'importe quel top model. Pourtant rien n'y fait. Elle observe le miroir, impitoyable, qui lui renvoie son reflet abîmé par les ravages du temps. Les injections de Botox ne suffisent plus. Les opérations non plus. Tout s'affaisse, se détend, se ramollit. On dirait qu'elle meurt à petit feu.

Qui a dit : « La vieillesse est un naufrage » ? Wanda ne s'en souvient pas. Mais c'est tellement cruel. Elle penche le visage de côté et tente de sourire. C'est pire encore.

Où est passée la petite fille espiègle que tout le monde adorait ? La jeune fille séduisante qui faisait sensation dans les bals ? La jeune femme dont la beauté fulgurante pouvait renverser le plus solide des mariages ? La femme mûre qui faisait tourner la tête à tant d'hommes de pouvoir ? Où sont passées toutes ces personnes ?

Elles sont présentes. En elle. À l'intérieur. Enfouies telles des poupées gigognes. Des Wanda empilées les unes sur les autres, un peu moins magnifiques à chaque décennie. Et maintenant, son enveloppe corporelle se réduit à *ça* ?

Brusquement, Wanda projette son cendrier contre le miroir, qui explose en milliers d'éclats de verre.

Elle tombe sur le lit et se met à pleurer. Ses sanglots durent un long moment. Ils sont profonds, douloureux, ils lui arrachent la gorge, ses larmes l'étoufferaient presque. Elle est pathétique, elle le sait.

Wanda est pathétique et folle.

Mais elle est tellement malheureuse. Il y a longtemps, dans une autre vie, elle a séduit un être divin, intelligent, attentionné, riche au-delà des rêves, beau comme un dieu, et follement amoureux d'elle. Un être aux yeux duquel Wanda ne pouvait être qu'une déesse elle-même, puisqu'il l'aimait. Ensemble, ils avaient régné tant d'années, tellement de bonheur à eux deux... Comment tout cela a-t-il pu disparaître ?

Elle renifle et s'essuie le visage. Son maquillage a coulé. C'est ridicule.

Alors la vie, ça n'est que ça en définitive ? La lumière vous éclaire, on s'avance sur la piste, un tour de danse, on virevolte, le temps de boire une coupe de champagne, la tête vous tourne un peu, et hop, c'est déjà fini ?

Très bien. Soit. La vieillesse, la dégradation, elle peut s'y résoudre. Mais si, de surcroît, une petite pute sortie de nulle part avait tenté de voler votre couronne, qu'auriez-vous fait ?

Vous l'auriez écrasée, voilà ce que vous auriez fait. Alors Wanda n'a pas hésité une seconde. Il lui a suffi de trouver quelqu'un, son cher Carter, son âme damnée des Catacombes, qu'elle a stimulé, et payé. Il faut dire que bien qu'il ait l'esprit dérangé, il a toujours fait du bon travail.

Quant à Elon, elle veut qu'il souffre. Pourquoi ? Mais parce que Wanda ne l'intéresse plus, pardi ! Ni elle, ni leur mode de vie, ni rien de tout ce qu'ils ont bâti ensemble ! Cette sorcière l'a envoûté ! Voilà qu'il se découvre des envies humanitaires, à présent ! HA HA HA ! Mais quelle mouche t'a piqué, Elon ? Tu dis qu'elle t'a ouvert les yeux ? Vendre des pilules pour soigner les gens ne te convient plus ? Voilà que tu rêves de les aider *pour de bon* ? Proposer un destin à la France, et à l'Europe entière peut-être ? HA HA HA ! HO HO HO !

Wanda s'en roulerait par terre, tellement c'est à mourir de rire.

Eh bien, elle va le briser, son rêve. Le fracasser. Aussi sûrement qu'elle a écrabouillé Djeen. Le plan est enfantin. Son arme, c'est le Captagon. Dès qu'elle a eu connaissance du stock disponible, elle en a eu l'idée. La drogue pour propager la violence. La violence pour déclencher la peur. La peur pour orienter les votes. En décuplant au bon moment la sauvagerie parmi les manifestants, les casseurs, les sans-domicile, les rassemblements de fêtards, tout le monde, Wanda compte bien alimenter le feu de la colère populaire. Et ça fonctionne. Les sondages le prouvent, la droite la plus extrême progresse sans cesse ! En pleine période électorale, son pseudo-chevalier blanc de mari n'y résistera pas ! Et si ça ne suffit pas, qu'importe, elle placera elle-même des sacs de Captagon dans sa propre usine, s'il le faut, elle ira jusque-là, oui ! Elle prétendra qu'il les fabrique, pourquoi pas ? Elle brouillera les cartes, elle fichera une pagaille monstre ! De toute façon, quelle importance ? Fin des rêves d'Elon Tectus !

Wanda ricane comme une hyène.

Elle rit et pleure à la fois.

Puis elle finit par s'arrêter. Elle renifle. Tire le sac de billets jusqu'à elle. Le soupèse. Le poids n'est guère impressionnant. Il contient cent mille euros. Pas grand-chose, en ce qui la concerne.

Bien entendu, Wanda a regardé la vidéo sur Megascope. Elle l'a même reçue personnellement. Un exemplaire rien que pour elle, dans sa boîte e-mail. Assorti d'une note lui demandant de se rendre à un mystérieux rendez-vous. « Cent mille euros, et je disparais pour de bon. Signé : Djeen ».

Alors la petite pute a survécu ? Non, sérieux ? Mais comment ? Et elle lui réclame à présent cent mille euros, le prix du silence ? Elle se fout d'elle ?

Wanda va y aller, à ce rendez-vous. Elle se fiche totalement de l'argent. Comme elle se fiche qu'il puisse s'agir d'un piège, d'un stratagème des flics ou de quiconque. Pour Wanda, plus rien n'a d'importance. En revanche, si Djeen a la moindre chance d'être encore vivante, alors elle veut la rencontrer.

Bien en face.

Et lui crever les yeux.

*

Je me réveille en sursaut au milieu de la nuit. J'ai cru entendre un bruit. Un son sinistre, comme le grattement d'un ongle sur du bois. Je tends l'oreille, mais il n'y a que le silence.

Audrey est là, dans le lit, elle dort, son épaule éclairée par un reflet de lune. Son corps nu est magnifique. De mon côté, j'ai dû m'assoupir. Je ne suis cependant pas allongé : je me trouve assis dans le fauteuil, entièrement rhabillé, j'ai même enfilé mes chaussures.

Car je sais ce qui va se passer, bien sûr. Je m'y suis préparé.

Le bruit reprend, me faisant sursauter de nouveau. C'était bien ça : le grattement d'un ongle sur du bois. Cela provient de derrière le volet, à l'autre fenêtre, celle qui donne sur la rue. Je me lève, le cœur battant à tout rompre. Il y a une ombre derrière les lattes. Le grattement se produit encore.

J'ouvre, et le vent de la nuit s'engouffre en soulevant les rideaux.

Derrière, l'ombre recule.

Je repousse le volet en grand sur la rue : la lune est là, splendide, tel un globe posé sur la ville. Ses rayons diaphanes tombent entre les toits. Et dans leur lueur, à quelques mètres à peine, caché dans un survêtement blanc, émergeant d'une capuche, apparaît le visage de Djeen.

65

Le Chien attend, caché dans une camionnette rouge.

C'est un camion de traiteur, assez voyant, avec le nom d'une grande enseigne imprimé sur le côté. Ce n'est pas l'idéal, mais bon, dans la précipitation il n'a pas eu le temps d'en voler un autre. Tant pis, ça fera l'affaire.

La vidéo sur Megascope a mis le feu aux poudres. Il a dû réagir vite. C'était quoi, d'ailleurs, ce message, un piège ? Est-ce que Djeen le prend pour un idiot ? Elle veut la guerre ? Elle va l'avoir !

« Là-haut », ça veut dire à Montmartre. Bien sûr. Il l'a souvent photographiée à cet endroit. Elle aimait se promener sur les marches du Sacré-Cœur. C'est certainement là que se trouve le rendez-vous. Alors voilà : il relève le défi. Il est à l'heure, juste avant l'aube, comme prévu. Il s'est garé près de la place du Tertre. Armé jusqu'aux dents. Et cette fois, il compte bien lui régler son compte, à cette sorcière.

Que lui veut-elle, au juste ? Se venger ? Lui extorquer de l'argent ? Discuter ?

Il n'en sait rien. Mais il n'a aucune intention d'entrer dans son petit jeu.

Il est le Chien. Le meilleur des inquisiteurs. Dieu est avec lui. Il ne peut pas perdre.

Qu'est-ce qu'elle croit, qu'elle peut le mener ainsi par le bout du nez ?

Il étale plusieurs comprimés de Captagon sur le siège. Il en a gardé quelques-uns en réserve, exprès pour ce genre d'occasion. La drogue confère un sentiment d'invincibilité, la force, la puissance. C'est idéal pour le combat.

Il savait que devait arriver un jour ou l'autre le grand baroud d'honneur, la bataille ultime, exactement comme dans ses rêves. Il ne sait pas qui est derrière tout ça. Djeen, les flics, ou qui que ce soit, mais il va leur en donner pour leur argent.

– Aujourd'hui, c'est la Lumière contre le Chaos, dit le Chien.

Il exécute un signe de croix. Et ouvre la portière du camion.

*

Je cours dans la rue.

Devant moi, à bonne distance, se tient un spectre blanc. Elle m'a fait signe de la suivre – ce que je fais. Elle court, elle aussi, d'un pas léger, telle une ballerine. Les rues sont désertes. Silencieuses. J'ai l'impression de poursuivre un fantôme sous la lune. J'ai envie de crier son nom. Elle prend des risques fous. Mais rien ne l'arrête. Elle traverse la place du Tertre, passe devant une camionnette rouge et fonce dans la rue qui surplombe tout le spectacle de la ville et mène à la basilique du Sacré-Cœur.

Je m'apprête à la suivre, quand soudain la portière s'ouvre à l'arrière du camion. Deux pieds sautent sur le sol. Des jambes lourdes et musclées. Un torse de taureau. Une tête hirsute, aux yeux fous.

Je le reconnais immédiatement.

Et stoppe net.

Je suis caché dans l'ombre, vingt mètres en arrière. Il ne m'a pas vu, il n'y a que Djeen qui l'intéresse.

Carter Clay porte une salopette de livreur. Divers accessoires sont glissés dans les poches. Je devine des lames de différentes tailles, un hachoir, peut-être. Il claque la porte et se met en route, tranquillement, à petites foulées, à la suite de Djeen.

Elle l'a vu, elle aussi. Elle a tourné la tête, une demi-seconde, comme si elle savait à quoi s'attendre. On dirait qu'elle le nargue.

J'entends Clay pousser un grognement de colère.

Et la poursuite commence.

*

Tandis que la lune solitaire allonge leurs ombres à tous les trois, la jeune femme court. Elle est en tête, son pas est souple, ses chaussures de sport accrochent bien le pavé. Son souffle monte dans l'air nocturne, le rythme de son cœur est lent, puissant. En bas, devant elle, les lumières de Paris sont magnifiques. Derrière, les deux autres la suivent. L'un pour la tuer, l'autre pour l'en empêcher, mais elle n'a pas peur. Elle ne craint rien, elle est prête. Elle a eu tout le temps de s'entraîner pour cette course. C'est plutôt Clay qui devrait avoir peur.

Elle se retourne, juste ce qu'il faut, en faisant bien attention à ne pas trébucher, ni à casser son rythme : il est là, pas loin, il court lui aussi, les yeux exorbités. Il n'a pas l'air de souffrir le moins du monde. Sans doute a-t-il pris de la drogue. Ça ne l'étonne pas, c'est bien son genre. Toujours à fanfaronner et à menacer les gens, mais quand vient le moment de la bataille, on y va de façon malhonnête, hein ? On se bourre de substances pour se donner de la force, on pousse des femmes sans défense sous un métro, par surprise, mais on n'affronte jamais le combat en face, n'est-ce pas, Carter ?

Elle est en colère.

En rage.

Trois ans qu'elle attend ça. Il va payer.

Elle s'offre le luxe de se retourner une fois de plus, exécutant un petit pas de danse, et elle lui sourit, pour le narguer encore. Elle sait que cela va le rendre fou. Enfin, encore plus fou qu'il ne l'est.

Effectivement, il pousse un juron et allonge sa foulée, redoublant d'effort. Elle ajuste sa vitesse en conséquence. Viens, Carter, suis-moi.

Suis mon fantôme.

Tu vas voir. J'ai une surprise pour toi.

Elle plisse le front. Se concentre. Elle descend les marches. Attention à ne pas glisser. Ce n'est pas le moment. Elle les entraîne, Clay et Christian. Ils font le tour de la butte. Ils descendent peu à peu. Une rue, un escalier, une autre rue, nouvelle volée de marches. Elle va les emmener où il faut. Là où ça doit se passer. L'endroit où elle a le contrôle.

C'est son moment.

Sa vengeance. Son heure.

66

Il est un peu plus de quatre heures du matin lorsque le téléphone d'Armando Batista se met à sonner. Il lève la main, intimant à tout le monde l'ordre de se taire.

Silence total dans la cellule de crise au commissariat.

Il décroche avec prudence, comme si le combiné risquait de le mordre.

– Batista, vous m'entendez ?

– Nom de Dieu, Kovak !

La voix du docteur est essoufflée. On dirait qu'il parle en courant.

– Christian, où êtes-vous ? Qu'est-ce que vous faites ?

– Je poursuis… Carter Clay…

– Hein ?

Batista mouline de la main à l'intention de ses subordonnés.

– Pas besoin… de localiser l'appel, Batista… je vais vous expliquer où je suis…

Armando s'arrête de mouliner.

Et Kovak lui explique.

Il est à pied. En train de courir, effectivement. Ils se trouvaient à Montmartre. Ils sont passés devant le Sacré-Cœur, puis ont obliqué. Ils sont descendus. Arrivés à une station de métro. Il donne le nom. Il est en train de suivre Clay. Lequel est lancé à la poursuite de quelqu'un… qui ressemble à Djeen. Oui, Christian sait que ça a l'air dingue, mais c'est vrai. Le psychopathe va la rattraper et la mettre en pièces d'une minute à l'autre. Donc peu importe qu'il s'agisse d'elle ou non ! C'est ce qui va se passer si les flics ne se pointent pas en quatrième vitesse !

– Suis entré dans le métro… Tout était ouvert… Bizarre… Fait noir… Personne dedans… Arrivé dans un genre de hangar… Plusieurs trains… comme un atelier… Pas de réseau… va couper…

Et la communication s'arrête.

– Ça ressemble à un atelier du métro ! gueule Batista à la ronde. Trouvez-moi un putain d'atelier ! Proche de la station que nous a indiquée Kovak ! Et appelez Luz ! Dites-lui de foncer là-bas tout de suite ! Que tout le monde se magne le cul !

*

Je suis seul. La communication vient de couper. La station de métro était ouverte. Plongée dans le noir. Pas de gardien, ni de chien. Et pas de voyageur, il est trop tôt, le métro n'est pas encore ouvert.

Je connais cet endroit, bien sûr, j'y suis déjà venu : c'est ici que travaille Youri Chamchourine.

J'ai perdu de vue le fantôme de Djeen. Je fonce juste à la suite de Clay. Il a presque failli me semer. Il est arrivé sur un quai où dorment plusieurs rames côte à côte. C'est l'un des ateliers du métro : un endroit dans lequel on répare et on entretient les trains. Il y en a un certain nombre de ce genre, en ville. Clay s'engouffre dans un tunnel et disparaît à l'intérieur.

J'ai passé mon coup de fil à Batista. Il ne reste plus qu'à croiser les doigts pour qu'il se dépêche. Maintenant c'est à moi de jouer.

Je m'enfonce dans le tunnel à mon tour.

*

Wanda descend l'escalier en serrant son sac de billets contre elle.

C'est quoi, ce lieu ? C'est vraiment ici que doit se dérouler la remise de l'argent – ou la rencontre avec la petite salope ?

Un type l'a accueillie, en haut, dehors, devant une station de métro traditionnelle. Il portait un uniforme de la RATP. Probablement un complice de Djeen. Ou un larbin quelconque, allez savoir. Il lui a simplement indiqué le chemin. Sauf que ça ne mène nulle part. En tout cas, pas à une station. Elle s'est retrouvée dans des couloirs vides. Une zone réservée au personnel, manifestement. L'endroit est désert. Ou bien s'il y avait des occupants, on les a priés de déguerpir. Quoi qu'il en soit, maintenant la voilà.

Wanda descend d'autres marches. Traverse d'autres couloirs. Et se retrouve soudain sur un quai.

Plus loin, dans un étrange tunnel, il y a du bruit. On entend des cris. Des coups qui résonnent. On dirait… des gens en train de se battre.

*

Je lève les yeux : des gouttes d'eau tombent sur moi. Ça s'appelle une machine à laver. C'est fait pour nettoyer les trains. Exactement comme pour les voitures, mais en plus grand. En gigantesque, même.

Il fait sombre. La machine a dû fonctionner il y a peu, parce que le sol est humide. Il faut faire attention dans un endroit pareil. L'eau et l'électricité, ça ne fait pas bon ménage.

Au milieu du tunnel, Carter Clay tourne en rond dans la pénombre, un hachoir à la main. Il se déplace tel un animal monstrueux, en écartant les jambes. Sa silhouette semble tout droit sortie d'un cauchemar. Est-ce qu'il cherche le fantôme de Djeen ? S'est-elle cachée entre les rouleaux géants ?

Je le hèle.

– Hé ! Carter, espèce d'enfoiré !

Il se retourne. Il me reconnaît à peine. Ses yeux sont exorbités. Il a pris de la drogue, c'est évident. Une dose massive.

– Viens par là, salopard ! dis-je pour le forcer à se concentrer sur moi.

Il s'avance.

Une forme blanche surgit derrière lui et le touche avec une longue tige.

J'entends un ZZZZTTTT et Clay pousse un cri de douleur. Il se retourne. Le fantôme de Djeen est là, juste derrière lui. Elle tient un aiguillon électrique à la main. Le genre destiné à contrôler les animaux. Il lève son hachoir... et nouveau coup d'aiguillon. Il s'empare d'un long couteau dans son autre main. Encore un coup. Carter résiste. C'est impressionnant. Tandis qu'elle le tanne, le dompte, telle la bête qu'il est, il lève son couteau et le projette. La lame s'envole et effleure la joue de la jeune femme.

Elle tombe à la renverse.

Un cri m'échappe.

– Non !

Je me jette sur Carter. Nous roulons à terre. Mon épaule, celle qui a été opérée, frappe contre le sol. La douleur est atroce, fulgurante. Je manque de m'évanouir, mais je tiens bon. Le hachoir s'abaisse. Je roule sur le côté. Il heurte le revêtement, là où ma tête se trouvait il y a une seconde, et je me redresse.

La jeune femme en blanc a disparu.

Carter tente de me mordre, de m'étrangler. Il ne parle même plus. C'est réellement devenu un animal. Je le cogne, il me cogne à son tour. Coups de jambe, coups de tête. On s'empoigne, les chocs pleuvent, c'est une guerre, un affrontement comme je n'en ai jamais connu. Sauf que Clay semble totalement insensible à la douleur. Tout juste s'il ne rit pas quand je le frappe. Et Batista qui n'arrive toujours pas.

Clay continue, m'écrasant tel un marteau-pilon. Je sens que je ne vais pas tenir. J'ai du sang partout sur le visage. Mon épaule ne répond plus, mon bras pend mollement. Un dernier coup, plus violent que les autres, me projette de nouveau au sol. Ma tête claque violemment contre quelque chose.

Je pense à Djeen. Je pense à Audrey. Je vois les visages de Sam, d'Amir, ceux de mes parents. Cette fois, c'est la fin.

À cet instant, j'entends le bruit des rouleaux qui se mettent en route. Carter, debout, n'a pas le temps de les voir arriver : les lames tournoyantes des rouleaux le frappent.

*

Wanda contemple le spectacle, fascinée.

Elle se tient au bord du quai. En bas, dans la fosse de lavage, Carter Clay et Christian Kovak combattent comme des fauves dans une arène. Pour un peu, elle battrait des mains. Soudain Kovak s'écroule. Les rouleaux se mettent en route, frappent Clay et le projettent au sol. Il chute lourdement et ne se relève plus. Les rouleaux s'arrêtent.

Une femme blonde en survêtement blanc lâche la télécommande qui les a actionnés, s'avance et se plante devant Wanda.

Dont la mâchoire se décroche.

– C'est... impossible !... Tu es morte ! dit Wanda.

La femme la toise quelques secondes, puis se rend dans une cabine proche et appuie sur un bouton. Sur un écran, un film démarre. Sans doute est-ce un accessoire destiné aux techniciens, sauf qu'à cet instant, la vidéo qu'il diffuse est familière. On y voit parfaitement Wanda et Clay, présents à la même soirée, la première remettant de l'argent au second.

L'argent pour payer le meurtre de Djeen.

La séquence est brève. Arrivée à la fin, elle recommence en boucle, comme une accusation répétée à l'infini.

La bouche de Wanda s'agrandit un peu plus. Ses yeux font des allers-retours entre la femme blonde et l'écran qui lui fait face.

— Morte… Morte…, répète-t-elle, tel un disque rayé.

L'autre s'approche de nouveau d'elle, avec défiance. Elle tient toujours son aiguillon électrique.

— Alors ? dit-elle. Qu'est-ce que ça vous fait de me revoir ?

Wanda l'observe mieux. En plissant les yeux. Son maquillage est très réussi. Et la ressemblance incontestable. Stupéfiante même. Mais elle est plus jeune.

— Qu'est-ce que ça vous fait de contempler Djeen face à face ? Vous qui l'avez fait assassiner !

— Tu n'es pas elle.

— Non, je ne le suis pas. Évidemment. Je lui ressemble. Je suis son esprit, son fantôme, revenu pour vous ! crie la jeune femme en levant l'aiguillon.

Wanda se ratatine en se protégeant des bras.

— Je suis sa fille ! Espèce de vieille garce !

L'aiguillon retombe mollement sans la toucher, tandis que la jeune femme relâche un peu sa colère.

— Mon père s'appelle Youri, dit-elle. C'est lui, là-dehors, qui vous a fait descendre dans cette station. Lui qui m'a filmée dans les vidéos sur Megascope, et qui les a diffusées sur Internet. Lui encore qui m'a filmée dans le cimetière au milieu des tombes. Il fait tout ce que je lui demande. Tout ça pour vous forcer à sortir de votre trou ! Vous prendre dans ce piège, tous les deux ! Et vous affronter là où c'est moi qui ai le contrôle !

Clay est toujours allongé sur le sol du tunnel, inerte.

Wanda se redresse lentement.

— Ah bon ? dit-elle en retrouvant son air sarcastique. Et maintenant que tu nous as attrapés, qu'est-ce que tu comptes faire ? Tu vas nous tuer ?

— Non. Sûrement pas. Je ne suis pas une meurtrière, moi. Les flics arrivent. C'est terminé pour vous.

Revenue de sa surprise, Wanda lâche un rire sec. Les coins de sa bouche se relèvent en un sourire méprisant.

– Tiens donc. On dirait que tu ne me connais pas bien. Tu ne sais pas qui je suis ? Je peux parfaitement vous écraser toi et ce Youri. Comme ta mère s'est fait écraser, pauvre idiote. Des Carter Clay, il y en a plein les rues pour m'offrir leurs services. Et je ne te parle pas de mes armées d'avocats. Ce ne sont pas tes petites images, ni tes stratagèmes ridicules qui vont prouver quelque chose. Tu crois avoir le contrôle ? Mais le pouvoir, c'est moi qui l'ai, ma pauvre. Je SUIS le pouvoir ! Alors je vais me montrer magnanime : prends ton fric et dégage tant que tu le peux encore. Et peut-être que je ne me donnerai pas la peine de t'écrabouiller comme le sale petit cafard que tu es. *Jeune fille.*

Nullement impressionnée, l'autre se rapproche et se met à tourner autour d'elle.

– Oh, détrompez-vous, Wanda. Je sais qui vous êtes. Je n'en avais aucune idée il y a encore quelques jours, mais à présent, si. Je voulais me venger de Clay, voyez-vous. Ça fait trois ans que j'y songe, à ce monstre. Il s'en est tiré tellement facilement. J'ai vraiment cru qu'il était l'unique coupable. (Elle continue de lui tourner autour.) Mais Christian Kovak pensait différemment. Il a toujours soutenu qu'il y avait quelqu'un d'autre. Un commanditaire. Il l'avait dit aux flics dès le départ. Personne n'a écouté. (Elle se rapproche encore.) Alors j'ai eu l'idée de vous tendre ce piège. Nous vous avons appâtés. Débusqués, Carter et vous. Et à présent, tout le monde va savoir. (La jeune femme se penche près de son oreille.) Et pour ta gouverne, *Wanda*, je ne suis plus une jeune fille. Djeen m'a eue à quinze ans, j'en ai vingt-trois et, sans même te toucher, malgré ta puissance et tout ton pouvoir… tu vas voir, je vais te mettre la raclée de ta vie. *Vieille peau.*

En bas, Carter Clay remue un bras, grogne puis commence à se redresser.

La jeune femme saute aussitôt dans la fosse, toujours munie de son aiguillon. Sans la moindre pitié, elle frappe Carter, l'électrocutant avec l'accessoire, encore et encore. Loin de sentir la douleur, il renverse la tête en arrière.

– Djeeeeeeeeennnnnn, lance-t-il d'une voix gutturale.

Elle continue de le frapper. Des larmes roulent sur ses joues, mais elle ne s'arrête pas de le battre pour autant.

Carter Clay lui arrache l'aiguillon.

Un coup de feu éclate. En haut, Wanda tient un petit pistolet. Elle vient tout juste de le sortir de son sac. Elle la vise une nouvelle fois.

Dans un ultime effort, je parviens à relever la tête et crie :

– Cours ! Cours retrouver Youri !

La jeune femme m'écoute, fait volte-face, repart dans le tunnel, et disparaît.

Carter Clay s'avance de nouveau vers moi. Il a récupéré son hachoir, je ne sais pas trop comment. Deux tirs traversent alors sa poitrine au niveau du cœur, parfaitement ciblés. Un troisième lui arrache une partie du crâne, et son corps s'effondre. Carter meurt avant d'avoir touché le sol.

Louise Luz surgit, l'arme au poing. Plusieurs officiers de police arrivent dans son sillage. J'entends la voix de Batista qui vocifère des ordres.

Wanda cligne des paupières à plusieurs reprises, comme si tout cela n'était qu'un mauvais rêve. Elle lâche son pistolet. Sur l'écran, la vidéo tourne toujours en boucle. Elle recule en direction du tunnel, nous regardant tous, pataugeant dans une flaque.

– Non, dit-elle… C'est moi qui décide…

Je tends mon bras vers elle.

– Wanda, arrêtez, c'est fini… Clay est mort, vous n'y pouvez plus rien…

– C'est moi qui arrête la danse, dit-elle. Je décide quand mon bal se termine ! Moi, et moi seule !

Elle plonge sa main dans l'eau, approche l'autre d'un câble électrique. Sa silhouette est secouée par une décharge. Le choc est effroyable.

Ses vêtements s'embrasent. Ses poings se contractent. Les flammes l'enveloppent. Elle nous regarde, les dents serrées. Ses paupières brûlent. Ses globes oculaires apparaissent, immenses, puis brûlent à leur tour. Sa silhouette finit par basculer en arrière.

Et Wanda quitte la danse.

Avec éclat. Comme elle l'a toujours voulu.

67

Une semaine s'est écoulée.

Je suis en bonne santé. Et surtout je suis libre.

J'ai été longuement interrogé par Batista, bien sûr. Je me suis contenté de dire ce que j'avais vu durant cette fameuse nuit. Ni plus ni moins. Une jeune femme ressemblant à Djeen, poursuivie par Clay, et qui avait mystérieusement disparu ensuite. Affublée d'un maquillage approprié, elle était parvenue à devenir son sosie. Tout cela n'était bel et bien qu'un chantage depuis le départ. Du reste, l'e-mail envoyé à Wanda et le sac rempli de billets de banque en sont la preuve.

Pourquoi avais-je été mêlé à cette histoire ? Eh bien, je suppo-sais que la jeune femme en question s'était servie de moi pour mettre la pression sur les Tectus. Pour le reste, je n'avais pas de réponse. Batista n'avait qu'à se débrouiller seul, c'était lui le flic.

J'ai l'impression que le commandant ne m'a cru qu'à moitié. Mais comme il ne pouvait rien faire d'autre, il m'a laissé tran-quille.

Ce soir, je suis à une fête. Elle a lieu dans une salle communale, celle de notre ancienne cité de banlieue, là où nous avons grandi. Il y a Sam et moi, bien sûr, puisque c'est nous qui l'avons organisée, même si c'est un peu à l'arrache. Sont également présents : David Zimmermann, Audrey Valenti et sa maman Rosa, Amir Shahid et mes parents venus spécialement du Sud, Greta Van Grenn, des copains de l'hôpital, des anciens du lycée, d'autres encore de l'école primaire, notre épicier, plusieurs commerçants, et tout un tas de jeunes que je n'ai jamais vus.

C'est un peu le souk, à vrai dire. Mais on s'en fiche. C'est le propre des soirées improvisées. Sur la scène, un orchestre local chante un morceau de Riff Cohen, ça s'appelle « Dans mon quartier ». Voilà le genre.

Tout le monde s'amuse, boit, rit, chante et fait la fête.

Le seul à manquer à l'appel est un certain Youri Chamchourine : il a disparu. Une ancienne connaissance, plutôt vague... Apparemment, ce type était responsable de l'atelier, la nuit où Clay et Wanda sont morts, m'a précisé Batista. Ah bon ? ai-je répondu. Première nouvelle. Forcément une coïncidence : je ne savais même pas qu'il travaillait à la RATP. Je l'ai complètement perdu de vue, ce type. De toute façon, il ne s'est jamais entendu avec ma famille.

Audrey vient se serrer contre moi. Elle me tend un verre et on s'embrasse. J'aime bien sa mère. Elle est un peu fofolle, j'ai l'impression qu'elle fait du gringue à Amir. Ça nous fait rire.

Sam et David ont prévu de se marier. Pour eux, c'est un grand pas en avant. Les derniers événements leur ont tellement fait peur qu'ils ne veulent plus perdre de temps. Ils ont décidé d'être heureux, et tant pis pour le reste. C'est pour ça que nous faisons la fête ce soir, même si le vrai mariage n'aura lieu que dans trois mois. Le temps de nous organiser. De remettre un peu d'ordre dans nos vies.

Je vais vendre la maison. C'est décidé. Trop de souvenirs amers me hantent dans ses pièces. En attendant, j'habite chez Audrey. C'est un peu fou et prématuré, mais que voulez-vous, c'est comme ça. C'est ce qu'on appelle la passion. Un feu étrange et beau, qui pourrait brûler un certain temps entre nous.

Ou pas.

Car il me reste quelque chose de très difficile à faire.

Je ne compte pas raconter la vérité à Sam. Ni à David ni aux parents. Ni aux flics. Ni à quiconque. Jamais. L'histoire complète n'appartient qu'à moi. C'est ainsi.

Mais pour Audrey, je dois faire une exception.

*

Nous avons pris un jet privé pour la Pologne.

Ce n'est pas pour épater Audrey (enfin, pas seulement) : c'est surtout un moyen discret de voyager et de s'affranchir d'un certain nombre de contrôles. Ce qui est exactement le but que je recherche.

Après un voyage agréable, et un transfert tout aussi agréable en 4 × 4 luxueux, nous voici à Zakopane.

Zakopane est une station de ski. Elle est située dans le sud du pays, dans les montagnes des Tatras, qui sont la partie la plus élevée de la chaîne des Carpates.

Nous déambulons dans les rues, vêtus de blousons confortables. Le seul inconvénient est que je ne peux pas donner la main à Audrey : mon bras est encore maintenu par une écharpe, même si je n'ai pas eu besoin d'une nouvelle intervention. Quant à mon autre main, elle tient un objet emballé dans du papier bulle. Je ne l'ai pas lâché du voyage.

– C'est quoi ? Un vase ? demande Audrey.

– Plutôt une jarre.

– Qu'est-ce que tu vas en faire ?

– Je vais te montrer.

Nous atteignons un héliport, où un hélicoptère nous emporte jusqu'à un chalet d'altitude. L'endroit est magnifique, isolé, avec des sapins et des montagnes blanches majestueuses tout autour. Il y a même un élevage de chiens de traîneaux. C'est absolument spectaculaire.

— On dirait l'un des paysages que dessinait Djeen, fait remarquer Audrey.

— C'est le cas, je réponds. Cet endroit l'a beaucoup inspirée. Elle a toujours adoré les paysages enneigés.

— Ah bon ? Elle venait ici ?

— Oui. Souvent seule. Je ne l'ai accompagnée qu'en de rares occasions.

— Vous faisiez du ski ?

— Non. Elle venait voir sa fille. C'est ici qu'elle habite.

Ma voix est peu rauque, comme si je manquais d'oxygène à cause de l'altitude. Nous ne sommes pourtant pas si haut.

— Elle a un enfant, mais il n'est pas de moi. Son père est Youri Chamchourine.

Nous marchons lentement sur un sentier à flanc de colline. Il y a de l'herbe. On trouve seulement quelques plaques de neige à cette saison. Les balades en chiens de traîneaux, c'est pour l'hiver.

— Je ne suis pas le premier amant de Djeen, je ne suis que le second. À quinze ans, elle a eu une brève relation avec Youri. Elle était curieuse. Une fois sa curiosité satisfaite, Djeen a rompu.

Audrey secoue lentement la tête.

— Et... elle est tombée enceinte.

— Exactement. Elle était maigre, elle portait toujours des vêtements larges, elle ne comprenait pas ce qui lui arrivait. Sa famille a cru à une dépression. Personne ne pouvait l'approcher. Mais cela n'avait rien à voir. Il s'agissait d'un déni de grossesse. Nous ne l'avons su qu'à la fin.

— Vous, qui ?

— Seulement Youri et moi. Je m'en suis rendu compte. J'ai prévenu Youri. Personne d'autre.

— Pourquoi ?

Je hausse les épaules.

— Nous étions jeunes. Djeen était terrifiée. Youri lui-même n'en menait pas large. Et moi, j'étais amoureux. Elle refusait qu'on en parle, personne ne devait savoir. Une cousine de Youri était de passage, une jeune femme dégourdie qui avait besoin d'argent. Youri a volé du fric dans une cachette de son père et lui a donné, elle a aidé Djeen pour l'accouchement, puis est repartie avec le bébé en Pologne. C'est devenu notre secret honteux. Après ça, malgré mon insistance, Djeen n'a jamais voulu d'autre enfant.

Nous atteignons le haut de la colline. De l'autre côté, en contrebas, il y a une petite maison. Elle est vieille et inhabitée à présent. Le nouveau chalet est bien plus vaste, l'élevage de chiens de traîneaux fonctionne bien, il attire pas mal de touristes en hiver, c'est la cousine de Youri qui s'en occupe.

Je m'arrête et pointe la maison du doigt.

– C'est ici que Daria a grandi. Elle s'appelle Daria Chamchourine. Youri l'a adoptée des années plus tard. La première fois que je l'ai rencontrée, elle ressemblait déjà à sa mère...

Je respire avec lenteur. Mon souffle produit des volutes de vapeur dans l'air froid.

Audrey attend que je poursuive.

– Djeen venait rendre visite à sa fille de temps en temps. Comme à une petite sœur. Elle rapportait parfois un peu de terre des Carpates dans cette urne (je montre le paquet sous mon bras), c'est un vase en forme de djinn bleu, le dessin animé d'origine plaisait beaucoup à Daria. Youri venait aussi, de son côté. Il faisait des affaires avec ses cousins, il en profitait pour lui apporter des planches à dessin, des crayons de couleur, de la peinture. Daria peint très bien, c'est une artiste, comme sa mère. Mais tout cela ne suffisait pas à en faire une petite fille équilibrée, ni à combler son manque affectif. Djeen lui manifestait peu son amour. Le sujet était difficile à aborder entre nous. Alors c'est resté ainsi. Une bulle coincée dans notre univers autistique. Il n'y a qu'avec Youri que j'en discutais de temps à autre. Djeen et lui ne se parlaient plus depuis longtemps. Certains liens sont étranges…

Nous marchons à présent sur la crête de la colline, comme en équilibre sur le fil du destin. Nous pouvons redescendre d'un côté, ou de l'autre. Ensemble. Ou séparément.

– Et ensuite ? dit Audrey. Que s'est-il passé quand Djeen est morte ?

– Youri était triste, bien sûr. Mais Daria a été dévastée. Elle idéalisait complètement sa mère, pour elle il s'agissait d'un être inaccessible, mais elle l'excusait, elle acceptait cette situation, tout en nourrissant l'espoir de la faire changer un jour. Après sa mort, elle s'est mise en tête de la venger, c'est devenu son obsession. Je suis venu ici, pour l'aider à surmonter cette épreuve. Mais en vérité, je n'ai fait que renforcer son sentiment d'injustice. Daria ne souhaitait qu'une chose : punir Clay.

– Et… tu l'as poussée dans ce sens ? demande Audrey avec inquiétude.

Un souffle d'air froid passe entre nous, venu des hautes montagnes.

Voilà. Nous sommes arrivés au bout du chemin.

– Ce n'était pas mon intention au départ. Mais c'est vrai : j'étais certain que Clay avait prémédité son coup. Personne ne voulait me croire. Les flics ne bougeaient pas. Et puis, il y a quelques mois, un événement banal a tout changé. Je m'étais finalement décidé à ranger le sous-sol. En vérifiant la ventilation mécanique, je suis tombé sur une caméra de surveillance, cachée dans la gaine d'aération. C'est là que j'ai compris : Djeen était réellement espionnée, traquée, c'était la preuve qu'il ne s'agissait pas d'un geste impulsif par un pousseur du métro, mais bien d'un assassinat. J'ai pris des photos du dispositif, et je suis venu en discuter ici même, avec Daria et Youri. Il a vérifié, puis confirmé qu'il s'agissait bien d'un matériel haut de gamme, très sophistiqué. Le genre réservé aux flics ou aux grosses sociétés de surveillance.

Nous avons compris que nos ennemis étaient organisés, qu'ils avaient des moyens, de l'influence, qu'ils pouvaient être partout. Le commandant Batista pouvait être corrompu, par exemple. Cela aurait expliqué la clôture rapide de l'enquête. Nous nous sentions révoltés, impuissants. Daria pleurait. Elle s'est exclamée : « Si maman était là, elle saurait quoi faire ! » Tout est parti de cette phrase. « Si maman était là... » Elle lui ressemblait tellement, à cet instant, j'étais bouleversé. Je me suis dit que si Djeen réapparaissait, si son fantôme revenait hanter les protagonistes de l'affaire, si on les secouait assez fort, on avait peut-être une chance de faire surgir un élément nouveau.

Audrey plaque sa main sur sa bouche.

– Non... Tu es en train de dire que...

Je baisse la tête.

– Oui, Audrey. C'est moi qui ai tout planifié. L'incident dans le métro. Les vidéos sur Megascope. L'envoi des e-mails à tous les suspects possibles, aux employeurs de Djeen et aux flics. Le but était de secouer l'arbre, et on l'a fait. Youri et Daria ont réalisé le travail. Youri est allé jusqu'à me tirer dessus, dans l'improvisation, pour faire plus vrai, et ce n'était pas prévu, ce type est difficilement contrôlable. Il était le bras, moi le cerveau, Daria la flamme qui nous animait tous. Un trio vengeur. Je voulais que cette histoire éclate, braquer de nouveau les projecteurs sur l'assassinat de Djeen, forcer les coupables à réagir. Et c'est exactement ce qui s'est passé, en fin de compte.

Une larme coule sur la joue d'Audrey.

– Et... pour nous deux ? dit-elle.

Je me détourne. Mes yeux se perdent dans l'immensité des montagnes. Elle reprend :

– Tu t'es dit que si une magistrate était mêlée à l'affaire...

– ... Ça pouvait être utile, oui. Ta présence ce soir-là dans la rame, je ne l'avais pas prévue. C'est toi qui m'as contacté ensuite. Et je découvre que tu es juge. C'était comme un signe du destin. J'avais déclenché une tempête que je ne maîtrisais plus. J'avais peur, Daria ne voulait pas qu'on s'arrête. Il me fallait un appui : ton intelligence, ton raisonnement. Et tu pouvais inciter la justice à rouvrir le dossier. Alors j'ai fait apparaître Djeen, sous tes yeux, aux Halles, pour te convaincre. Mes sentiments pour toi ont toujours été authentiques, je n'ai jamais triché. Mais ton aide, j'en avais vraiment besoin.

– Et tu l'as eue, dit Audrey. Tu m'as eue. Pour de bon.

Son ton est glacial.

Atroce.

– Voilà, dis-je. À présent tu sais tout. Les coupables sont morts. Je vais maintenant disperser les cendres de Djeen. C'est ce que contient cette urne funéraire. Nous avons escamoté son corps, Youri et moi. Ça faisait partie du plan. Je vais descendre cette colline jusqu'à cette vieille maison. Là où sa fille a grandi. Je les jetterai parmi les ruines. Et tout sera terminé. Lorsque je remonterai, tu seras peut-être présente. Ou tu seras partie. Le pilote de l'hélicoptère t'attend, il t'emmènera où tu le souhaites. Tu peux décider de raconter l'histoire à la police, j'en assumerai les conséquences. Youri et Daria ont quitté les lieux. On ne les reverra plus.

Mes yeux sont secs. Dans le temps, ils ont beaucoup pleuré. C'est fini.

– Audrey, je ne sais pas si nous avons un avenir. Mais je ne pouvais plus te mentir. C'était au-dessus de mes forces. Je te demande pardon.

Puis je descends la pente.

J'aimerais vous dire que tout à l'heure, lorsque je me retournerai, Audrey sera encore là.

J'aimerais vous dire que disperser les cendres m'apportera la paix.

J'aimerais vous dire que l'étreinte glacée du spectre de Djeen desserrera enfin son emprise, sur nos âmes à tous, car la vie doit reprendre son cours.

Mais la vérité est que je n'en sais rien.
Je vais jeter ces fichues cendres.
Remonter cette fichue pente.
Pas seulement celle de la colline, mais celle de mon existence.
Et après on verra.

Épilogue

Et voilà. C'est terminé.

Il regarde les images sur le poste de télévision. Il a de quoi être satisfait : Elon Tectus est la proie des journalistes. Depuis quelques heures, toutes les chaînes ne parlent que de ça. Tectus est constamment suivi, harcelé dès qu'il met un pied hors de sa voiture, traqué dans la rue, dans les couloirs, jusque dans les bureaux de sa tour à la Défense, qui est littéralement assiégée, prise d'assaut par des hordes de micros et de caméras. Il y a même des chaînes étrangères, CNN, la BBC, et d'autres.

La mort de Wanda Tectus est un feu de brousse, et ce feu s'est communiqué à l'ensemble du paysage. Les connexions de cette dernière avec un meurtrier du nom de Carter Clay sont encore incertaines. Mais chaque heure dévoile son lot de nouvelles révélations. D'après les premières informations, ce Carter Clay était un assassin, un monstre, et Wanda l'aurait carrément engagé pour commettre un meurtre. N'est-ce pas épouvantable, mesdames et messieurs ? N'est-ce pas tout simplement extraordinaire ?

Il recule dans son siège et pose ses pieds sur le bureau pour mieux profiter du spectacle. Bien entendu, l'avenir politique d'Elon Tectus a fondu comme neige au soleil, et celui de son parti avec lui. Les représentants des formations les plus extrêmes se succèdent à l'antenne. L'heure est venue d'imposer la droiture, la rectitude, la fermeté dans ce pays, qui en a bien besoin ! martèlent-ils sans interruption. Regardez où ce laxisme nous a menés ! Nos élites ont recours à de vulgaires tueurs ! Cette Wanda, la propre femme d'un candidat aux élections, se vautrait dans la débauche et la luxure ! Est-ce que cela ne vous rappelle pas de vilains souvenirs ? L'ordre et la morale doivent être restaurés ! répètent-ils sans cesse.

Il soupire.

Enfin les forces de la lumière triomphent.

Il était temps.

Et pas un mot sur le Captagon, bien sûr. Ce qui ne l'étonne guère. Cette affaire va rester soigneusement enterrée. D'une part, il n'y a aucune preuve tangible : quelques milliers de comprimés distribués à droite et à gauche, qu'est-ce que ça prouve ? Ce n'est pas ça qui influence les votes, les gens sont libres de leur choix, c'est bien connu. D'autre part, quand bien même un journaliste futé s'intéresserait à la question, aux liens entre la violence et l'orientation politique d'un pays, aucune sorte de pouvoir ne laissera jamais passer ça. Cela reviendrait à reconnaître que la police s'est retrouvée en échec. Que les politiques n'ont rien géré, d'un bord comme de l'autre. Que la situation a échappé à tout contrôle. Et personne ne veut entendre cette musique. Perdre le contrôle, c'est l'angoisse. Les gens ont besoin de rester maîtres de leur destin. Au moins en apparence. Donc, le Captagon finira balayé sous le tapis, avec la poussière et le reste. De toute façon, les citoyens ont une mémoire de poisson rouge.

Mais ce n'est pas le meilleur.

Le meilleur – et il en éclaterait presque de rire – c'est que tout retombe sur le dos de Carter Clay.

Ah, c'est sûr, la petite Djeen leur en aura fait baver, à Clay et à lui.

Les fêtes dans les bas-fonds de Paris, c'est comme ça que tout a commencé. Les soirées s'y déroulaient depuis un certain temps, dans des lieux divers. À l'époque, Xavier « XS » n'était pas un entrepreneur aussi avide de fric. Tout le monde pouvait y venir, à ses fêtes. La ville entière s'y mélangeait : les gens de la haute société, la France d'en bas, les chefs d'entreprise, les étudiants, les flics, les criminels, et même les SDF comme le pauvre Carter. C'est comme ça qu'ils se sont rencontrés tous les trois : Wanda, Carter et lui. Elle cherchait quelqu'un sans scrupule, un « homme de main » capable de la débarrasser de Djeen. Elle était prête à y mettre le fric. Lui, il a simplement été le lien entre eux : Carter et elle. Il les a présentés l'un à l'autre, puis il s'est retiré sur la pointe des pieds. Du moins en apparence. En réalité, il les observait, susurrant à l'oreille de Wanda, donnant toujours à Carter le premier rôle, « ce type est un génie, vous savez qu'il possède un stock de drogue, Wanda ? Que pourriez-vous en faire ? ». Il les manipulait à loisir. Depuis le début.

Il pousse un soupir.

Ça n'a pas été une mince affaire !

C'est vrai, quoi ! Qui s'est tapé la surveillance de Djeen au téléobjectif, hein ? Qui a convaincu Carter Clay de la pousser sous le métro ? Qui a entraîné le SDF, l'a guidé dans les sous-sols de la ville, lui a donné de son temps, des heures et des heures, dans son taudis puant, là-bas, dans le squat de la Petite Ceinture ?

Montrer à Clay des photos de Djeen tous les jours, le convaincre qu'elle était l'incarnation du mal, l'intoxiquer avec tout ce charabia religieux, lui placer des écouteurs sur les oreilles et lui répéter sans cesse : « Pour la Douleur, fais-le ! », tout ça pour le transformer en assassin téléguidé, vous croyez que ç'a été facile ?

Non, ce n'est pas facile du tout !

Surtout quand vous avez affaire à un schizophrène. Ces gens-là ne sont pas fiables !

Il se lève, boit un verre, et retourne s'asseoir devant la télévision. Il faut qu'il se calme, il est en train de s'énerver tout seul. N'empêche, combien de fois Carter a-t-il suivi Djeen sans aller au bout de son geste, hein ? Plein de fois. Elle avait même fini par le repérer. Elle était inquiète. C'est bien simple, quand Carter l'a finalement balancée sous le métro – pas trop tôt ! –, lui, il s'est demandé si c'était vrai, ou si c'était l'un de ses délires de schizophrène. Mais apparemment le job était fait. Djeen était morte, Carter à l'asile, et Wanda satisfaite. Elle ne craignait rien : qui s'occupe des délires d'un fou ? Et lui non plus : en apparence, il était totalement extérieur à l'histoire. Wanda elle-même ne soupçonnait pas son degré d'implication. Il n'avait joué qu'un rôle d'intermédiaire. Pour elle, il n'était que le petit dealer des soirées festives, l'idiot du village qui distribuait le Captagon de Carter sans comprendre, sans imaginer le plan qu'elle, Wanda, avait conçu pour punir son mari.

Sauf que semer le chaos pour faire émerger l'ordre, c'était son idée À LUI !

TOUT avait TOUJOURS été son idée.

Il l'avait soufflée à Wanda, comme le reste.

Quel dommage. Personne n'est jamais là pour admirer la beauté de ses manipulations. Son génie est condamné à demeurer dans l'ombre.

Il renifle et s'essuie sur sa manche. Il va falloir qu'il s'achète un spray nasal. À force d'errer dans le métro et les Catacombes, il a fini par s'enrhumer. Il faut dire que sa santé a été mise à rude épreuve ces derniers temps. Pour lui, l'histoire de Djeen appartenait au passé. Mais dans la vie, rien n'est jamais acquis. La preuve : il y a deux semaines, il se trouvait là, dans la même pièce, il regardait la télévision en surveillant les e-mails des flics comme d'habitude, quand soudain : BOUM ! La vidéo sur Megascope est apparue, avec elle dedans.

Il en est resté le cul par terre.

Comment était-ce possible que Djeen soit toujours en vie ? Ou bien s'agissait-il d'un piège ? Un genre d'appât pour le coincer lui ? L'arroseur arrosé, en quelque sorte… Impossible de le savoir. Mais une chose était certaine : il ne pouvait pas en rester là. Si Djeen était vivante, alors elle risquait d'être au courant d'un tas de choses. Elle savait que Wanda la détestait. Elle avait repéré Clay. Elle connaissait les fêtes. Dieu sait ce qu'elle pouvait raconter d'autre. Il devait la retrouver. Remonter la piste. L'éliminer coûte que coûte. Et tout cela sans se trahir, bien sûr. Heureusement qu'il avait bien protégé ses arrières : en capturant Clay à la sortie de son hôpital psychiatrique, dès le départ, et en le gardant prisonnier, enchaîné dans sa cachette, il a réussi à tout lui coller sur le dos.

Il l'a longuement stimulé, de la même façon qu'avant, en lui montrant des photos de Djeen et en lui répétant des ordres dans les écouteurs. Puis le moment venu, il a mis Carter dans le camion du traiteur, à l'arrière du véhicule rouge, place du Tertre, il l'a bourré de Captagon, puis il l'a poussé dehors, le lâchant telle une bête fauve sur sa proie. Fin de l'histoire. Maintenant Clay est mort. Wanda aussi. Les coupables sont punis. Tout le monde est content.

Il ne reste qu'un problème : il ne s'agissait pas de la véritable Djeen. Il l'a compris. Il pense que cela a un rapport avec Christian Kovak qui, à la réflexion, pourrait être bien plus intelligent et dangereux qu'il n'y paraît. Mais bon, pour l'instant, c'est secondaire. Il se penchera dessus le moment venu. Il finira bien par découvrir la vérité un jour. Dieu y veillera. Dieu a toujours un plan.

Il range ses affaires dans son cartable, et quitte son bureau. Maintenant que tout est terminé, le commissariat est redevenu calme. Armando Batista est parti retrouver sa femme. Louise Luz a posé ses vacances. Ce qui signifie que lui, il est enfin tranquille. Il va pouvoir respirer.

Ce n'est pas facile d'être flic d'un côté, et inquisiteur de l'autre. C'est un travail à plein temps.

Qui soupçonnerait sa véritable nature ? Il est là, il les côtoie tous les jours, serre leur main, partage leur vie, il est l'un d'entre eux. Il a fabriqué Carter Clay, le leur a servi sur un plateau, et ils ont avalé l'histoire. Clay a endossé tous ses anciens crimes. Et qui tire les ficelles depuis le départ ? Lui. Un simple flic. Un prédateur invisible, dissimulé au milieu du troupeau. Parfois, il aimerait le crier à tout le monde, tellement il s'amuse. Mais personne ne doit savoir. Tel est le prix à payer pour poursuivre sa tâche.

Il dit au revoir à ses collègues et sort du bâtiment, rue de l'Évangile. Dehors, au volant d'une voiture, une jeune fliquette l'attend. Il la connaît. C'est une nouvelle recrue.

– Hey, salut ! dit-elle en ouvrant sa portière côté passager. Je te raccompagne ?

L'attitude de la fille est sans équivoque : elle le drague.

– D'accord, répond-il. Pourquoi pas ?

Il monte, allonge nonchalamment son bras sur le siège derrière elle, et caresse ses cheveux.

– C'est direct, dit-elle en riant.

– Ce n'est pas ce que tu souhaitais ?

– Si... bien sûr.

– Allons dans un coin tranquille, fait-il. Tu connais les Catacombes ?

Elle écarquille les yeux.

– Tu es une personne pleine de surprises !

Il sourit, découvrant ses dents.

– Ma chère, tu n'imagines pas à quel point.

Dit le Chien.

Remerciements

Un livre est un tour de magie. Pour le réaliser, il faut de l'audace, beaucoup de travail, un peu de chance, énormément d'amour, on charge le canon, et on laisse parler la poudre ! C'est un feu d'artifice, au sens propre comme au figuré. Mais pour que le spectacle fonctionne, de nombreuses personnes travaillent en dehors de la scène. Levons un coin du rideau...

En premier lieu, je tiens à remercier les équipes d'Albin Michel qui, au-delà de leur exceptionnelle compétence, m'ont toujours manifesté un soutien et une affection sans faille. C'est une grande famille, et en faire partie est un honneur. Merci à Richard Ducousset, Francis Esménard et tous les amoureux des livres, les passionnés qui permettent chaque fois le renouvellement du miracle.

Je remercie aussi mon ami le docteur Arshid Azarine, dont la musique a littéralement porté l'écriture de ce roman. Piano jazz à tendance orientale, éclats d'accordéon, percussions rythmées d'un polar : son magnifique album 7 *Djan* était né pour suggérer des images. Voilà qui est fait ! Et tu apparais dans l'histoire, Arshid...

Merci aussi à Thierry « maître des clés » Duriez qui m'a fourni de précieux détails techniques sur les serrures et les différents moyens d'en venir à bout. À mon ami le docteur Michael Temam qui m'a aidé pour les parties chirurgicales. À « Cafard », ma guide secrète du Paris souterrain (son homonyme dans le livre est un personnage de fiction, bien entendu... quoique). Et surtout à Mme le Juge M. que je remercie tout particulièrement pour ses précieux conseils, sa disponibilité et son aide irremplaçable durant l'écriture de ce roman. Les erreurs éventuelles sont uniquement imputables à l'auteur, ce fourbe, qui n'hésite pas à tordre la réalité quand ça l'arrange.

Je remercie également ma famille et mes proches, Laetitia, Doc Margaux, Joffrey, mes âmes sœurs, toujours prêtes à aider le metteur en scène parfois perdu : je vous aime ! Sans oublier Bernard Werber (Maître Jedi), Amélie (Agent Rebelle) et l'incroyable bande d'auteurs de la Ligue de l'Imaginaire (Jedi Academy), pour les fous rires, la complicité et les délires qui nous unissent depuis si longtemps, ainsi que les copains lecteurs, les libraires, les bloggeurs, David Smadja & les Contagieux, et tous les amis qui bossent avec moi, vous tous qui faites partie de l'aventure depuis le départ.

J'espère que le spectacle vous a plu. Vous entendez les bruits derrière le rideau ? Les chuchotements ont repris, on déplace les décors, il y a des sons étranges, de la fumée et des crépitements électriques. Le prochain numéro se prépare déjà...

De la magie, je vous dis !

P. B.

Composition Nord Compo
Impression CPI Firmin-Didot en mars 2017
Éditions Albin Michel
22, rue Huyghens, 75014 Paris
www.albin-michel.fr
ISBN 978-2-39634-1
N° d'édition : 22571/01 – N° d'impression : 126150
Dépôt légal : avril 2017
Imprimé en France